汉语短期班语言文字综合教程

游学在中国

A STUDY TOUR IN CHINA

周健 主编

暨南大学华文学院 编

外语教学与研究出版社

(京)新登字 155 号

图书在版编目(CIP)数据

游学在中国/周健主编. - 北京: 外语教学与研究出版社,1999

ISBN 7 - 5600 - 1516 - 6

Ⅰ. 游…　Ⅱ. 周…　Ⅲ. 对外汉语教学 - 教材　Ⅳ. H195.4

中国版本图书馆 CIP 数据核字(1999)第 28387 号

游学在中国

主编: 周　健

*　*　*

出版发行: 外语教学与研究出版社

社　　址: 北京市西三环北路 19 号 (100081)

网　　址: http: //www.fltrp.com.cn

印　　刷: 北京师范大学印刷厂

开　　本: 787 × 1092　1/16

印　　张: 20.75

字　　数: 330 千字

版　　次: 1999 年 11 月第 1 版　1999 年 11 月第 1 次印刷

印　　数: 1—5000 册

书　　号: ISBN 7 - 5600 - 1516 - 6/G·651

定　　价: 39.90 元

*　*　*

如有印刷、装订质量问题出版社负责调换

前言

《游学在中国》是专门为外国人短期学习汉语和中国文化而编写的实用型语言文化综合教材。

中国改革开放以来，经济、文化日趋繁荣，现在来华学习、经商、考察、观光、旅游，进行各种文化交流的外国朋友越来越多，其中参加冬夏令营，就读于各种短期班的人迅速增长。外国人到了中国，迫切希望了解中国和中国文化，他们渴望能在短短一个月甚至两三周的时间内尽可能高效率地接触、了解和学习中国文化。除了学习汉语之外，他们还想了解中国历史地理的概况，学点儿中国的书画，练练中国功夫，唱一两首中国歌曲，做几道中国的家常菜，购买一些中国的土特产，游览中国最有代表性的名胜古迹。为了适应他们多方面的要求，填补短期语言文化综合教材的空缺，我们组织编写了这套教材。

近年来，暨南大学华文学院举办过一百多期汉语冬夏令营和短期进修班，积累了比较丰富的经验。本书各部分的编写多由该内容的专任授课教师执笔，力求简明生动，实用易学。许多内容均自出机杼，特色鲜明。这套教材分为上下两册，上册为汉语言文字基础教材，内容包括《汉字入门》、《汉语初阶》、《常用交际语》和附录：《中国留学指南》四个部分。《汉字入门》通过科学的字序安排，巧妙的提示说解，使学员能在短短的几个小时内轻松地掌握100个最基本的汉字；《汉语初阶》（附有录音带）重在日常口语的训练，介绍了一些最基本的交际文化知识，还编写了三则小话剧，可用于提高和表现学员的汉语水平，学员如想扩大会话的范围，可以参用《常用交际语》。附录：《中国留学指南》介绍了64所著名大学及教学机构的通讯地址和对外汉语教学专业及课程设置的情况。

下册为中国文化艺术综合教材。内容包括《中国概况》、《中国导游》、《中国书画便径》、《学做中国菜》、《学武术》、《唱中国歌》以及附录：《购物指南》七个部分。《中国概况》介绍中国的史地常识和基本国情;《中国导游》择要介绍中国最著名的历史文化名城,自然风光名胜,民族风情旅游和珠江三角洲新貌;《中国书画便径》通过简要的说明和步骤图示,引导学员跨进中国传统书画的门槛;《学做中国菜》、《学武术》、《唱中国歌》等也都是外国学生所喜闻乐见的。附录:《购物指南》除了介绍中国各地著名的土特产之外,还提供了主要城市的购物地点。

美国朋友 Mark E. Roth 先生、北京外国语大学熊德倪教授审校了部分英译,周和平、陈今今等为本书绘制了部分插图。谭桂英老师为文稿的电脑输入付出了辛勤的劳动。外语教学与研究出版社、广东省人民政府侨务办公室、亚加达中英文学校(ALCANTA SCHOOL)大力支持并资助了本书的编写出版,在此一并致谢。

周 健

PREFACE

A STUDY TOUR IN CHINA is a practical language-culture textbook. It has been specially compiled to enable foreigners to learn Mandarin and Chinese Culture in a very short period of time. As China opens its door wider and wider to the outside world and as countrywide reform gains increasing momentum, the economy of the country and its culture have entered a period of growth and flowering and an increasing number of foreigners are coming to the country for academic pursuits, for trade and business, for fact-finding, for cultural exchange in various forms or simply for the country' s beautiful landscapes and scenery. Among them there is an increasing number of foreign students who come for summer / winter camps or for short-term training programs of various kinds. While they are here, they inevitably will want to know more about the country and its unique culture. For example, other than the basic Chinese language, they may want to have some elementary knowledge of Chinese history and geography, to learn calligraphy and traditional Chinese painting, to practice Chinese martial arts, to sing one or two Chinese songs, to cook some Chinese family dishes, to buy some Chinese native products, and to visit some famous places of historical interest and scenic beauty. To meet the needs of such visitors and to fill the gaps in the existing textbooks, we decided that it would be worth our while to bring out a book like what our readers now have before them.

The College of Chinese Language and Culture of Jinan University have successfully conducted over 100 summer / winter camps and training courses in recent years. The teachers therefore have rich experience in teaching Chinese culture. Almost every subject of this book was written by the instructor who taught the same subject. The language and cultural materials selected for this book are simple and interesting, easy to learn, and of practical use. The readers will find this book quite innovative and characteristic.

This book is in two volumes. Volume I is a textbook of Chinese Characters and Language which include four parts: CROSSING THE THRESHOLD OF CHINESE CHARACTERS, BASIC CHINESE, SAY IT IN CHINESE and the appendix A GUIDE TO CHINESE PROGRAMS FOR FOREIGN STUDENT SIN CHINA. CROSSING THE THRESHOLD OF CHINESE CHARACTERS guarantees a mastery of 100 basic characters for beginners in just a few hours by a carefully arranged studying order and clear explanations. BASIC CHINESE (with cassette tapes) is designed to train beginners in the Basic skills in listening comprehension and speaking. If the students want to extend their language skills in communication, the part SAY IT IN CHINESE will be a good help. The appendix offers a brief introduction of Chinese Programs for international students at 64 famous universities and other educational institutions.

Volume II is a comprehensive course on Chinese Culture and Arts which consists of seven parts: A SURVEY OF CHINA, CHINA NATIONAL TOURIST HIGHLIGHTS, CALLIGRAPHY AND TRADITIONAL CHINESE PAINTING FOR BEGINNERS, AN INTRODUCTION TO CHINESE CUISINE, BASIC CHINESE MARTIAL ARTS, SINGING CHINESE SONGS and the appendix: SHOPPING IN CHINA. The first part A SURVEY OF CHINA offers a brief introduction to Chinese history and geography and national conditions. CHINA NATIONAL TOURIST HIGHLIGHTS tells the students about China's Historical and Cultural Cities, Famous Scenic Areas, Trip to Minority Areas and Unique Charm of the Pearl Rivers Delta. CALLIGRAPHY AND TRADITIONAL CHINESE PAINTING FOR BEGINNERS leads students through step be step, from the very beginning to the mastery of the basic skills in hand-writing and painting. Foreign students will find other parts of this volume most helpful and interesting. Readers will learn about famous Chinese special products of local flavour and about shopping places in major cities in the appendix SHOPPING IN CHINA.

We are very grateful to our American friend Mr. Mark Roth, Prof. Xiong Deni and Dr. He Qixin, who has proofread many of the translations. The illustrators of this book are Zhou Heping and Chen Jinjin. Thanks are also due to Ms Tan Guiying, who has done much paper work. Also we owe thanks to Foreign Language Teaching and Research Press, The Overseas Chinese Affairs Office of the Guangdong Provincial People's Government and Alcanta School who have given us great help and support in the publication of this book.

Zhou Jian

目　录

Contents

汉字入门

RUDIMENTARY CHINESE

周健 编写

字序索引　ORDER INDEX

笔画索引　STROKE INDEX

拼音索引 PHONETIC ALPHABET

一 ①

yī

1画 one [num.]

Stroke order:

一							

Tips:

Use a horizontal stroke to indicate the meaning of "one".

This self-explanatory character is also the simplest character.

Words and phrases:

一共	yīgòng	*ad.*	altogether
一定	yīdìng	*a./ad.*	surely, certain
一样	yīyàng	*a./ad.*	same
一点儿	yīdiǎnr	*n.*	a little, a bit
一会儿	yīhuìr	*n.*	a little while
一些	yīxiē	*a./n.*	some, a few, a little
一月	yīyuè	*n.*	January
万一	wànyī	*ad.*	in case

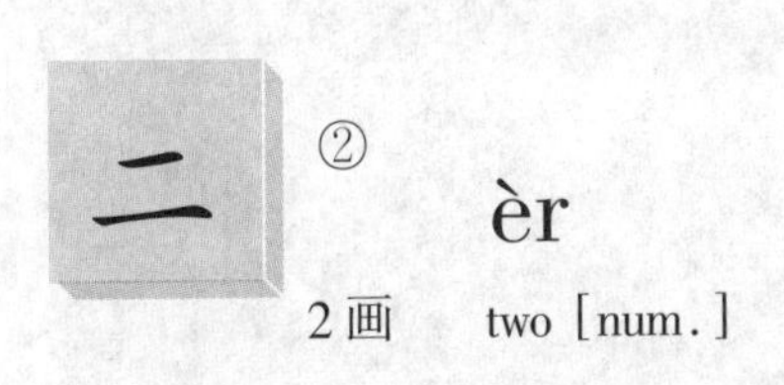

二 ②

èr

2画 two [num.]

Stroke order:

一	二						

Tips:

With the bottom line longer than the top one, the self-explanatory character 二 consists of two horizontal strokes.

Words and phrases:

二月	èryuè	*n.*	February
二等	èrděng	*a.*	second-class
星期二	xīngqīèr	*n.*	Tuesday
二胡	èrhú	*n.*	Erhu fiddle
二者必居其一	èrzhěbìjūqíyī	*phr.*	It must be one or the other.
独一无二	dúyīwúèr	*idiom*	unique, unparalleled
数一数二	shǔyīshǔèr	*idiom*	count as one of the very best
一穷二白	yīqióng'èrbái	*idiom*	poor and blank

三 ③

sān

3画　three [num.]

Stroke order:

一	二	三					

Tips:

In this self-explanatory character, the middle stroke is the shortest while the bottom one is the longest.

Words and phrases:

三月	sānyuè	*n.*	March
三个月	sāngeyuè	*phr.*	three months
三角形	sānjiǎoxíng	*n.*	triangle
三思	sānsī	*phr.*	think twice
星期三	xīngqīsān	*n.*	Wednesday
再三	zàisān	*ad.*	over and over again, time again
三言两语	sānyánliǎngyǔ	*idiom*	in a few words
三心二意	sānxīn'èryì	*idiom*	be of two minds; half-heartedly

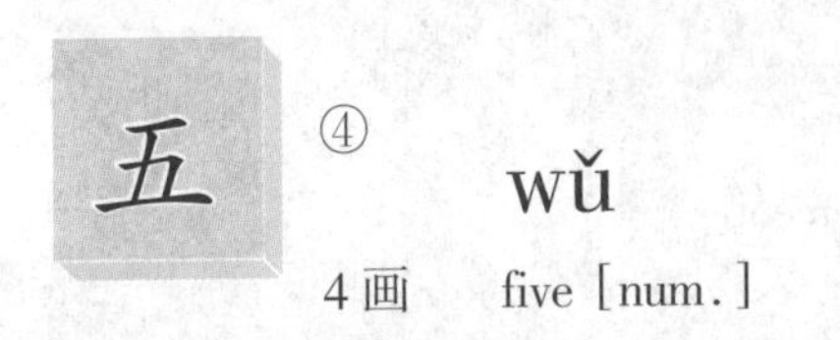

五 ④ wǔ

4画 five [num.]

Stroke order:

一	二	五	五				

Tips:

The character 三 plus two vertical strokes makes a 五 (five). Note that 五 has only four strokes in writing.

Words and phrases:

五分之一	wǔfēnzhīyī	*n.*	one fifth
五月	wǔyuè	*n.*	May
星期五	xīngqīwǔ	*n.*	Friday
五边形	wǔbiānxíng	*n.*	pentagon
五行	wǔxíng	*n.*	the five elements (metal, wood, water, fire, earth)
五光十色	wǔguāngshísè	*n.*	multicolored
五年计划	wǔniánjìhuà	*n.*	five-year plan

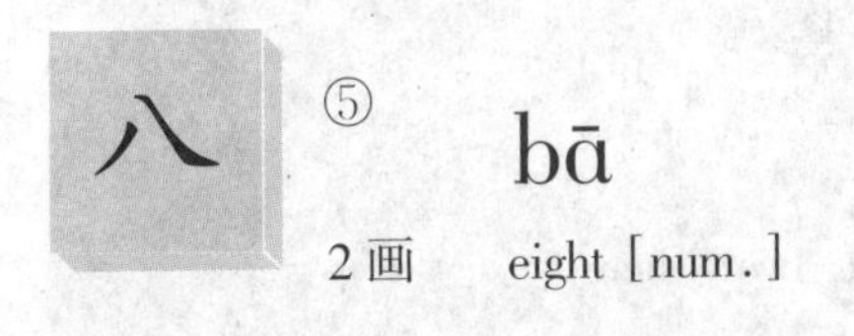

八 ⑤ bā

2画 eight [num.]

Stroke order:

丿	八						

Tips:

The character 八 looks like Papa's moustache. The Chinese way of finger counting also looks like 八.

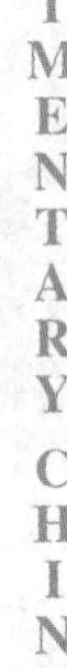

Words and phrases:

八成	bāchéng	*n.*	eighty percent
八月	bāyuè	*n.*	August
八方	bāfāng	*n.*	the eight points of the compass; all directions
八折	bāzhé	*n.*	twenty percent discount
八字	bāzì	*n.*	character 八
胡说八道	húshuōbādào	*idiom*	talk nonsense
八九不离十	bājiǔbùlíshí	*phr.*	pretty close; very near

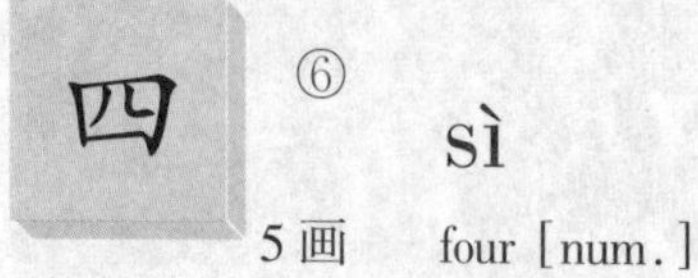

四 ⑥ sì

5画 four [num.]

Stroke order:

丨	冂	门	四	四			

Tips:

It is strange that inside the character "four" (四) is the character "eight" (八).

Words and phrases:

四月	sìyuè	*n.*	April
四处	sìchù	*n.*	all round; everywhere
四季	sìjì	*n.*	the four seasons
星期四	xīngqīsì	*n.*	Thursday
四面八方	sìmiànbāfāng	*n.*	all directions
四分五裂	sìfēnwǔliè	*n.*	fall apart; be all split up
四个现代化	sìgexiàndàihuà	*phr.*	the four modernizations

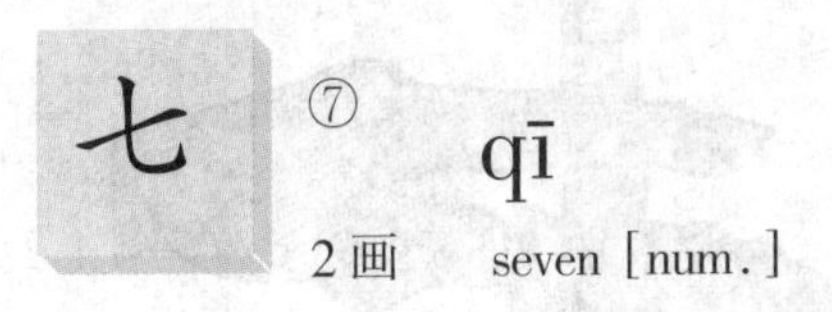

七 ⑦ qī

2画 seven [num.]

Stroke order:

一	七						

Tips:

It is still seven (7) when you turn the character 七 upset down.

Words and phrases:

七十	qīshí	*num.*	seventy
七月	qīyuè	*n.*	July
第七	dìqī	*num.*	seventh
十七	shíqī	*num.*	seventeen
七上八下	qīshàngbāxià	*idiom.*	be agitated; an unsettled state of mind
七嘴八舌	qīzuǐbāshé	*idiom.*	all talking at once
乱七八糟	luànqībāzāo	*idiom.*	at sixes and sevens; in a mess

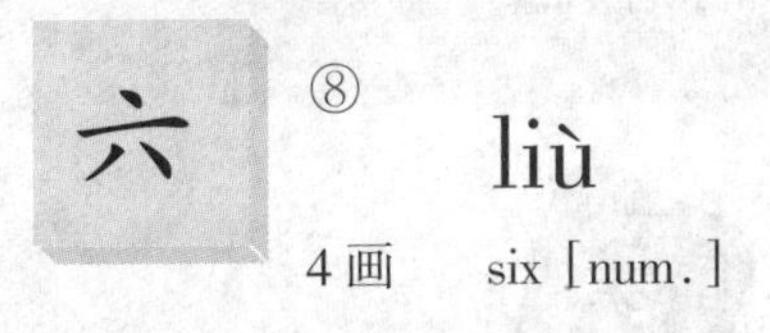

六 ⑧ liù

4画 six [num.]

Stroke order:

丶	亠	六	六				

Tips:

The character "eight" (八) taking off two (二) on top is six (六).

Words and phrases:

六书	liùshū	*n.*	the six categories of characters
六月	liùyuè	*n.*	June
星期六	xīngqīliù	*n.*	Saturday
六弦琴	liùxiánqín	*n.*	guitar
六边形	liùbiānxíng	*n.*	hexagon
三头六臂	sāntóuliùbì	*idiom.*	(with three heads and six arms — super-human)
六神无主	liùshénwúzhǔ	*idiom.*	in a state of utter stupefaction

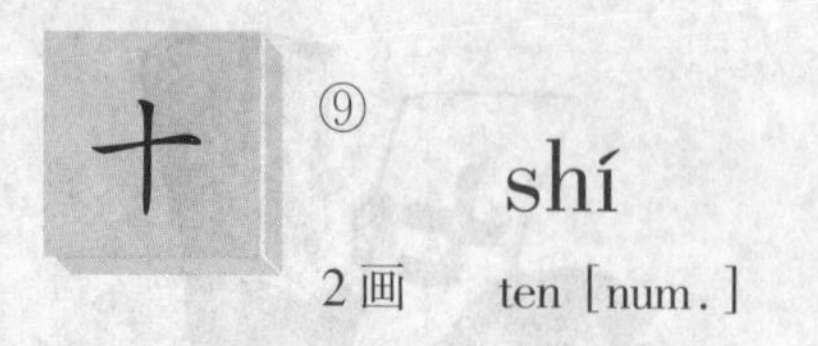

十 ⑨ shí

2画 ten [num.]

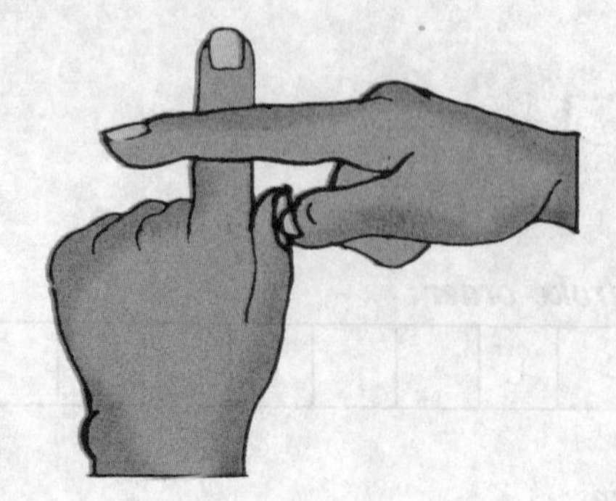

Stroke order:

一	十						

Tips:

The Chinese style of finger counting uses a cross made by two index fingers.

Words and phrases:

十月	shíyuè	*n.*	October
十一月	shíyīyuè	*n.*	November
十二月	shíèryuè	*n.*	December
十字架	shízìjià	*n.*	cross
十分	shífēn	*ad.*	very much
十字路口	shízìlùkǒu	*n.*	crossroads
红十字会	hóngshízìhuì	*n.*	the Red Cross
十全十美	shíquánshíměi	*n.*	be perfect in every way

九 ⑩ jiǔ

2画 nine [num.]

Stroke order:

ノ	九						

Tips:

There are only two strokes in 九, and it resembles a hook.

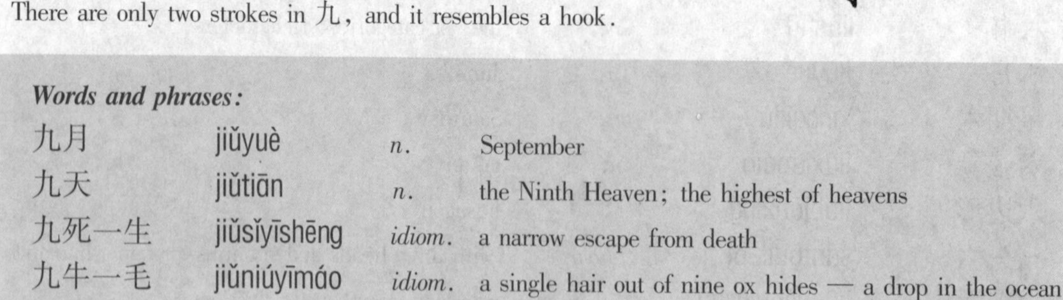

Words and phrases:

九月	jiǔyuè	*n.*	September
九天	jiǔtiān	*n.*	the Ninth Heaven; the highest of heavens
九死一生	jiǔsǐyīshēng	*idiom.*	a narrow escape from death
九牛一毛	jiǔniúyīmáo	*idiom.*	a single hair out of nine ox hides — a drop in the ocean

九折	jiǔzhé	*n.*	ten per cent discount
九九表	jiǔjiǔbiǎo	*n.*	multiplication table
九泉	jiǔquán	*n.*	grave; the nether world

① rén

human being [n.]

2画 person [n.]

Stroke order:

ノ	人						

Tips:

Men use only two legs to walk, this is a significant difference between men and apes.

Words and phrases:

人们	rénmen	*n.*	people, men, the public
人民币	Rénmínbì	*n.*	the currency of China, RMB ¥
人才	réncái	*n.*	a person of ability
人权	rénquán	*n.*	human rights
人口	rénkǒu	*n.*	population
人物	rénwù	*n.*	figure, personage
男人	nánrén	*n.*	man, male
女人	nǚrén	*n.*	woman, female

⑫ dà

3画 big, large [a.]

Stroke order:

一	ナ	大					

Tips:

Like a man stretching out his arms, this pictographic character symbolizes "big".

Words and phrases:

大夫	dàifu	*n.*	doctor
大家	dàjiā	*n.*	all, everybody
大人	dàrén	*n.*	adult
大声	dàshēng	*ad.*	loudly
大学	dàxué	*n.*	university, college
大学生	dàxuéshēng	*n.*	university (or college) student
大小	dàxiǎo	*n.*	big and small; size
大使馆	dàshǐguǎn	*n.*	embassy

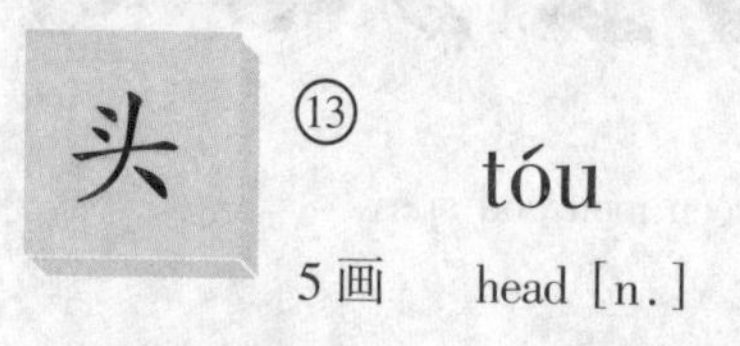

头 ⑬ tóu

5画 head [n.]

Stroke order:

丶	丶丶	䒑	头	头			

Tips:

In this simplified character, 大 is the shape of a man, and the two dots point out the position of the head.

Words and phrases:

头发	tóufa	*n.*	hair (on the human head)
头等	tóuděng	*n.*	first-class
头脑	tóunǎo	*n.*	brains; mind
头疼	tóuténg	*n.*	headache
头头是道	tóutóushìdào	*idiom.*	clear and logical
口头	kǒutóu	*n.*	oral; in words
老头儿	lǎotóur	*n.*	old man
点头	diǎntóu	*ph.*	nod one's head

⑭ **tài**

4画 too, over [ad.]

Stroke order:

一	ナ	大	太				

Tips:

With a dot added to 大 (big), this self-explanatory character means "excessive" or "over".

Words and phrases:

太阳	tàiyáng	*n.*	the sun
太空	tàikōng	*n.*	outer space
太太	tàitai	*n.*	wife, Mrs.
太子	tàizǐ	*n.*	crown prince
太平	tàipíng	*a.*	peaceful
太平洋	tàipíngyáng	*n.*	the Pacific (Ocean)
太大	tàidà	*phr.*	too big
不太好	bútàihǎo	*phr.*	not very good

⑮ **tiān**

sky, heaven [n.]

4画 day [n.]

Stroke order:

二	二	チ	天				

Tips:

The biggest (大) in the world is the sky (一) which is on top of the character 大.

Words and phrases:

天才	tiāncái	*n.*	talent, genius
天空	tiānkōng	*n.*	the sky
天气	tiānqì	*n.*	weather
天下	tiānxià	*n.*	China; the world
天主教	tiānzhǔjiào	*n.*	Catholicism

天天	tiāntiān	*n.*	every day, daily
春天	chūntiān	*n.*	spring
星期天	xīngqītiān	*n.*	Sunday

⑯

fū

husband [n.]

4画 man [n.]

Stroke order:

一	二	扌	夫				

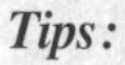

Tips:

The husband is higher than the sky. So you must respect him.

Words and phrases:

夫妇	fūfù	*n.*	husband and wife
夫妻	fūqī	*n.*	husband and wife
夫人	fūrén	*n.*	wife, madame, Mrs.
工夫	gōngfu	*n.*	time, workmanship
功夫	gōngfu	*n.*	skill, Chinese martial arts
姐夫	jiěfu	*n.*	elder sister's husband
丈夫	zhàngfu	*n.*	husband
大夫	dàifu	*n.*	doctor

⑰

cóng

from [prep.]

4画 follow [v.]

Stroke order:

丿	人	从	从				

Tips:

One person follows the other. This associative compound character indicates "to follow" or "from".

Words and phrases:

从不	cóngbù	*ad.*	never
从来	cónglái	*ad.*	always, at all times
从前	cóngqián	*ad./n.*	before, in the past
从…到…	cóng…dào…	*phr.*	from...to...
从事	cóngshì	*v.*	*go* in for, be engaged in
从小	cóngxiǎo	*phr.*	from childhood, as a child
跟从	gēncóng	*v.*	follow
服从	fúcóng	*v.*	obey

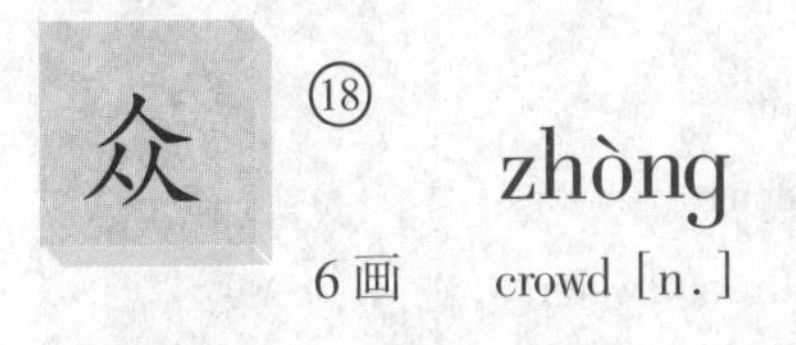

众 ⑱ zhòng

6画 crowd [n.]

Stroke order:

㇒	人	仒	众	众	众		

Tips:

Three people gathered together makes a crowd.

Words and phrases:

众多	zhòngduō	*a.*	numerous
众人	zhòngrén	*n.*	the people, crowd
大众	dàzhòng	*n.*	the masses
当众	dāngzhòng	*ad.*	before the crowd
公众	gōngzhòng	*n.*	public
观众	guānzhòng	*n.*	audience, observer
听众	tīngzhòng	*n.*	audience, listener
群众	qúnzhòng	*n.*	the crowd
出众	chūzhòng	*n.*	outstanding

入 ⑲ rù

2画 enter [v.]

Stroke order:

丿	入						

Tips:

人 and 入 are symmetric to each other. You may imagine a person entering a mirror.

Words and phrases:

入口	rùkǒu	*n.*	entrance
入门	rùmén	*n.*	elementary course
入学	rùxué	*phr.*	enter a school
出入	chūrù	*v.*	come in and go out
加入	jiārù	*v.*	join, add
进入	jìnrù	*v.*	enter, get into
收入	shōurù	*v./n.*	take in / income
出生入死	chūshēngrùsǐ	*idiom.*	go through fire and water

个 ⑳ gè

3画 measure [classifier.]

Stroke order:

丿	人	个					

Tips:

One (丨) and person (人) make a 个 — a person is a unique individual. This is the most commonly used measure word.

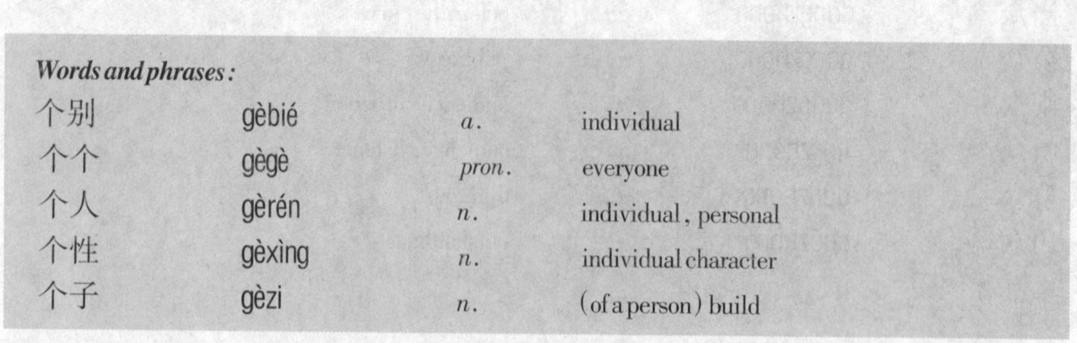

Words and phrases:

个别	gèbié	*a.*	individual
个个	gègè	*pron.*	everyone
个人	gèrén	*n.*	individual, personal
个性	gèxìng	*n.*	individual character
个子	gèzi	*n.*	(of a person) build

个体户	gètǐhù	*n.*	individual small business
一个人	yīgèrén	*phr.*	one person
十个字	shígèzì	*phr.*	ten characters

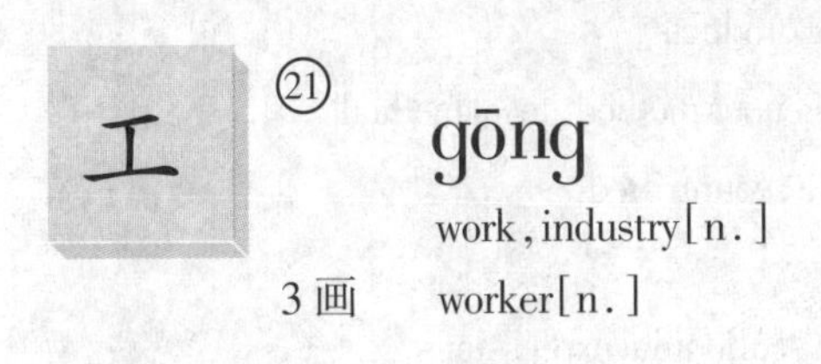

㉑ gōng

work, industry[n.]

3画 worker[n.]

Stroke order:

一	丅	工					

Tips:

The workers are great(like a giant with his head reaching the sky and his feet standing on earth).

Words and phrases:

工厂	gōngchǎng	*n.*	factory
工人	gōngrén	*n.*	worker
工会	gōnghuì	*n.*	labor union
工业	gōngyè	*n.*	industry
工资	gōngzī	*n.*	wage, salary
工作	gōngzuò	*n.*	work, job
工艺品	gōngyìpǐn	*n.*	handicraft
女工	nǚgōng	*n.*	woman worker

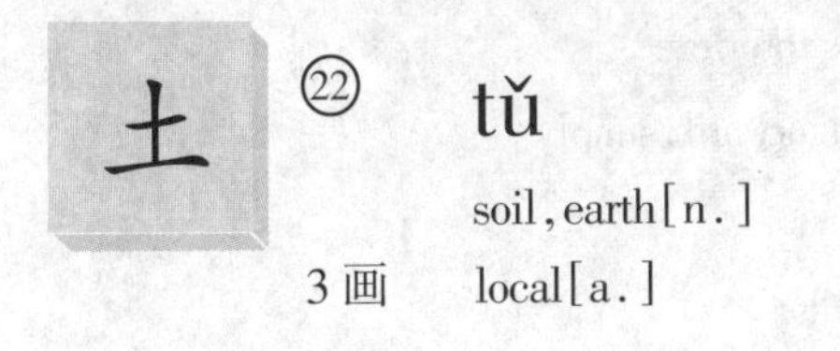

㉒ tǔ

soil, earth[n.]

3画 local[a.]

Stroke order:

一	十	土					

Tips:
"二"indicates a layer of soil, it produces all things(丨).

Words and phrases:

土地	tǔdì	*n.*	earth
土木	tǔmù	*n.*	construction
土壤	tǔrǎng	*n.*	soil
土产	tǔchǎn	*n.*	local products
土法	tǔfǎ	*n.*	indigenous method, local method
土气	tǔqi	*n.*	rustic, countrified
土人	tǔrén	*n.*	natives
土语	tǔyǔ	*n.*	local, colloquial expressions
土生土长	tǔshēngtǔzhǎng	*n.*	locally born and bred

干 ㉓ gān/gàn

dry(gān)[a.]
3画 to work[v.]

Stroke order:

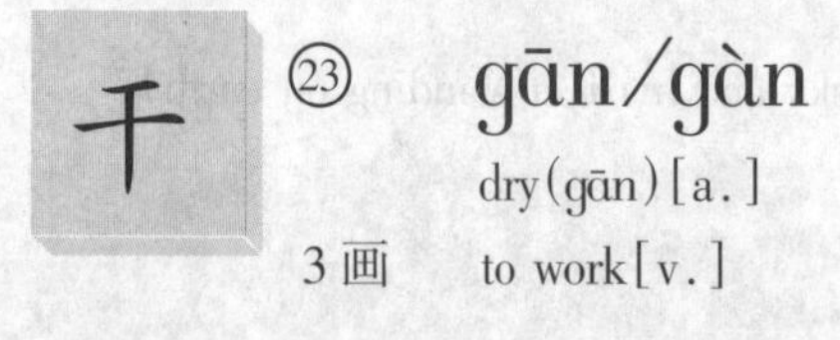

Tips:
Towork, to turn over the soil(土→干).

Words and phrases:

干旱	gānhàn	*a.*	(of weather) dry, arid
干净	gānjìng	*a.*	clean
干扰	gānrǎo	*v.*	disturb, interfere
干脆	gāncuì	*ad.*	straight forward, simply
干燥	gānzào	*a.*	dried
干妈	gānmā	*n.*	godmother
干部	gànbù	*n.*	cadre
干活	gànhuó	*phr.*	work, work on a job
干嘛	gànmá	*phr.*	why on earth/what to do

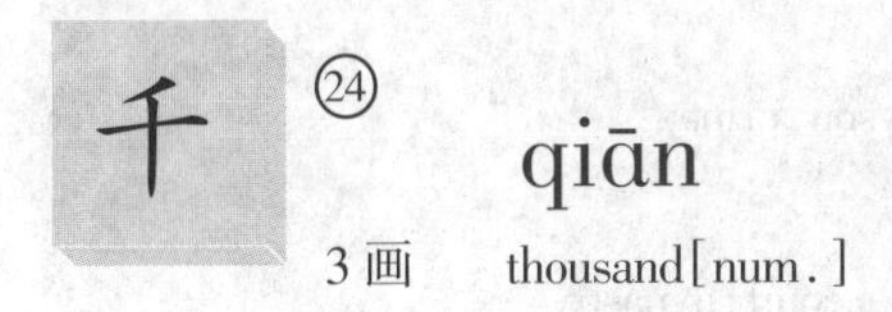

千 ㉔ qiān

3 画 thousand[num.]

Stroke order:

㇒	二	千					

Tips:

This character is very similar to 干, but the top of 千 is a down stroke to the left.

Word sand phrases:

千克	qiānkè	*n.*	kilogram(kg)
千米	qiānmǐ	*n.*	kilometer(km)
千金	qiānjīn	*n.*	your daughter/a thousand pieces of gold, a lot of money
千万	qiānwàn	*ad.*	be sure/ten million(num)
千方百计	qiānfāngbǎijì	*idiom.*	by every possible means
千言万语	qiānyánwànyǔ	*idiom.*	thousands and thousands of words
千变万化	qiānbiànwànhuà	*idiom.*	ever changing

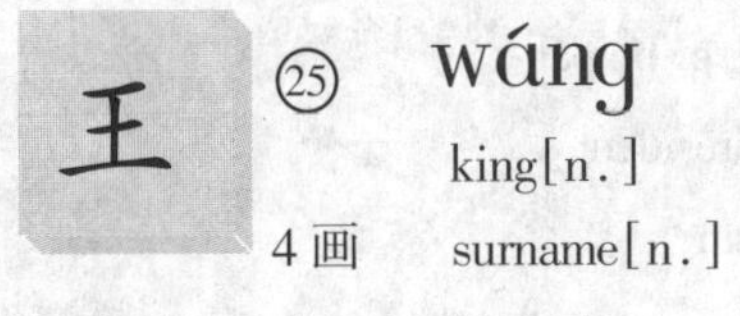

王 ㉕ wáng

4 画 king[n.]
surname[n.]

Stroke order:

一	二	干	王				

Tips:

The three horzontal strokes represent respectively the sky, the people and the earth. The king(|) rules over them all.

Words and phrases:

王国	wángguó	*n.*	kingdom
国王	guówáng	*n.*	king
王后	wánghòu	*n.*	queen consort, queen

王子	wángzǐ	*n.*	king's son, prince
王位	wángwèi	*n.*	throne
王朝	wángcháo	*n.*	imperial court; dynasty
帝王	dìwáng	*n.*	emperor
亲王	qīnwáng	*n.*	king's brother

㉖ zhǔ

5画

host[n.]

main[a.]

Stroke order:

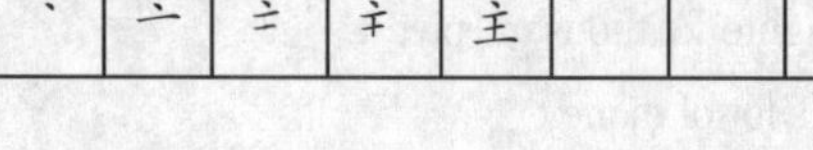

Tips:

A dot on top of the king(王) indicates the master or the host.

Words and phrases:

主人	zhǔrén	*n.*	master, host
主动	zhǔdòng	*a.*	initiative
主任	zhǔrèn	*n.*	director, head, chairman
主要	zhǔyào	*a.*	main, chief, principal
主席	zhǔxí	*n.*	chairman, president
主义	zhǔyì	*n.*	doctrine, -ism
地主	dìzhǔ	*n.*	landlord
民主	mínzhǔ	*n./a.*	democracy/democratic

㉗ yù

5画 jade[n.]

Stroke order:

一	二	干	王	玉			

Tips:

The dot in the character "king"(王) indicates the imperial jade seal.

Words and phrases:

玉石	yùshí	*n.*	jade
玉雕	yùdiāo	*n.*	jade carving, jade sculpture
玉器	yùqì	*n.*	jadeware, jade article
璧玉	bìyù	*n.*	jasper
玉米	yùmǐ	*n.*	maize, corn
金玉	jīnyù	*n.*	gold and jade, treasures
美玉	měiyù	*n.*	fine jade
亭亭玉立	tíngtíngyùlì	*idiom.*	fair, slim and graceful

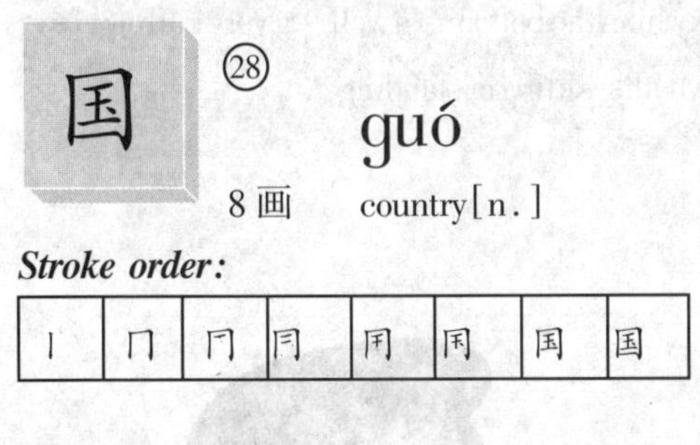

国 ㉘ guó

8画 country[n.]

Stroke order:

丨	冂	冂	冃	冃	冃	国	国

Tips:

The enclosure 口 symbolizes the borders of a nation, and the 玉(jade) inside indicates the imperial jade seal.

Words and phrases:

国家	guójiā	*n.*	nation, country
国际	guójì	*n.*	international
国庆	guóqìng	*n.*	National Day, Independence Day
国会	guóhuì	*n.*	parliament, congress
国籍	guójí	*n.*	nationality
国内	guónèi	*n.*	internal, domestic, home
中国	Zhōngguó	*n.*	China
美国	Měiguó	*n.*	U.S.A.

坐 ㉙

zuò

7画 sit[v.]

Stroke order:

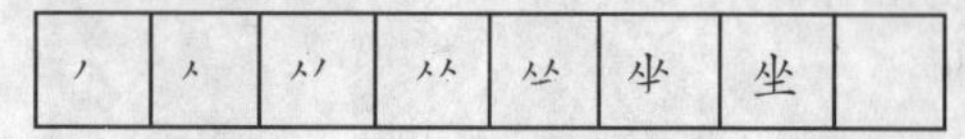

丿	人	从	从	丛	坐	坐	

Tips:

Twopeople sit on the earth(土)and take a rest.

Words and phrases:

坐下	zuòxià	*phr.*	sit down
坐牢	zuòláo	*phr.*	to be in jail
坐车	zuòchē	*phr.*	take a car(bus, train, etc)
坐视	zuòshì	*phr.*	watch and do nothing
坐落	zuòluò	*v.*	to be located at
坐井观天	zuòjǐngguāntiān	*idiom.*	looking at the sky from the bottom of a well – a very narrow view
坐立不安	zuòlìbù'ān	*idiom.*	to feel anxious whether sitting or standing

口 ㉚

kǒu

3画 mouth[n.]

Stroke order:

丨	𠃍	口					

Tips:

Symbolizing a mouth, this pictographic character means mouth.

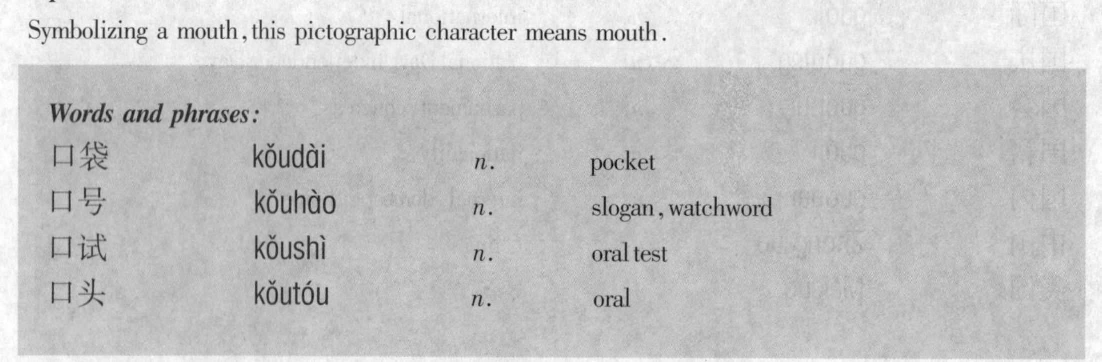

Words and phrases:

口袋	kǒudài	*n.*	pocket
口号	kǒuhào	*n.*	slogan, watchword
口试	kǒushì	*n.*	oral test
口头	kǒutóu	*n.*	oral

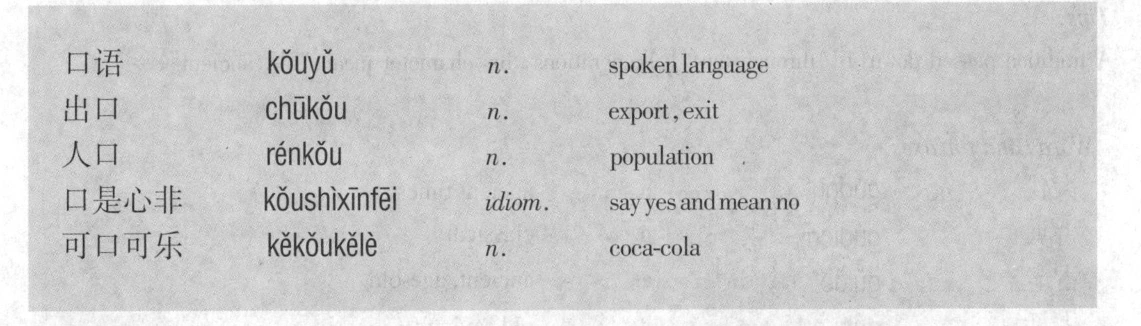

口语	kǒuyǔ	*n.*	spoken language
出口	chūkǒu	*n.*	export, exit
人口	rénkǒu	*n.*	population
口是心非	kǒushìxīnfēi	*idiom.*	say yes and mean no
可口可乐	kěkǒukělè	*n.*	coca-cola

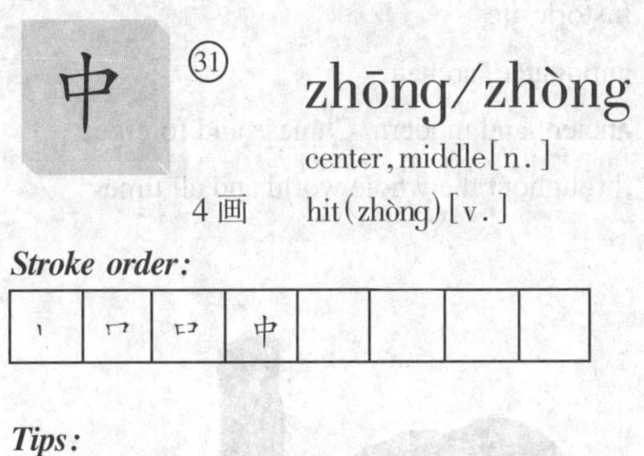

中 ㉛ zhōng/zhòng

4画 center, middle [n.]
hit (zhòng) [v.]

Stroke order:

丨	口	口	中				

Tips:

Imagine an arrow hitting the bull's eye right in the center.

Words and phrases:

中间	zhōngjiān	*n.*	middle, center
中国	zhōngguó	*n.*	China, the middle kingdom
中年	zhōngnián	*n.*	middle aged
中心	zhōngxīn	*n.*	center
中文	zhōngwén	*n.*	Chinese language
中医	zhōngyī	*n.*	traditional Chinese medical science
中午	zhōngwǔ	*n.*	noon
中意	zhòngyì	*phr.*	be to one's liking
打中	dǎzhòng	*phr.*	hit the mark, hit the target

古 ㉜ gǔ

5画 ancient [a.]

Stroke order:

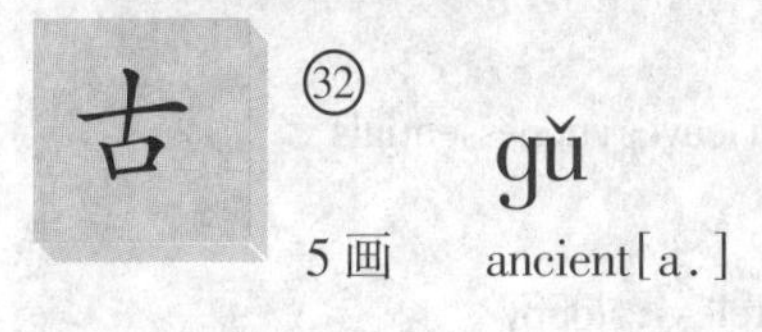

一	十	十	古	古			

Tips:

A tradition passed down(口)through ten(十)generations, this character means"old, ancient".

Words and phrases:

古代	gǔdài	n.	ancient times
古典	gǔdiǎn	n.	classical
古老	gǔlǎo	a.	ancient, age-old
古话	gǔhuà	n.	old saying
古迹	gǔjì	n.	historicsite
古旧	gǔjiù	a.	antiquated, archaic
古今中外	gǔjīnzhōngwài	idiom.	ancient and modern, Chinese and foreign; throughout the whole world and all times

叶 ㉝ yè

5画 leaf[n.]

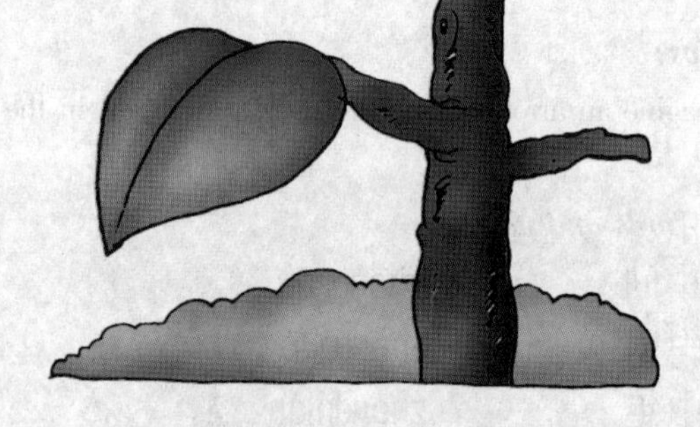

Stroke order:

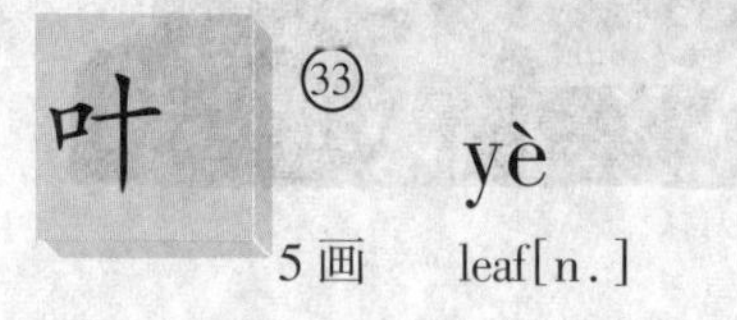

Tips:

Symbolizing a leaf on a branch.

Words and phrases:

叶子	yèzi	*n.*	leaf
树叶	shùyè	*n.*	tree leaf
末叶	mòyè	*n.*	in the latter part of a period
茶叶	cháyè	*n.*	tea-leaves
枝叶	zhīyè	*n.*	branches and leaves; nonessentials
枫叶	fēngyè	*n.*	maple leaf
粗枝大叶	cūzhīdàyè	*idiom.*	crude and careless; sloppy
根深叶茂	gēnshēnyèmào	*idiom.*	have deep roots and luxuriant leaves; be well established and developing vigorously

叫 ㉞ jiào

5画 call[v.]

Stroke order:

丨	𠃍	口	口㇑	叫			

Tips:

This character looks like a combination of 0 and 4. My code name is"called"04, not 007.

Words and phrases:

大叫	dàjiào	*n.*	shout, cry out loud
叫好	jiàohǎo	*v.*	applaud; shout"Well done!"
叫门	jiàomén	*v.*	call at the door to be let in
叫喊	jiàohǎn	*v.*	shout; yell
叫苦	jiàokǔ	*v.*	complain of hardship or suffering
叫卖	jiàomài	*v.*	cry one's wares; peddle
狗叫	gǒujiào	*n.*	dog's bark
叫花子	jiàohuāzi	*n.*	beggar

听 ㉟ tīng

7画 listen[v.]

Stroke order:

丨	𠃍	口	口′	叮	吖	听	

Tips:

The left part, a mouth(口), symbolizes somebody is speaking; while the right part can be imagined as an ear to listen to.

Words and phrases:

听见	tīngjiàn	*v.*	hear
听说	tīngshuō	*v.*	be told, hear of
听讲	tīngjiǎng	*v.*	listen to a talk; attend a lecture

听力	tīnglì	*n.*	aural comprehension
听写	tīngxiě	*v./n.*	to dictate/dictation
听从	tīngcóng	*v.*	obey; heed; comply with
难听	nántīng	*a.*	unpleasant to hear
动听	dòngtīng	*a.*	interesting (or pleasant) to listen to

㊱ yán

words, speech[n.]

7 画 say, talk[v.]

Stroke order:

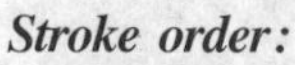

丶	亠	亠	言	言	言	言

Tips:

A mouth(口) with sound waves(亖) coming out, this associative compound character means "words".

Words and phrases:

言语	yányǔ	*n.*	speech, words
语言	yǔyán	*n.*	language
言论	yánlùn	*n.*	opinion on public affairs
言谈	yántán	*n.*	the way one speaks; what one says
自言自语	zìyánzìyǔ	*idiom.*	talk to oneself
言行不一	yánxíngbùyī	*idiom.*	one's deeds do not match one's words
言而无信	yán'érwúxìn	*idiom.*	fail to keep one's words

㊲ xìn

letter[n.]

9 画 believe[v.]

Stroke order:

丿	亻	亻	仁	信	信	信	信	信

Tips:

A man(亻) with words(言), this associative character means "message, letter". Since people should trust the man's words, 信 also means "to believe".

Words and phrases:

书信	shūxìn	*n.*	letter; mail
信封	xìnfēng	*n.*	envelope
信号	xìnhào	*n.*	signal
信任	xìnrèn	*v.*	have confidence in; trust
信息	xìnxī	*n.*	information
信心	xìnxīn	*n.*	confidence
相信	xiāngxìn	*v.*	believe

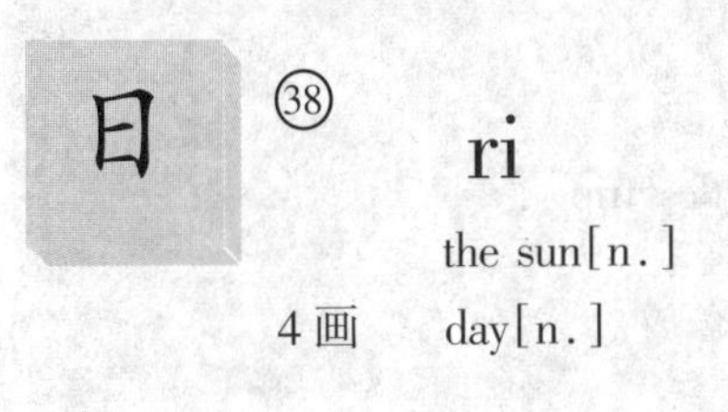

日 ㊳ ri

the sun[n.]

4画 day[n.]

Stroke order:

丨	冂	日	日				

Tips:

This is a pictographic character symbolizing the sun.

Words and phrases:

日出	rìchū	*v./n.*	sunrise
日常	rìcháng	*a.*	day-to-day; everyday
日记	rìjì	*n.*	diary
日报	rìbào	*n.*	daily paper; daily
日期	rìqī	*n.*	date
日本	Rìběn	*n.*	Japan
日子	rìzi	*n.*	day; time; life
日夜	rìyè	*n.*	day and night
星期日	xīngqīrì	*n.*	Sunday

㊴ bái

white[a.]

5画 in vain[ad.]

Stroke order:

′	⺁	白	白	白			

Tips:

With one additional stroke above the sun, this character implies the white light of the sun.

Words and phrases:

白色	báisè	*n.*	white color
白天	báitiān	*n.*	daytime; day
白人	báirén	*n.*	Caucasian, white man or woman
白宫	báigōng	*n.*	the White House
明白	míngbái	*v.*	understand
白酒	báijiǔ	*n.*	white spirit
白跑	báipǎo	*phr.*	make a fruitless trip
空白	kòngbái	*n.*	blank

㊵ bǎi

6画 hundred[num.]

Stroke order:

一	丆	丆	百	百	百		

Tips:

This is a pictophonetic character with 白(bai) as its sound element and 一(one) as its ideogram.

Words and phrases:

一百	yībǎi	*num.*	one hundred
百万	bǎiwàn	*num.*	million
百货	bǎihuò	*n.*	general merchandise
百分	bǎifēn	*n.*	percent

百科全书	bǎikēquánshū	*n.*	encyclopedia
百花齐放	bǎihuāqífàng	*idiom.*	let all flowers blossom
百米赛跑	bǎimǐsàipǎo	*idiom.*	100-meter dash
百分之百	bǎifēnzhībǎi	*idiom.*	a hundred percent; absolutely

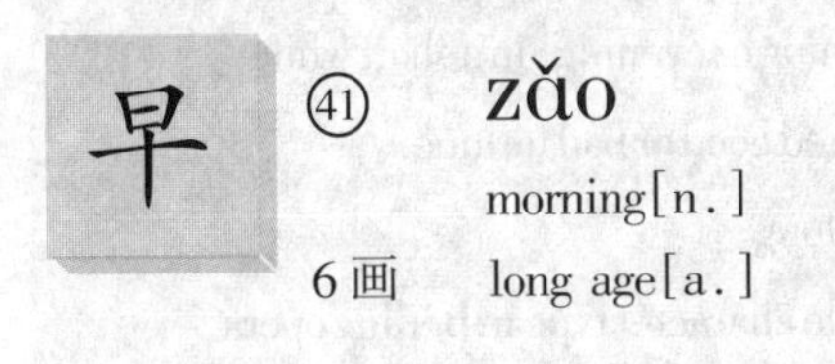

早 ㊶ zǎo

morning[n.]

6画 long age[a.]

Stroke order:

丶	口	日	日	旦	早		

Tips:

Imagine the sun(日)has come up to the top of the church(十), and you will comprehend the meaning—"morning".

Words and phrases:

早上	zǎoshang	n.	morning, early morning
早晨	zǎochén	n.	early morning
早饭	zǎofàn	n.	breakfast
早期	zǎoqī	n.	the early time period
早已	zǎoyǐ	n.	long ago
早晚	zǎowǎn	n.	morning and evening; sooner or later
你早	nǐzǎo	phr.	Good morning!
提早	tízǎo	*ad.*	shift to an earlier time

旦 ㊷ dàn

dawn, daybreak[n.]the female character

5画 type in Beijing opera[n.]

Stroke order:

丶	口	日	日	旦			

Tips:

The sun(日)rising from the horizon(一),this self-explanatory character implies"dawn".

Words and phrases:

一旦	yīdàn	*n./ad.*	in a single day/once;in case
元旦	yuándàn	*n.*	New Year's Day
旦夕	dànxī	*n.*	this morning or evening;in a short while
旦夕祸福	dànxīhuòfú	*idiom.*	unexpected good or bad fortune
通宵达旦	tōngxiāodádàn	*idiom.*	all night long
旦角	dànjué	*n.*	the female character type in Beijing opera

㊸ dàn

7 画 but,yet[conj.]

Stroke order:

ノ	亻	亻	仴	伹	伹	但	

Tips:

The right part 旦(dàn)is used as a phonetic element.

Words and phrases:

但	dàn	*conj.*	but
但是	dànshì	*conj.*	but;yet;still
但凡	dànfán	*conj.*	all that
但见	dànjiàn	*phr.*	(something)only seen
但愿	dànyuàn	*v.*	wish;hope
非但	fēidàn	*conj.*	not only
但愿如此	dànyuànrúcǐ	*idiom.*	wish it'll be so
不但…而且	bùdàn…érqiě	*conj.*	not only...but also

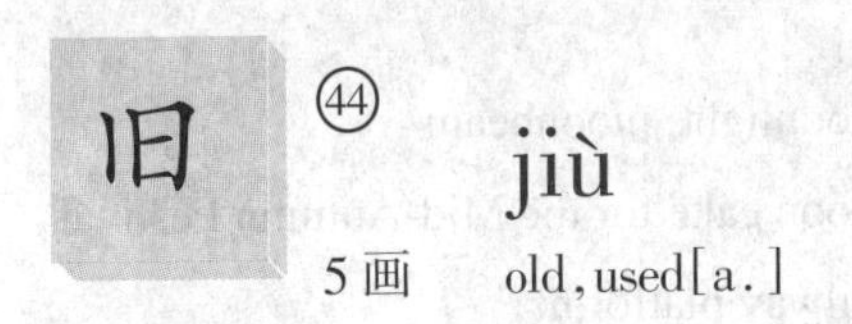

旧 ㊹ jiù

5画 old, used[a.]

Stroke order:

丨	丨丨	丨冂	丨日	旧			

Tips:

It becomes old even if you have used it for only one(1)day(日).

Words and phrases:

旧书	jiùshū	*n.*	secondhand book; used book
旧车	jiùchē	*n.*	secondhand vehicle; used car
旧货	jiùhuò	*n.*	secondhand goods
陈旧	chénjiù	*a.*	outmoded; obsolete; out-of-date
旧式	jiùshì	*a.*	old type
仍旧	réngjiù	*ad.*	remain; still
旧址	jiùzhǐ	*n.*	former site
怀旧	huáijiù	*phr.*	remember past times or old acquaintances

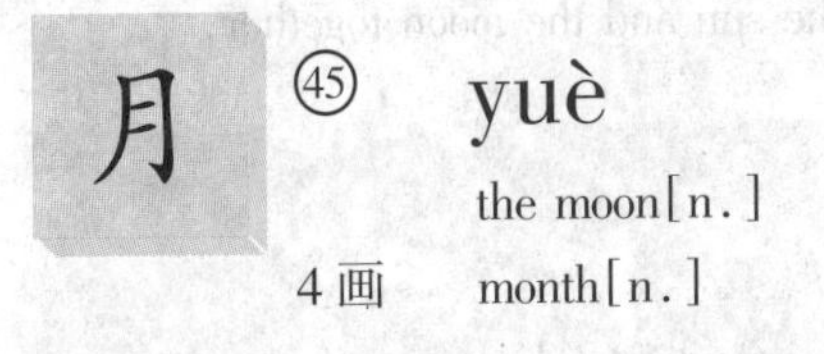

月 ㊺ yuè

the moon[n.]

4画 month[n.]

Stroke order:

丿	刀	月	月				

Tips:

This is a pictographic character symbolizing the moon in crescent.

Words and phrases:

月亮	yuèliang	*n.*	the moon

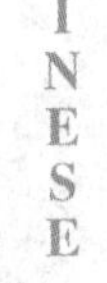

月光	yuèguāng	*n.*	moonlight; moonbeam
月饼	yuèbǐng	*n.*	moon cake for the Mid-Autumn Festival
月台	yuètái	*n.*	railway platform
月票	yuèpiào	*n.*	monthly ticket
月经	yuèjīng	*n.*	menses; menstruation; period
九月	jiǔyuè	*n.*	September
蜜月	mìyuè	*n.*	honeymoon

明 ㊻

míng

bright[a.]

8画 clear[a.]

Stroke order:

丨	冂	日	日	日丿	明	明	明

Tips:

This associative compound character means"bright" by puting the sun and the moon together.

Words and phrases:

明白	míngbai	*a./v.*	clear/understand; know
明亮	míngliàng	*a.*	bright; light
明明	míngmíng	*ad.*	obviously; undoubtedly
明天	míngtiān	*n.*	tomorrow
明年	míngnián	*n.*	next year
明显	míngxiǎn	*a.*	clear, obvious
明确	míngquè	*a./v.*	clear/make clear
说明	shuōmíng	*v.*	explain; give reasons

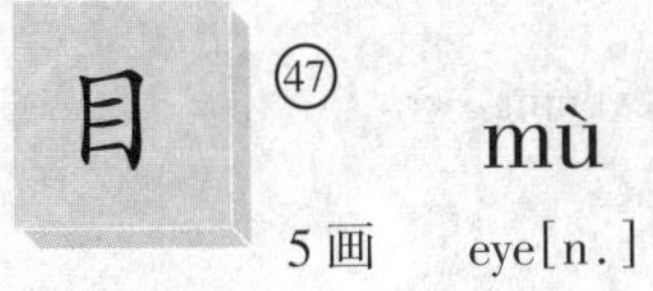

目 ㊼ mù

5画　eye[n.]

Stroke order:

丨	冂	日	月	目			

Tips:

This is a pictograph showing an eye in its upright position.

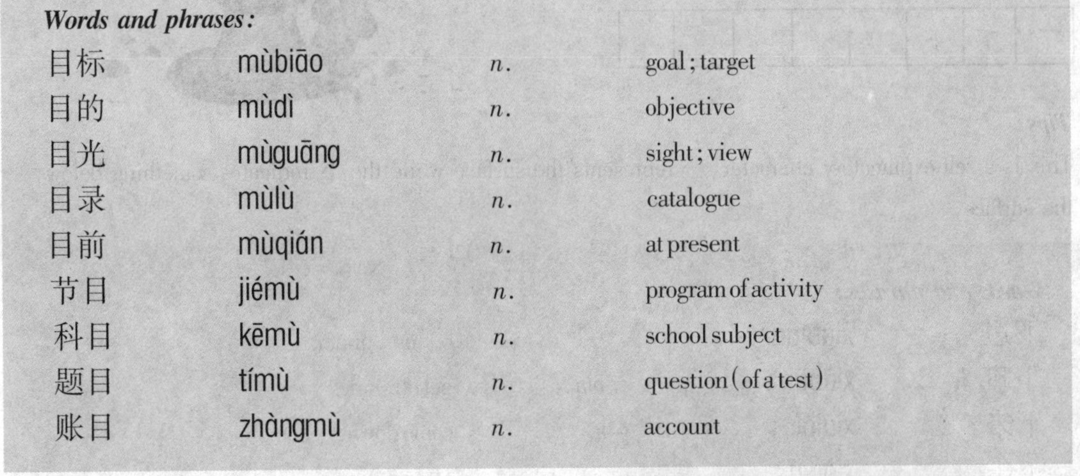

Words and phrases:

目标	mùbiāo	*n.*	goal; target
目的	mùdì	*n.*	objective
目光	mùguāng	*n.*	sight; view
目录	mùlù	*n.*	catalogue
目前	mùqián	*n.*	at present
节目	jiémù	*n.*	program of activity
科目	kēmù	*n.*	school subject
题目	tímù	*n.*	question (of a test)
账目	zhàngmù	*n.*	account

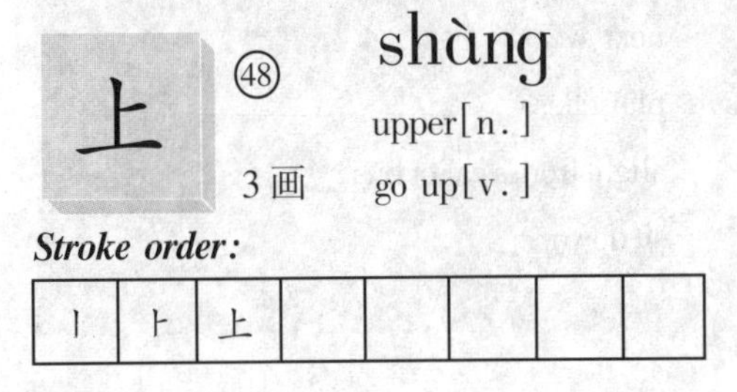

上 ㊽ shàng

3画　upper[n.]　go up[v.]

Stroke order:

丨	⺊	上					

Tips:

This is a self-explanatory character, 一 represents the surface while the ⺊ indicates something above the surface.

Words and phrases:

上边	shàngbiān	*n.*	upper; top
上面	shàngmiàn	*n.*	upper; top
上课	shàngkè	*phr.*	go to class; attend class
上午	shàngwǔ	*n.*	morning
上级	shàngjí	*n.*	higher level; higher authorities
上班	shàngbān	*phr.*	go to work
上哪儿	shàngnǎr	*phr.*	where to go

晚上	wǎnshang	*n.*	evening

下 ㊾ xià

lower[n.]

3 画 down[v.]

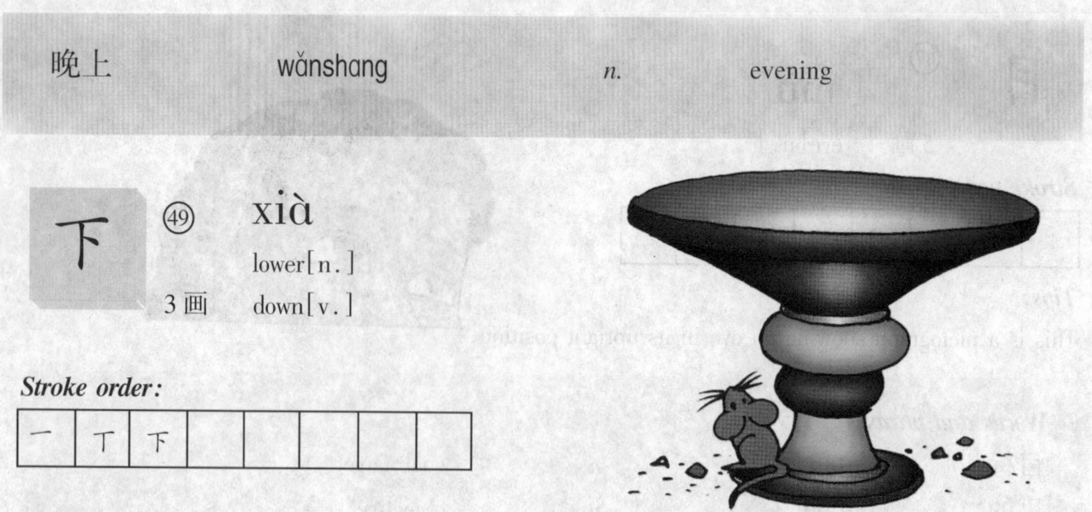

Stroke order:

一	丅	下					

Tips:

This is a self-explanatory character, 一 represents the surface while the 卜 indicates something below the surface.

Words and phrases:

下边	xiàbian	*n.*	bottom; under
下班	xiàbān	*phr.*	get off work
下来	xiàlái	*v.*	come down; become
下午	xiàwǔ	*n.*	afternoon
下星期	xiàxīngqī	*n.*	next week
下棋	xiàqí	*phr.*	play chess
下车	xiàchē	*phr.*	alight from a car or bus
坐下	zuòxià	*v.*	sit down

小 ㊿ xiǎo

3 画 small, little[a.]

Stroke order:

亅	小	小					

Tips:

An adult stands in the middle with one little child standing on each side.

Words and phrases:

小姐	xiǎojiě	*n.*	miss
小麦	xiǎomài	*n.*	wheat
小时	xiǎoshí	*n.*	hour; in one's childhood
小说	xiǎoshuō	*n.*	novel; fiction
小学	xiǎoxué	*n.*	elementary school
小心	xiǎoxīn	*a.*	careful
小伙子	xiǎohuǒzi	*n.*	youngster; young fellow; lad
大小	dàxiǎo	*n.*	size

51 shǎo/shào

little, few [a.]

4画 young (shào) [a.]

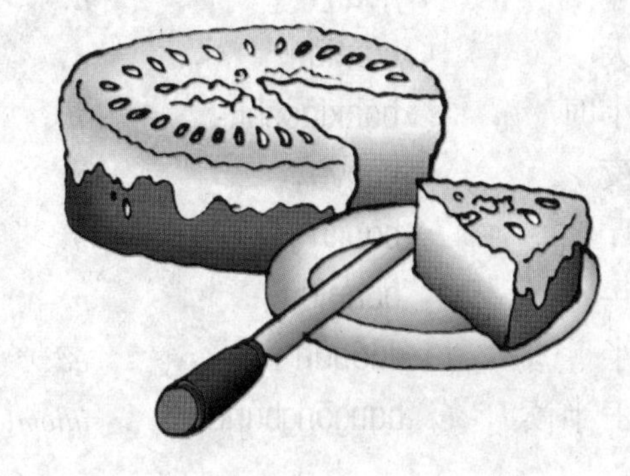

Stroke order:

丨	小(2)	小	少				

Tips:

Dividing (丿) whatever that is small (小) will make it even less.

Words and phrases:

少数	shǎoshù	*n.*	a small number
少数民族	shǎoshùmínzú	*n.*	minority nationality
少量	shǎoliàng	*a.*	a little; a small amount; a few
少而精	shǎo'érjīng	*phr.*	smaller quantity, better quality
少年	shàonián	*n.*	juvenile; young person
少女	shàonǚ	*n.*	young girl
少妇	shàofù	*n.*	young married woman
男女老少	nánnǚlǎoshào	*idiom.*	man and woman, old and young

半 ⑫ bàn

5 画　　half[num.]

Stroke order:

丶	丷	䒑	兰	半			

Tips:

Imagine(䒑) as a cake with two small tilted candles stuck in it, and cut into two halves right through the middle.

Words and phrases:

一半	yībàn	*n.*	one half
半天	bàntiān	*n.*	half a day; long time
半小时	bànxiǎoshí	*n.*	half an hour
半夜	bànyè	*n.*	midnight
半斤	bànjīn	*n.*	half a jin, 250g
半年	bànnián	*n.*	half a year
多半	duōbàn	*ad.*	mostly
半工半读	bàngōngbàndú	*idiom.*	part work, part study

了 ⑬ le / liǎo

verb ending[p.]

2 画　　know, understand(liǎo)[v.]

Stroke order:

㇖	了						

Tips:

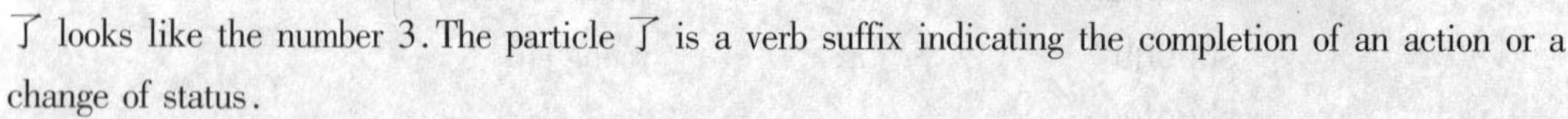

了 looks like the number 3. The particle 了 is a verb suffix indicating the completion of an action or a change of status.

Words and phrases:

吃了	chīle	*phr.*	have eaten
下雨了	xiàyǔle	*phr.*	It is raining now.

下了班	xiàlebān	*phr.*	after work
了解	liǎojiě	*v.*	understand; comprehend
了不起	liǎobuqǐ	*a.*	amazing; terrific; extaordinary
了不得	liǎobudé	*a.*	terrific; extraordinary
不得了	bùdéliǎo	*phr.*	desperately serious; disastrous
没完没了	méiwánméiliǎo	*idiom.*	endless

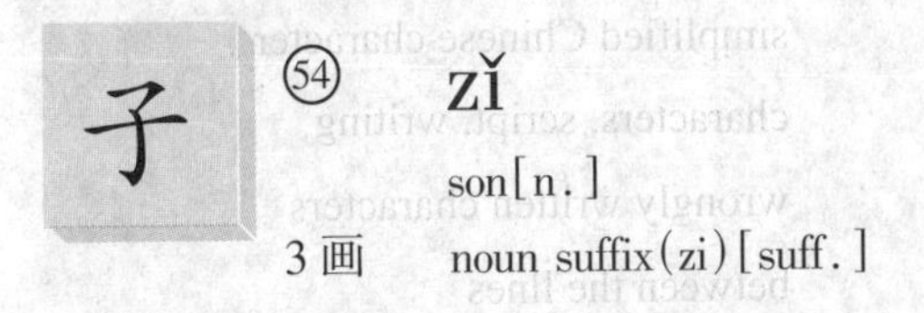

子 ⑤④ zǐ

son[n.]

3画 noun suffix(zi)[suff.]

Stroke order:

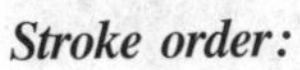

一	了	子					

Tips:

Looks like a new-born baby. The upper part resembles the head and two hands.

Words and phrases:

子弹	zǐdàn	*n.*	bullet; pellet
子弟	zǐdì	*n.*	sons and younger brothers; students
子女	zǐnǚ	*n.*	sons and daughters(children)
子孙	zǐsūn	*n.*	descendants
孙子	sūnzi	*n.*	grandson
桌子	zhuōzi	*n.*	table
男子	nánzǐ	*n.*	man; male
女子	nǚzǐ	*n.*	woman; female
孩子	háizi	*n.*	child; children

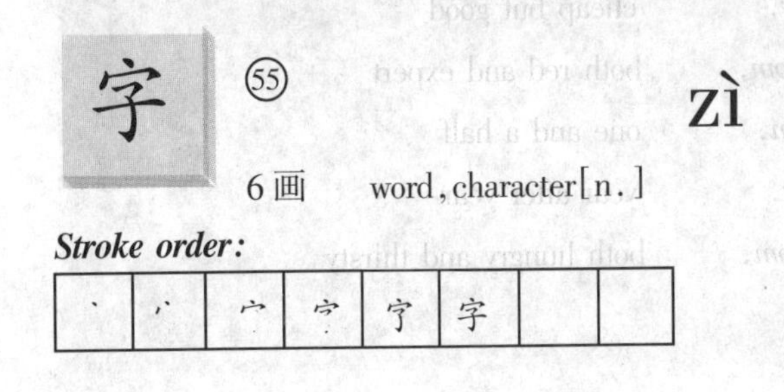

字 ⑤⑤ zì

6画 word, character[n.]

Stroke order:

丶	丶丶	宀	宁	字	字		

Tips:

(宀)is a symbol of home, 子 is a sound element-practising Chinese characters at home!

Words and phrases:

汉字	hànzì	*n.*	Chinese character
字典	zìdiǎn	*n.*	dictionary
字母	zìmǔ	*n.*	letters of an alphabet
字体	zìtǐ	*n.*	form of a written, typeface
简体字	jiǎntǐzì	*n.*	simplified Chinese character
文字	wénzì	*n.*	characters, script, writing
错别字	cuòbiézì	*n.*	wrongly written characters
字里行间	zìlǐhángjiān	*idiom.*	between the lines

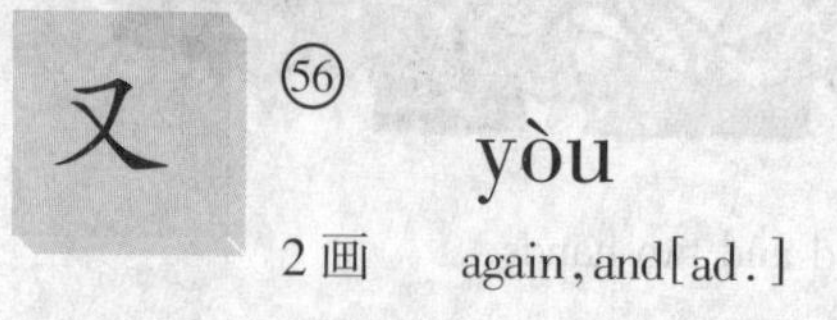

又 ⑯ yòu

2画 again, and[ad.]

Stroke order:

㇇	又						

Tips:

This pictographic character 又 originated from the ideogram symbolizing a hand.

Words and phrases:

又及	yòují	*phr.*	postscript (ps)
又惊又喜	yòujīngyòuxǐ	*idiom.*	alarmed and happy
又哭又笑	yòukūyòuxiào	*idiom.*	cry and laugh at same time
又便宜又好	yòupiányiyòuhǎo	*phr.*	cheap but good
又红又专	yòuhóngyòuzhuān	*idiom.*	both red and expert
一又二分之一	yīyòuèrfēnzhīyī	*num.*	one and a half
一年又一年	yīniányòuyīnián	*phr.*	year after year
又饥又渴	yòujīyòukě	*idiom.*	both hungry and thirsty

双 ㊼ shuāng

two, twin, both[a.]

4画 pair[classifier.]

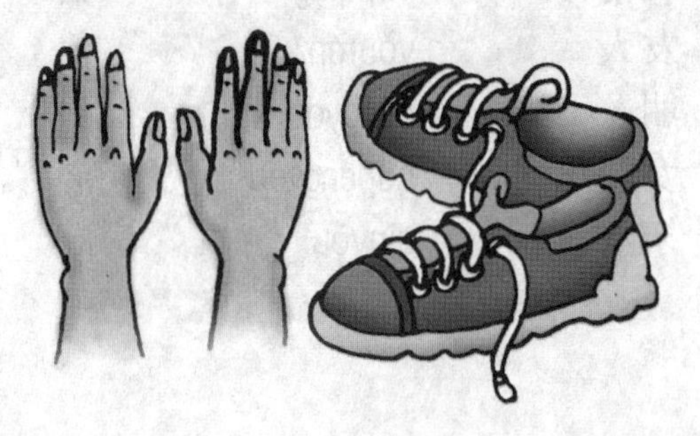

Stroke order:

㇇	ㄡ	刄	双				

Tips:

This is a self-explanatory character - a pair of hands.

Words and phrases:

双胞胎	shuāngbāotāi	*n.*	twins
双方	shuāngfāng	*n.*	both sides; the two parties
双边	shuāngbiān	*n.*	both sides; bilateral
双亲	shuāngqīn	*n.*	(both) parents ; father and mother
双数	shuāngshù	*n.*	even numbers
双喜	shuāngxǐ	*n.*	double happiness
双人床	shuāngrénchuáng	*n.*	double bed
一双手	yīshuāngshǒu	*phr.*	a pair of hands
双重	shuāngchóng	*a.*	double; dual; twofold

友 ㊽ yǒu

4画 friend[n.]

Stroke order:

Tips:

The original form of this character is 𠬪: two hands joined together means "friend".

Words and phrases:

友好	yǒuhǎo	*a./n.*	friendly/close friend
友谊	yǒuyì	*n.*	friendship
友爱	yǒu'ài	*n.*	friendly affection; friendly love

友情	yǒuqíng	*n.*	friendship; friendly sentiments
友人	yǒurén	*n.*	friend
朋友	péngyou	*n.*	friend
女朋友	nǚpéngyou	*n.*	girl friend
亲友	qīnyǒu	*n.*	relatives and friends

有 ⑲

yǒu

6画 have; possess[v.]

Stroke order:

一	ナ	𠂇	冇	有	有		

Tips:

A piece of meat(月) in hand(ナ) indicates "to have some thing", "to possess something".

Words and phrases:

有的	yǒude	*pron.*	some
有点儿	yǒudiǎnr	*ad.*	some; a little
有些	yǒuxiē	*pron.*	some; somewhat(ad)
有名	yǒumíng	*a.*	well-known; famous
有钱	yǒuqián	*a.*	rich; wealthy
有意思	yǒuyìsi	*a.*	interesting; meaningful
拥有	yōngyǒu	*v.*	possess
没有	méiyǒu	*ad./phr.*	not; don't have; there is not

左 ⑳

zuǒ

5画 left[n.]

Stroke order:

一	ナ	ナ	左	左			

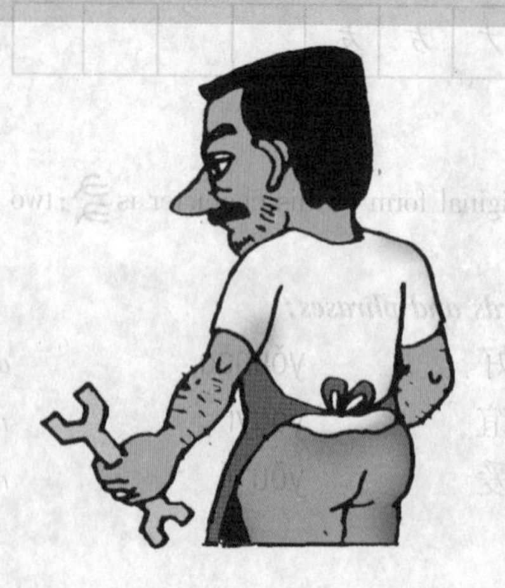

Tips:

The upper part is hand(⼜), the lower is(工)that looks like a Z, the first letter of its phonetie alphabet form - zuǒ.

Words and phrases:

左边	zuǒbiān	*n.*	left side
左派	zuǒpài	*n.*	the Left; the left wing
左手	zuǒshǒu	*n.*	the left hand
左右	zuǒyòu	*n./ad.*	the left and right sides /about; or so; approximately
左右手	zuǒyòushǒu	*n.*	right-hand man; valuable assistant
左右为难	zuǒyòuwéinán	*idiom.*	in a dilemma ; awkward
左思右想	zuǒsīyòuxiǎng	*idiom.*	think back and forth; ponder

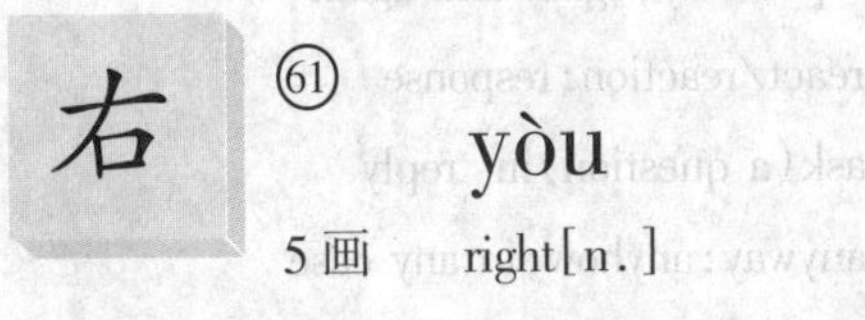

右 ⑥① yòu

5画 right[n.]

Stroke order:

一	ナ	オ	右	右			

Tips:

The upper part indicates a hand while the bottom part is a mouth(口), The hand you eat with is the right hand.

Words and phrases:

右边	yòubiān	*n.*	right side
右派	yòupài	*n.*	the Right; the right wing
右面	yòumiàn	*n.*	right side
右倾	yòuqīng	*n.*	Right deviation
右手	yòushǒu	*n.*	right hand
往右拐	wàngyòuguǎi	*phr.*	turn right
靠右走	kàoyòuzǒu	*phr.*	keep the right
右翼分子	yòuyìfènzǐ	*idiom.*	right-winger; member of the Right

⑥② **fǎn**

turn over[v.]

4画 in reverse; inside out[ad.]

Stroke order:

一	厂	万	反				

Tips:

Turn over(厂)a hand(又), thus developing the meaning "inversion", "reverse".

Words and phrases:

反动	fǎndòng	*a.*	reactionary
反对	fǎnduì	*v.*	oppose; be against
反而	fǎn'ér	*ad.*	on the contrary
反面	fǎnmiàn	*n.*	reverse side; back
反复	fǎnfù	*ad.*	repeatedly; again and again
反应	fǎnyìng	*v./n.*	react/reaction; response
反问	fǎnwèn	*v.*	ask(a question)in reply
反正	fǎnzhèng	*ad.*	anyway; anyhow; in any case

⑥③ **cái**

ability[n.]

3画 just[ad.]

Stroke order:

一	十	才					

Tips:

This character is a symbol of a dancer kicking her leg high - very talented.

Words and phrases:

才干	cáigàn	*n.*	competence; ability
才华	cáihuá	*n.*	literary or artistic talent
才能	cáinéng	*n.*	ability; talent

才气	cáiqì	*n.*	literary talent
才子	cáizǐ	*n.*	gifted scholar
人才	réncái	*n.*	a person of talent; a capable person
多才多艺	duōcáiduōyì	*idiom.*	versatile; gifted in many ways
才来	cáilái	*phr.*	just came

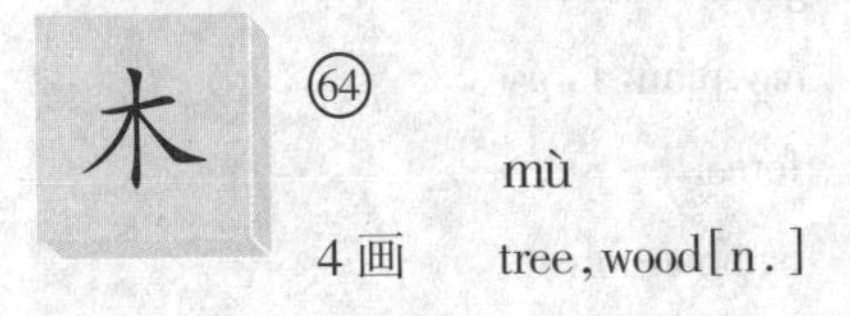

木 ⑥④ mù

4画 tree, wood[n.]

Stroke order:

一	十	才	木				

Tips:

The original form of this pictographic character is 𣎳 symbolizing a tree with branches and roots.

Words and phrases:

木板	mùbǎn	*n.*	plank; board
木材	mùcái	*n.*	timber
木柴	mùchái	*n.*	firewood
木工	mùgōng	*n.*	carpenter; carpentry
木偶	mù'ǒu	*n.*	carved figure; wooden puppet
木头	mùtou	*n.*	wood; log; timber
木刻	mùkè	*n.*	woodcut; wood engraving
树木	shùmù	*n.*	trees; woods

林 ⑥⑤ lín

forest, woods[n.]

8画 surname[n.]

Stroke order:

一	十	才	木	木一	村	材	林

Tips:

Two trees(木)standing together indicatea forest.

Words and phrases:

林木	línmù	*n.*	forest
林区	línqū	*n.*	forest area
林业	línyè	*n.*	forestry
园林	yuánlín	*n.*	garden; park
山林	shānlín	*n.*	mountain forest
树林	shùlín	*n.*	forest
竹林	zhúlín	*n.*	bamboo forest
森林	sēnlín	*n.*	giant forest
植树造林	zhíshùzàolín	*idiom.*	making a forest by planting trees

⑥⑥ běn

5画

root; foundation[n.]

book; measure word for book[n.]

Stroke order:

一	十	才	木	本		

Tips:

The short stroke under the 木 indicates the root of the tree.

Words and phrases:

根本	gēnběn	*n./ad.*	basis; foundation; essentially
本钱	běnqián	*n.*	capital; principal
本来	běnlái	*a./ad.*	original; originally
本地	běndì	*a./ad*	local; this locality
本领	běnlǐng	*n.*	skill; ability; capability
本人	běnrén	*n.*	I; me; myself; oneself; in person
本质	běnzhì	*n.*	essence; nature; innate character
本子	běnzi	*n.*	notebook
五本书	wǔběnshū	*phr.*	five books

67

tǐ

7画 body; substance

Stroke order:

丿	亻	仁	什	休	体	体

Tips:

The essence(本)of a man(人)is his body(体).

Words and phrases:

身体	shēntǐ	*n.*	body
体会	tǐhuì	*v./n.*	know from exprience; realize
体育	tǐyù	*n.*	physical education; sports
体育馆	tǐyùguǎn	*n.*	gymnasium; gym
体育场	tǐyùchǎng	*n.*	stadium; sports field
体温	tǐwēn	*n.*	(body) temperature
物体	wùtǐ	*n.*	substance
体系	tǐxì	*n.*	system; setup
体贴	tǐtiē	*v.*	show consideration for

68

xiū

6画 rest; stop[v.]

Stroke order:

丿	亻	仁	什	休	休		

Tips:

A person(亻)is resting(休)by the tree(木).

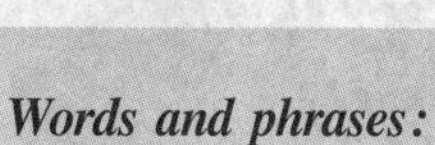

Words and phrases:

休会	xiūhuì	*phr.*	adjourn; between sessions
休假	xiūjià	*n./v.*	vacation; be on leave;

休息	xiūxi	*v.*	rest
休养	xiūyǎng	*v.*	recuperate; convalesce
休战	xiūzhàn	*phr.*	cease-fire
休克	xiūkè	*n./v.*	shock (for a patient)
休想	xiūxiǎng	*phr.*	don't imagine that it's possible
罢休	bàxiū	*v.*	give up
退休	tuìxiū	*v.*	retire

风 ⑥⑨ fēng

4画 wind[n.]

Stroke order:

丿	几	风	风				

Tips:

Imagine a girl's hair caught by the wind and flying all over her face

Words and phrases:

风暴	fēngbào	*n.*	windstorm; storm
风光	fēngguāng	*n.*	scene; view
风力	fēnglì	*n.*	strength of wind; wind power
风俗	fēngsú	*n.*	custom
风气	fēngqì	*n.*	general mood; atmosphere
风言风语	fēngyánfēngyǔ	*idiom.*	groundless talk; gossip
刮风	guāfēng	*phr.*	blow; windy
台风	táifēng	*n.*	typhoon

文 ⑦⓪ wén

4画 script; literature; language[n.]

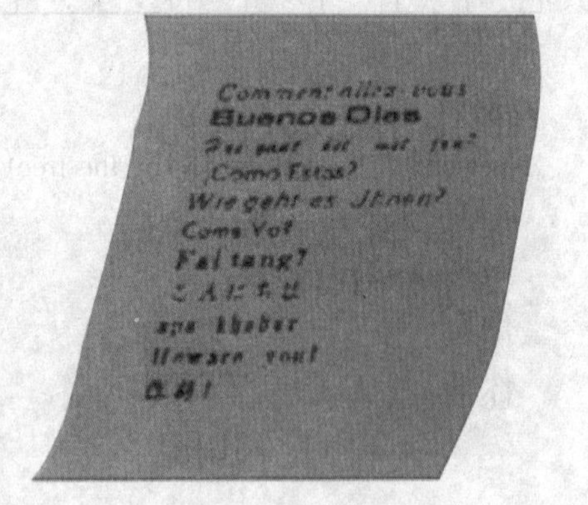

Stroke order:

丶	亠	亣	文				

Tips:

Pay attention to the stroke order. The third stroke is ノ which is followed by ㇏.

Words and phrases:

文化	wénhuà	*n.*	culture; civilization
文件	wénjiàn	*n.*	document
文明	wénmíng	*n.*	civilization
文学	wénxué	*n.*	literature
文艺	wényì	*n.*	literature and art
文字	wénzì	*n.*	characters; script; writing
中文	Zhōngwén	*n.*	Chinese language
外文	wàiwén	*n.*	foreign language

火 ⑰ huǒ

4画 fire[n.]

Stroke order:

丶	丿	火(3)	火				

Tips:

This is a pictograph which resembles a fire.

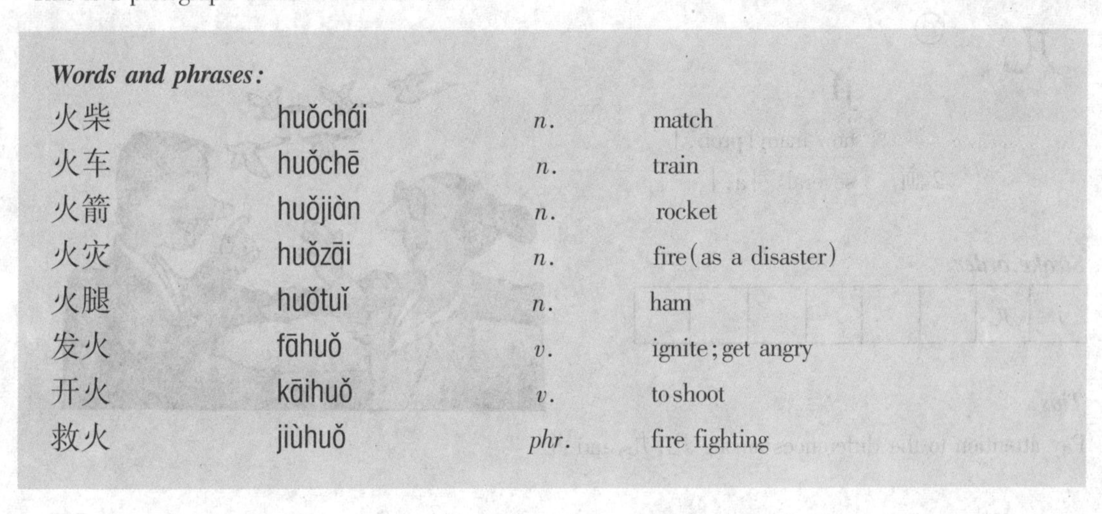

Words and phrases:

火柴	huǒchái	*n.*	match
火车	huǒchē	*n.*	train
火箭	huǒjiàn	*n.*	rocket
火灾	huǒzāi	*n.*	fire(as a disaster)
火腿	huǒtuǐ	*n.*	ham
发火	fāhuǒ	*v.*	ignite; get angry
开火	kāihuǒ	*v.*	to shoot
救火	jiùhuǒ	*phr.*	fire fighting

停火	tínghuǒ	*v.*	cease fire

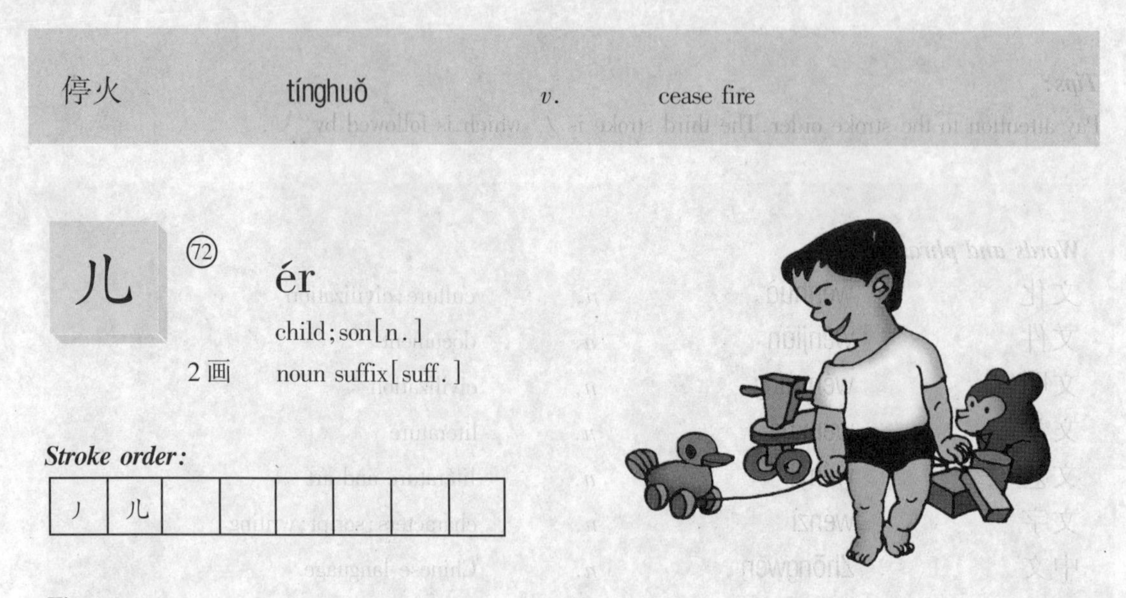

儿

⑫

ér

child; son[n.]

2画 noun suffix[suff.]

Stroke order:

丿	儿						

Tips:

The present simplified character has deleted a baby's head from the ancient form, leaving only twolegs.

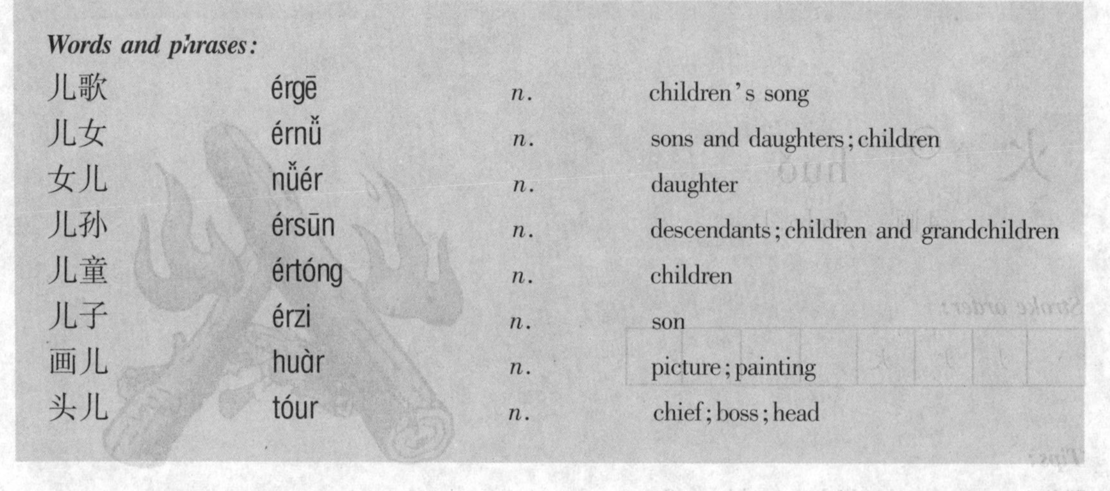

Words and phrases:

儿歌	érgē	*n.*	children's song
儿女	érnǚ	*n.*	sons and daughters; children
女儿	nǚér	*n.*	daughter
儿孙	érsūn	*n.*	descendants; children and grandchildren
儿童	értóng	*n.*	children
儿子	érzi	*n.*	son
画儿	huàr	*n.*	picture; painting
头儿	tóur	*n.*	chief; boss; head

几

⑬

jǐ

how many[pron.]

2画 several [a.]

Stroke order:

丿	几						

Tips:

Pay attention to the differences among 几, 九, and 儿.

Words and phrases:

几个	jǐgè	*a.*	several
几个	jǐgè	*pron.*	how many
几乎	jīhū	*ad.*	almost
几何	jǐhé	*n.*	geometry
几时	jǐshí	*pron.*	when; what time
几点钟	jǐdiǎnzhōng	*phr.*	What's the time?
今天几号	jīntiānjǐhào	*phr.*	What's the data today?
过几天	guòjǐtiān	*phr.*	in a couple of days
茶几	chájī	*n.*	tea table; tea-poy; side table

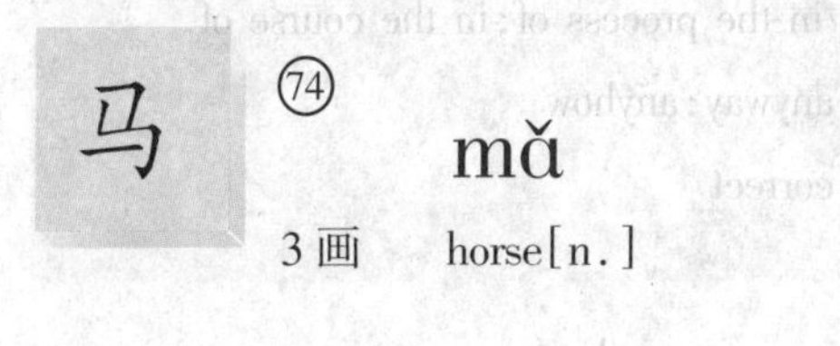

马 ⑭ mǎ

3画 horse[n.]

Stroke order:

㇇	马	马					

Tips:

The original form 馬 resembles a horse. There are only three strokes in the simplified character(马).

Words and phrases:

马车	mǎchē	*n.*	(horse-drawn) carriage; cart
马虎	mǎhu	*a.*	careless; casual
马路	mǎlù	*n.*	road; street; avenue
马上	mǎshàng	*ad.*	at once; immediately; right away
上马	shàngmǎ	*v.*	get on a horse; start
下马	xiàmǎ	*v.*	get downfrom a horse; discontinue
骑马	qímǎ	*phr.*	ride a horse
马到成功	mǎdàochénggōng	*idiom.*	gain an immediate victory

正 ⑦⑤ zhèng

straight; upright[a.]

5画 correct[a.]

Stroke order:

一	丅	下	正	正			

Tips:

Chinese use the character 正 as the counting symbol for "five" because it has five strokes.

Words and phrases:

正常	zhèngcháng	*a.*	normal; regular
正当	zhèngdāng	*a.*	appropriate
正点	zhèngdiǎn	*a./ad.*	on schedule; on time
正好	zhènghǎo	*a.*	just right
正确	zhèngquè	*a.*	correct; right; proper
正在	zhèngzài	*ad.*	in the process of; in the course of
反正	fǎnzhèng	*a.*	anyway; anyhow
改正	gǎizhèng	*v.*	correct

是 ⑦⑥ shì

to be[v.]

9画 correct; yes[ad.]

Stroke order:

丨	冂	日	日	旦	早	早	昰	是

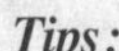

Tips:

Like swearing under the sun(日) that something is true(正, 𤴓), this associative compound character means "to be" or "yes".

Words and phrases:

是的	shìde	*phr.*	yes; right
不是	búshì	*ad.*	not; no
是非	shìfēi	*n.*	right and wrong
是否	shìfǒu	*ad.*	whether or not; whether; if
实事求是	shíshìqiúshì	*idiom.*	seek the truth from facts

凡是	fánshì	*pron.*	every; any; all
还是	háishì	*ad.*	or (in questions only)
要是	yàoshì	*ad.*	if; suppose; in case

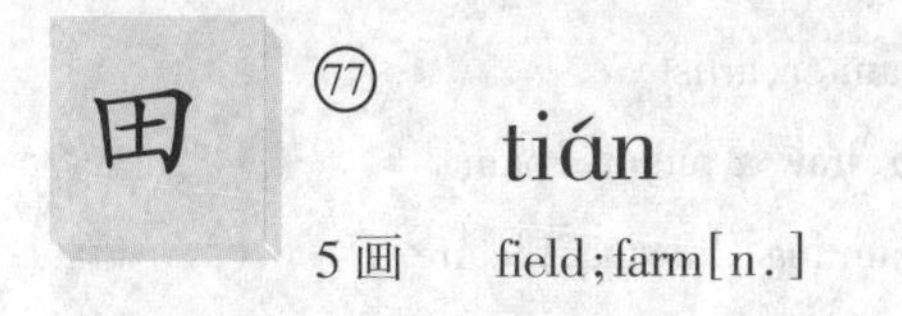

田 ⑦⑦ tián

5 画 field; farm [n.]

Stroke order:

丨	冂	冂	冂	田			

Tips:

This pictographic character symbolizes a demarcated field.

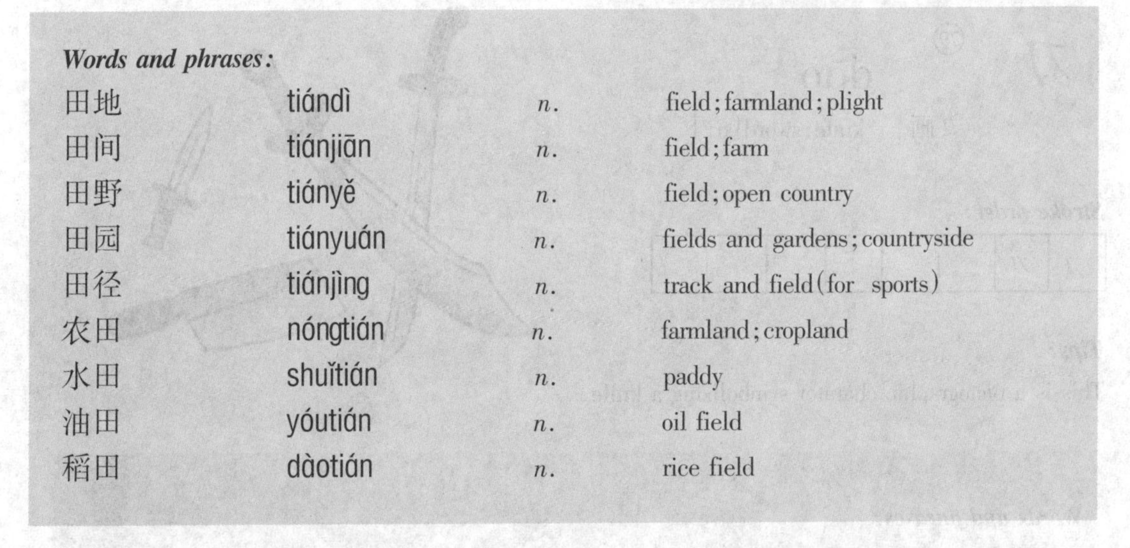

Words and phrases:

田地	tiándì	*n.*	field; farmland; plight
田间	tiánjiān	*n.*	field; farm
田野	tiányě	*n.*	field; open country
田园	tiányuán	*n.*	fields and gardens; countryside
田径	tiánjìng	*n.*	track and field (for sports)
农田	nóngtián	*n.*	farmland; cropland
水田	shuǐtián	*n.*	paddy
油田	yóutián	*n.*	oil field
稻田	dàotián	*n.*	rice field

画 ⑦⑧ huà

draw; paint [v.]

8 画 drawing; painting [n.]

Stroke order:

一	丁	币	币	而	画	画	画

Tips:

Imagine that a picture of a field(田)is being put into a frame(画).

Words and phrases:

画报	huàbào	*n.*	pictorial; illustrated magazine
画家	huàjiā	*n.*	painter; artist
画画儿	huàhuàr	*phr.*	to draw a picture; paint
图画	túhuà	*n.*	painting; drawing; picture
油画	yóuhuà	*n.*	oil painting
中国画	Zhōngguóhuà	*n.*	traditional Chinese painting
水彩画	shuǐcǎihuà	*n.*	water color
书画	shūhuà	*n.*	calligraphy and painting

刀 ⑲ dāo

2 画 knife; sword[n.]

Stroke order:

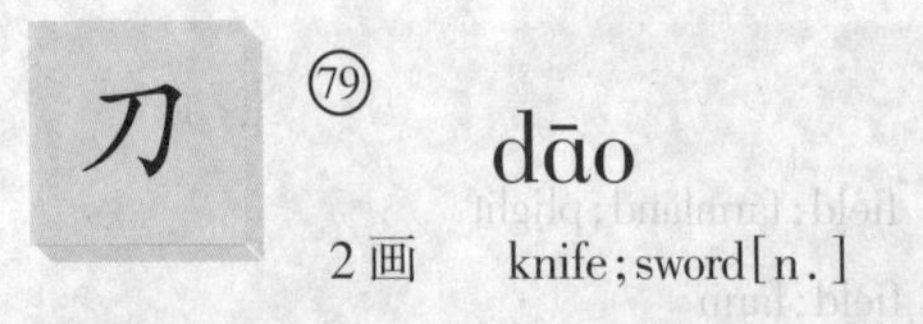

Tips:

This is a pictographic charater symbolizing a knife.

Words and phrases:

刀子	dāozi	n.	knife; small knife
刀口	dāokǒu	n.	the edge of a knife; cut; incision
刀刃	dāorèn	n.	the edge of a knife
刀片	dāopiàn	n.	razor blade
小刀	xiǎodāo	n.	small kinfe; pocket knife
剪刀	jiǎndāo	n.	scissors
菜刀	càidāo	n.	kitchen knife
刀山火海	dāoshānhuǒhǎi	idiom.	a mountain of swords and a sea of flames; most dangerous places

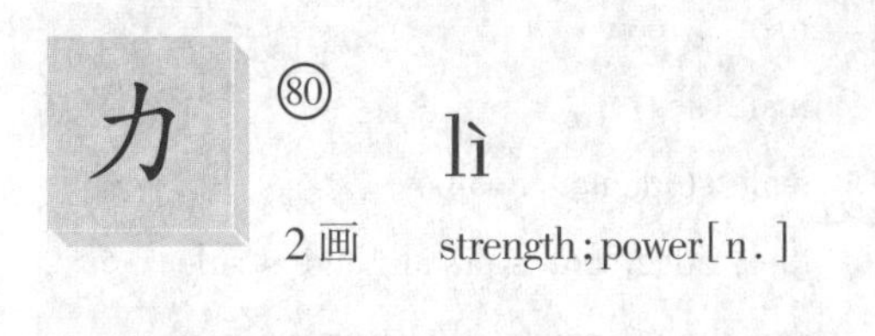

力 ⑧⓪ lì

2画 strength; power[n.]

Stroke order:

㇆	力						

Tips:

Imagine this character as a strong man showing his strength by bending his arm.

Words and phrases:

力量	lìliàng	*n.*	strength; power; force
力气	lìqì	*n.*	physical strength
吃力	chīlì	*a.*	difficult; strenuous
人力	rénlì	*n.*	manpower
水力	shuǐlì	*n.*	water power
能力	nénglì	*n.*	ability; capability
努力	nǔlì	*ad.*	with great effort
记忆力	jìyìlì	*n.*	the faculty of memory

男 ⑧① nán

7画 male; man[a.]

Stroke order:

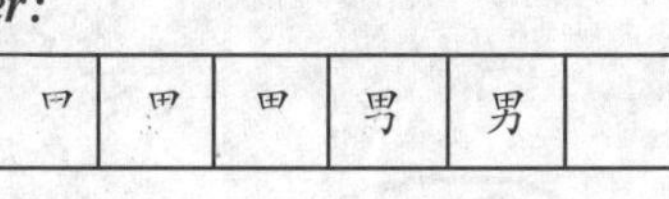

Tips:

It's the men(男) who do the strenuous(力) work in the fields(田).

Words and phrases:

男人	nánrén	*n.*	man; male
男子	nánzǐ	*n.*	man

男厕所	náncèsuǒ	*n.*	men's room
男性	nánxìng	*n.*	male(sex)
男生	nánshēng	*n.*	male student; schoolboy
男方	nánfāng	*n.*	the bridegroom's or husband's side
男女平等	nánnǚpíngděng	*idiom.*	equality of men and women
男女老少	nánnǚlǎoshào	*idiom.*	men and women, old and young

女 ⑧② nǚ

3画

female; woman[a.]

daughter[n.]

Stroke order:

ㄑ	女	女					

Tips:

This character symbolizes a kneeling woman. Pay attention to the stroke order.

Words and phrases:

女儿	nǚér	*n.*	daughter
女生	nǚshēng	*n.*	female student; schoolgirl
女人	nǚrén	*n.*	woman
女子	nǚzǐ	*n.*	woman; girl; female
女婿	nǚxu	*n.*	son-in-law
女士	nǚshì	*n.*	lady; Ms.
妇女	fùnǚ	*n.*	women
妓女	jìnǚ	*n.*	prostitute; harlot; whore

好 ⑧③ hǎo

6画

good; fine[a.]

Stroke order:

ㄑ	女	女	女	好	好		

Tips:
What is so good(好)? My wife(女) and children(子).

Words and phrases:

好处	hǎochu	*n.*	good; benefit; gain
好看	hǎokàn	*a.*	good-looking; pretty; interesting
好吃	hǎochī	*a.*	good to eat; tasty; delicious
好听	hǎotīng	*a.*	pleasant to hear
好玩儿	hǎowánr	*a.*	amusing; interesting; have fun
好久	hǎojiǔ	*a.*	long time
好像	hǎoxiàng	*a.*	seem; belike
好多	hǎoduō	*a.*	many; a good deal; a lot of
友好	yǒuhǎo	*a.*	friendly; kind; goodwill

㉞ ān

peaceful; safe[a.]

6画 install[v.]

Stroke order:

丶	宀	宀	安	安	安		

Tips:
Everything will become settled(安) when there is a woman(女) in the house(宀).

Words and phrases:

安定	āndìng	*a.*	stable; settled; peaceful
安静	ānjìng	*a.*	quiet; peaceful; calm
安排	ānpái	*v.*	arrange; plan
安全	ānquán	*a.*	safe; secure
安心	ānxīn	*a.*	at ease; be relieved
安装	ānzhuāng	*v.*	install; fix; erect

安慰	ānwèi	*v.*	comfort; console
平安	píng'ān	*a.*	peace; safe; secure

如 ⑧⑤ rú

6画 like; as [v.] if [conj.]

Stroke order:

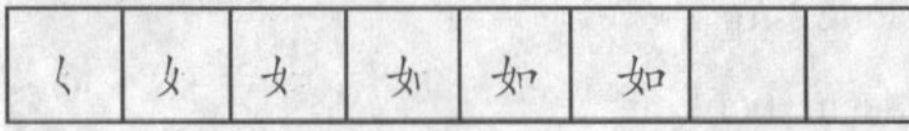

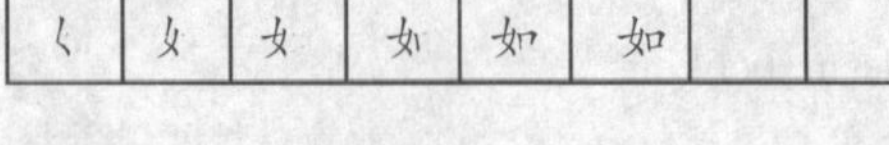

Tips:

What are the words (口) of a woman (女) similar to (如)? Honey or a knife?

Words and phrases:

如此	rúcǐ	*pron.*	so; in such a way; like that
如果	rúguǒ	*conj.*	if; in case
如何	rúhé	*pron.*	how; what
如今	rújīn	*n.*	nowadays; now
如同	rútóng	*v.*	similar to; as if; like
如下	rúxià	*phr.*	as follows
如意	rúyì	*a.*	as one wishes
假如	jiǎrú	*conj.*	suppose; if

⑧⑥ miào

7画 wonderful; clever [a.]

Stroke order:

Tips:

A young (少) girl (女) is so wonderful (妙)!

Words and phrases:

美妙	měimiào	*a.*	wonderful; excellent
奇妙	qímiào	*a.*	marvellous; wonderful
妙计	miàojì	*n.*	excellent plan; brilliant scheme
绝妙	juémiào	*a.*	ingenious; extremely clever
巧妙	qiǎomiào	*a.*	clever; ingenious
妙龄	miàolíng	*a.*	young; youthful
妙语	miàoyǔ	*n.*	witty remark; witticism
妙手回春	miàoshǒuhuíchūn	*idiom.*	effect a miraculous cure and bring the dying back to life.

山 ⑧⑦ shān

3 画 mountain; hill[n.]

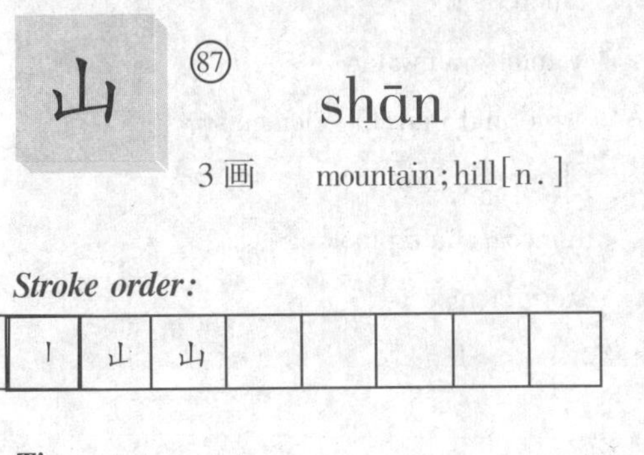

Stroke order:

丨	凵	山					

Tips:

This is a pictograph which resembles a mountain.

Words and phrases:

山地	shāndì	*n.*	mountainous region; hilly area
山峰	shānfēng	*n.*	mountain peak
山脉	shānmài	*n.*	mountain range; mountain chain
山水	shānshuǐ	*n.*	scenery with hills and waters
山顶	shāndǐng	*n.*	the summit of a mountain; hilltop
火山	huǒshān	*n.*	volcano
山珍海味	shānzhēnhǎiwèi	*idiom.*	delicacies from land and sea; dainties of every kind
开门见山	kāiménjiànshān	*idiom.*	come straight to the point

雨 ⑱88

yǔ

8画 rain[n.]

Stroke order:

一	𠃌	冂	币	雨	雨	雨	雨

Tips:

Imagine that some raindrops have fallen on the two window panes.

Words and phrases:

大雨	dàyǔ	*n.*	heavy rain
雨季	yǔjì	*n.*	rainy season
雨伞	yǔsǎn	*n.*	umbrella
雨水	yǔshuǐ	*n.*	rainfall; rainwater
风雨	fēngyǔ	*n.*	wind and rain; the elements
阵雨	zhènyǔ	*n.*	shower
雨衣	yǔyī	*n.*	raincoat; waterproof
暴风雨	bàofēngyǔ	*n.*	storm; tempest

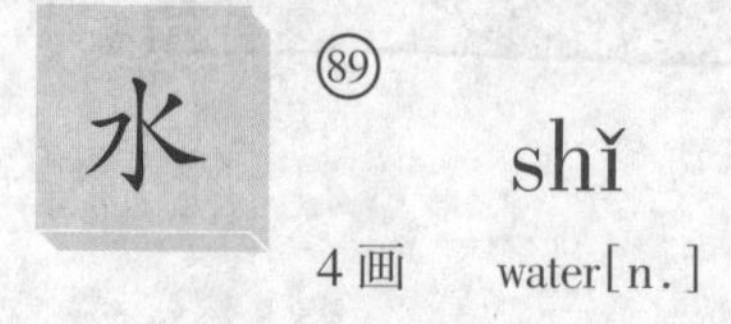

水 ⑧9

shǐ

4画 water[n.]

Stroke order:

亅	才	水	水				

Tips:

This pictographic character symbolizes running water.

Words andp hrases:

水彩	shuǐcǎi	*n.*	watercolor
水稻	shuǐdào	*n.*	paddy(rice)
水电站	shuǐdiànzhàn	*n.*	hydroelectric, (power) station
水库	shuǐkù	*n.*	reservoir

水果	shuǐguǒ	*n.*	fruit
水泥	shuǐní	*n.*	cement
风水	fēngshuǐ	*n.*	geomancy
开水	kāishuǐ	*n.*	boiled water
自来水	zìláishuǐ	*n.*	tap water

⑨⓪ **bù**

4画 not; no[ad.]

Stroke order:

一	㇇	丆	不				

Tips:

A small bird(小)is blocked(一)and can not fly up.

Words and phrases:

不必	búbì	*ad.*	neednot; unnecessary
不错	búcuò	*a.*	notbad; correct
不但	búdàn	*conj.*	not only
不过	búguò	*ad./conj.*	only; but; nevertheless
不幸	búxìng	*a.*	unfortunate
不行	bùxíng	*a.*	won't do; won't work; not good
不对	búduì	*a.*	incorrect; wrong
不许	bùxǔ	*ad.*	impermissible; not allowed
不只	bùzhǐ	*ad.*	not only; not merely

⑨① **bēi**

8画 cup[n.]

Stroke order:

一	十	才	木	木一	木丆	杯	杯

Tips:

A cup(杯)is not(不)made of wood(木)!

Words and phrases:

杯子	bēizi	*n.*	cup; glass
茶杯	chábēi	*n.*	tea cup
酒杯	jiǔbēi	*n.*	wineglass
干杯	gānbēi	*phr.*	drink a toast
玻璃杯	bōlibēi	*n.*	glass
奖杯	jiǎngbēi	*n.*	cup(as a prize)
碰杯	pèngbēi	*phr.*	clink glasses
举杯	jǔbēi	*phr.*	raise one's glass to propose a toast

坏 ⑨②

huài

7画 bad; go bad; badly[a./ad.]

Stroke order:

一	十	土	圵	圷	坏	坏	

Tips:

This character indicates "bad soil", with 不 negating 土.

Words and phrases:

坏人	huàirén	*n.*	bad person
坏蛋	huàidàn	*n.*	bad egg; bastard; scoundrel
坏处	huàichu	*n.*	harm; disadvantage
坏事	huàishì	*n.*	bad thing; evil deed
机器坏了	jīqìhuàile	*phr.*	the machinery broke down
菜坏了	càihuàile	*phr.*	the dish has gone bad
累坏了	lèihuàile	*phr.*	be very tired
越来越坏	yuèláiyuèhuài	*idiom.*	from bad to worse
坏透了	huàitòule	*phr.*	downright bad; rotten to the core

⑼③ wǒ

7画 I;me[pron.]

Stroke order:

㇒	二	手	手	扌	找	我	我

Tips:

Notice that the fourth stroke of this character should kick up(㇀), and the last stroke is a downward dot (丶).

Words and phrases:

我们	wǒmen	*pron.*	we;us
我家	wǒjiā	*phr.*	my family;my home
我国	wǒguó	*phr.*	my(our) country
我校	wǒxiào	*phr.*	my(our) school
忘我	wàngwǒ	*ad.*	selfless;oblivious of oneself
自我	zìwǒ	*pron.*	self
自我牺牲	zìwǒxīshēng	*idiom.*	self sacrifice
你死我活	nǐsǐwǒhuó	*idiom.*	life-and-death;mortal

nǐ

7画 you[pron.]

Stroke order:

㇒	亻	亻	亻	你	你	你	

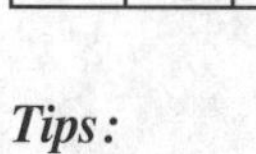

Tips:

The right part(尔)of this character is the old form for"you".

Words and phrases:

你们	nǐmen	*pron.*	you
你自己	nǐzìjǐ	*pron.*	yourself
你方	nǐfāng	*n.*	your side

你家	nǐjiā	*phr.*	your family; your home; your house
你好	nǐhǎo	*phr.*	how do you do; how are you; hello
你校	nǐxiào	*phr.*	your school
你敬我一尺，我还你一丈	nǐjìngwǒyīchǐ，wǒhuánnǐyīzhàng	*idiom.*	kindness is always returned tenfold

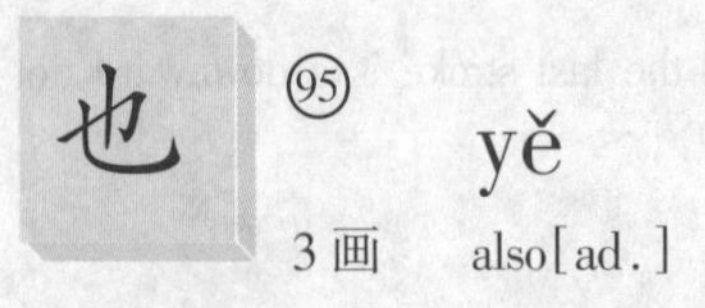

也 ㊿95

yě

3画 also[ad.]

Stroke order:

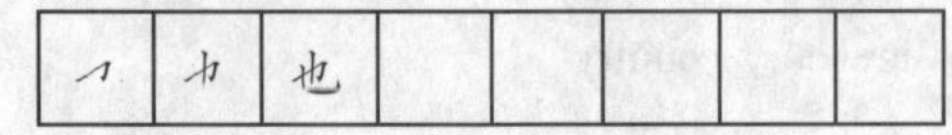

㇆	㐌	也					

Tips:

Pay attention to the stroke order: first ㇆, then 㐌 and last 也.

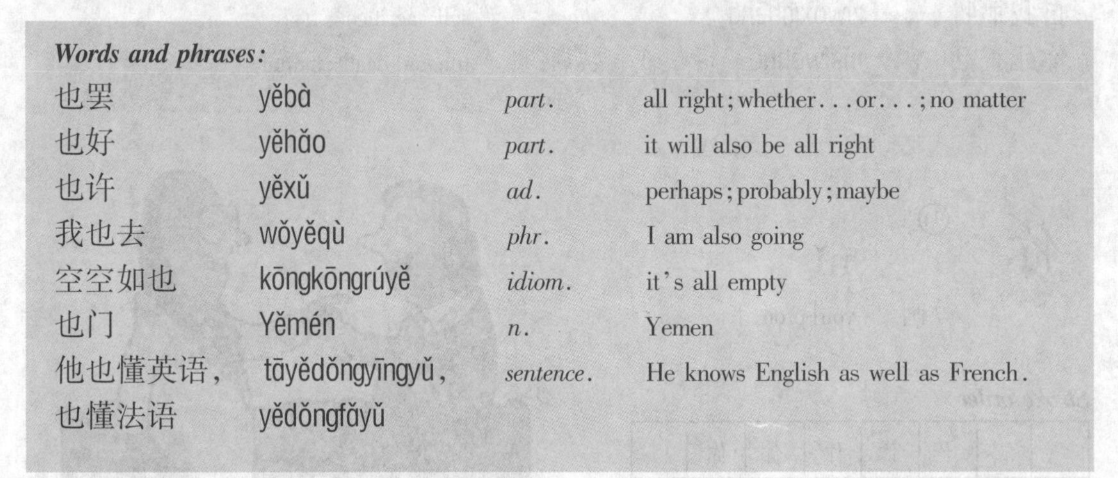

Words and phrases:

也罢	yěbà	*part.*	all right; whether. . . or. . . ; no matter
也好	yěhǎo	*part.*	it will also be all right
也许	yěxǔ	*ad.*	perhaps; probably; maybe
我也去	wǒyěqù	*phr.*	I am also going
空空如也	kōngkōngrúyě	*idiom.*	it's all empty
也门	Yěmén	*n.*	Yemen
他也懂英语，也懂法语	tāyědǒngyīngyǔ，yědǒngfǎyǔ	*sentence.*	He knows English as well as French.

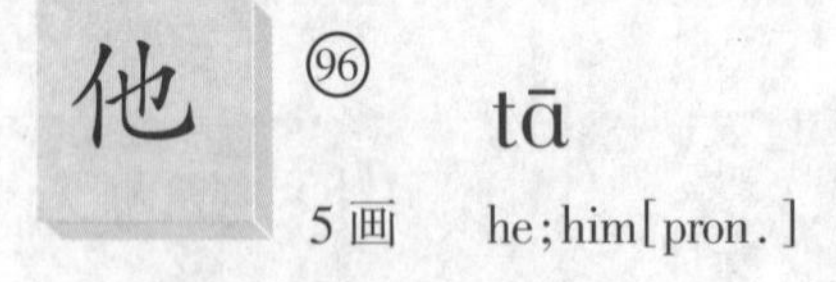

他 96

tā

5画 he; him[pron.]

Stroke order:

丿	亻	仂	仲	他			

Tips:

The person(亻)is also(也)him(他),and he(他)is also(也)the person(人,亻).

Word sand phrases:

他们	tāmen	*pron.*	they;them
他人	tārén	*n.*	other person
他日	tārì	*n.*	some day(s)
他乡	tāxiāng	*n.*	a place far away from home;alien land
其他	qítā	*pron.*	other
他父亲	tāfùqin	*phr.*	his father
他自己	tāzìjǐ	*pron.*	himself
他妈的	tāmāde	*phr.*	damn it;blast it;shit;to hell with it

⑨⑦ tā

6画 she;her[pron.]

Stroke order:

㇛	𡿨一	女	如	女也	她		

Tips:

Replacing the 亻 radical with a 女 radical,this character changes the meaning from "he" to "she",but the pronunciation remains unchanged.

Words and phrases:

她们	tāmen	*pron.*	they;them(females)
她自己	tāzìjǐ	*pron.*	herself
她家	tājiā	*phr.*	her family;her home
她的	tāde	*phr.*	her;hers
她姐姐	tājiějie	*phr.*	her elder sister
爱她	àitā	*phr.*	love her
她们自己	tāmenzìjǐ	*phr.*	themselves(females)

mén

3 画　door; gate[n.]

Stroke order:

丶	丨	门					

Tips:

This character is a pictograph symbolizing a door.

Words and phrases:

门户	ménhù	*n.*	door; gateway; faction; sect
门口	ménkǒu	*n.*	entrance; doorway
大门	dàmén	*n.*	gate
门牌	ménpái	*n.*	house number
门票	ménpiào	*n.*	admission ticket; entrance ticket
门诊	ménzhěn	*n.*	outpatient service
后门	hòumén	*n.*	back door
门当户对	méndānghùduì	*idiom.*	be well-matched in social and economic status(for marriage)

men

5 画　plural suffix[suff.]

Stroke order:

丿	亻	亻丶	亻冂	们			

Tips:

门 is a phonetic element and 亻 is a symbol of men. So, 们 is used for persons in most cases.

Words and phrases:

我们	wǒmen	*pron.*	we; us

你们	nǐmen	*pron.*	you
他们	tāmen	*pron.*	they; them
咱们	zánmen	*pron.*	we; us
它们	tāmen	*pron.*	they; them (neutral)
人们	rénmen	*n.*	people
朋友们	péngyǒumen	*n.*	friends
女士们先生们	nǚshìmenxiānshēngmen	*phr.*	ladies and gentlemen

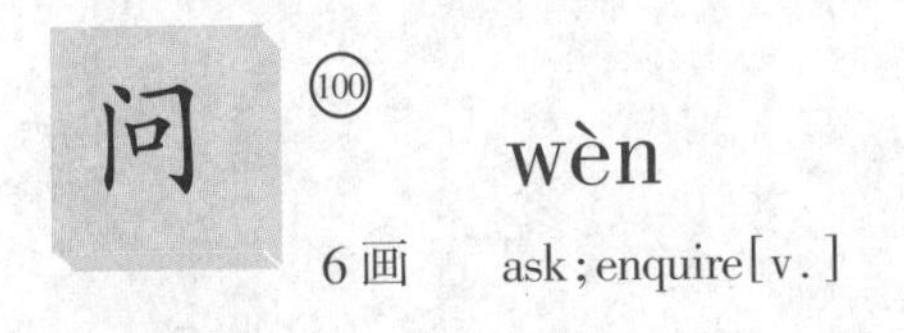

问 ⑩⑩ wèn

6画　ask; enquire [v.]

Stroke order:

Tips:

One has to use the mouth 口 for inquiry and the radical 门 is the phonetic element.

Words and phrases:

问答	wèndá	*n.*	questions and answers
问好	wènhǎo	*v.*	say hello to; send one's regards to
问候	wènhòu	*v.*	send one's respects (regards) to
问世	wènshì	*v.*	appear; be published; come out
问题	wèntí	*n.*	question; problem
请问	qǐngwèn	*phr.*	excuse me; may I ask
访问	fǎngwèn	*v.*	visit; interview; call on
学问	xuéwen	*n.*	learning; knowledge

汉语初阶

BASIC CHINESE

周健 编写

汉语拼音方案

THE CHINESE PHONETIC SYMBOLS (PINYIN)

1. 声母 CONSONANTS

b	p	m	f	d	t	n	l
g	k	h		j	q	x	
z	c	s		zh	ch	sh	r

2. 韵母 VOWELS

	i	u	u
a	ia	ua	
o		uo	
e	ie		ue
ai		uai	
ei		uei(ui)	
ao	iao		
ou	iou(iu)		
an	ian	uan	uan
en	in	uen(un)	un
ang	iang	uang	
eng	ing	ueng	
ong	iong		

拼写规则 SPELLING RULES

1. zhi chi shi ri zi ci si
2. yi ya ye yao you yan yin yang ying yong
   (" i " is written as " y ")

3. wu wa wo wai wei wan wen wang weng
   ("u" is written as "w")
4. yu yue yuan yun / ju qu xu ("ü" written as "u")
5. lu nu (with "l、n", "ü" can not be written as "u")
6. miu diu niu liu jiu qiu xiu ("iou" written as "iu")
7. dui tui zui cui sui zhui chui shui rui gui kui
   hui("uei" written as "ui")
8. dun tun lun zun cun sun zhun chun shun run
   gun kun hun ("uen" written as "un")

儿化 VOWEL "er" AND SUFFIX "r"

1. VOWEL: èr èrshí shíèr ěrduo
2. SUFFIX: nǎr hér huàr wánr tiánr yìdiǎnr xiǎoháir huàpiānr

声调 TONES

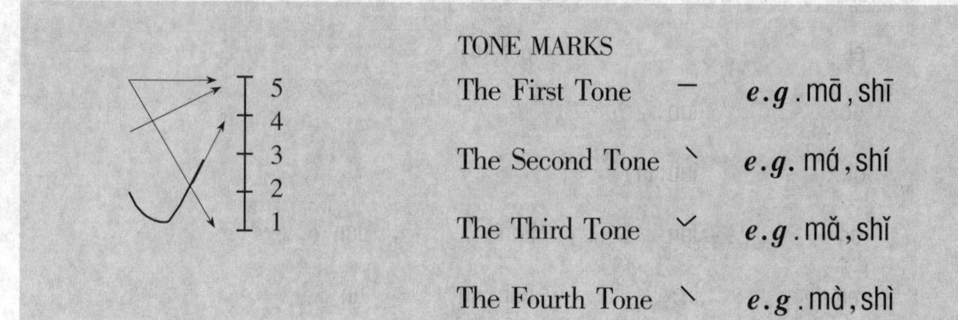

5
4
3
2
1
TONE MARKS
The First Tone ˉ e.g. mā, shī
The Second Tone ˋ e.g. má, shí
The Third Tone ˇ e.g. mǎ, shǐ
The Fourth Tone ˋ e.g. mà, shì

轻声 LIGHT TONE: without tone mark

e.g. bàba gēge xuésheng wǒde tāmen zuòle xiāoxi

隔音符号 SOUND SEPARATION MARK

e.g. pí'ǎo (piāo); Xī'ān (xiān);
kù'ài(kuài); shàng'é(shāngē)

发音提示 KEY TO PRONUNCIATION

声母	Beginning Consonants
b	b as in *be*
c	ts as in *tsar*
d	d as in *do*
f	f as in *food*
g	g as in *go*
k	k as in *kind*
h	h as in *her*
j	j as in *jeep*
l	l as in land
m	m as in *man*
n	n as in *nine*
p	p as in *par*
q	ch as in *cheek*
r	r like the z in *azure*
s	s as in *sister*
t	t as in *ten*
w	w as in *way*
x	sh as in *she*
y	y as in *yet*
z	ds as in *deeds*
zh	j as in *jump*
ch	ch as in *church*
sh	sh as in *shore*

韵母及复韵母	Vowels and Diphthongs
a	a as in *father*
ai	i as in *kite*
ao	ow as in *how*
an	ahn
ang	like in *song*
e	er as in *her* (Brit.)
ei	ay as in *way*
en	weak form of an as in *and*
eng	no English equivalent but nearly as in *lung*
i	ea as in *eat*
ia	yah
ie	ye as in *yes*
iao	yow as in *yowl*
iou	yee-oh
ian	ien as in *lenient*
in	een as in *keen*
iang	i-ahng
ing	ing as in *sing*
iong	y-oong
o	aw as in *law*
ou	ou as in *low*
ong	oo-ng
u	oo as in *too*
ua	wah
uo	wa as in *water*
uai	wi as in *wife*
uei	as way
uan	oo-ahn
uen	won as in *wonder*
uang	oo-ahng
ueng	like won as in *wont*
ü[1]	as "yü" in German
üe	no English equivalent
üan	no English equivalent
ün	no English equivalent

[1] "ü" is spelt so only when it follows "l" and "n", while it is spelt as "u" in all other places.

普通话声韵拼合总表
Table of the Combinations of the Initials and Finals in Standard Chinese

声母＼韵母	a	o	e	ê	-i	er	ai	ei	ao	ou	an	en	ang	eng	ong	i	ia	iao	ie
	a	o	e	ê		er	ai	ei	ao	ou	an	en	ang	eng		yi	ya	yao	ye
b	ba	bo					bai	bei	bao		ban	ben	bang	beng		bi		biao	bie
p	pa	po					pai	pei	pao	pou	pan	pen	pang	peng		pi		piao	pie
m	ma	mo	me				mai	mei	mao	mou	man	men	mang	meng		mi		miao	mie
f	fa	fo						fei		fou	fan	fen	fang	feng					
d	da		de				dai	dei	dao	dou	dan	den	dang	deng	dong	di		diao	die
t	ta		te				tai		tao	tou	tan		tang	teng	tong	ti		tiao	tie
n	na		ne				nai	nei	nao	nou	nan	nen	nang	neng	nong	ni		niao	nie
l	la		le				lai	lei	lao	lou	lan		lang	leng	long	li	lia	liao	lie
z	za		ze		zi		zai	zei	zao	zou	zan	zen	zang	zeng	zong				
c	ca		ce		ci		cai		cao	cou	can	cen	cang	ceng	cong				
s	sa		se		si		sai		sao	sou	san	sen	sang	seng	song				
zh	zha		zhe		zhi		zhai	zhei	zhao	zhou	zhan	zhen	zhang	zheng	zhong				
ch	cha		che		chi		chai		chao	chou	chan	chen	chang	cheng	chong				
sh	sha		she		shi		shai	shei	shao	shou	shan	shen	shang	sheng					
r			re		ri				rao	rou	ran	ren	rang	reng	rong				
j																ji	jia	jiao	jie
q																qi	qia	qiao	qie
x																xi	xia	xiao	xie
g	ga		ge				gai	gei	gao	gou	gan	gen	gang	geng	gong				
k	ka		ke				kai	kei	kao	kou	kan	ken	kang	keng	kong				
h	ha		he				hai	hei	hao	hou	han	hen	hang	heng	hong				

	iu	ian	in	ian	ing	iong	u	ua	uo	uai	ui	uan	un	uang	ueng	ǖ	ǖe	ǖan	ǖn
	you	yan	yin	yāng	ying	yang	wu	wa	wo	wai	wei	wan	wen	wang	weng	yu	yue	yuan	yun
b		bian	bin		bing		bu												
p		pian	pin		ping		pu												
m	miu	mian	min		ming		mu												
f							fu												
d	di	dian			ding		du		duo		dui	duan	dun						
t		tian			ting		tu		tuo		tui	tuan	tun						
n	niu	nian	nin	niāng	ning		nu		nuo			nuan				nü	nüe		
l	liu	lian	lin	liāng	ling		lu		luo			luan	lun			lü	lüe		
z							zu		zuo		zui	zuan	zun						
c							cu		cuo		cui	cuan	cun						
s							su		suo		sui	suan	sun						
zh							zhu	zhua	zhuo	zhuai	zhui	zhuan	zhun	zhuang					
ch							chu	chua	chuo	chuai	chui	chuan	chun	chuang					
sh							shu	shua	shuo	shuai	shui	shuan	shun	shuang					
r							ru	rua	ruo		rui	ruan	run						
j	jiu	jian	jin	jiang	jing	jiang										ju	jue	juan	jun
q	qiu	qian	qin	qang	qing	qiong										qu	que	quan	qun
x	xiu	xian	xin	xiang	xing	xiong										xu	xue	xuan	xun
g							gu	gua	guo	guai	gui	guan	gun	guang					
							ku	kua	kuo	kuai	kui	kuan	kun	kuang					
h							hu	hua	huo	huai	hui	huan	hun	huang					

词类简称表
Abbreviations

（名）	名词	míngcí	noun
（专名）	专有名词	zhuānyǒumíngcí	proper noun
（代）	代词	dàicí	pronoun
（动）	动词	dòngcí	verb
（助动）	助动词	zhùdòngcí	auxiliary
（形）	形容词	xíngróngcí	adjective
（副）	副词	fùcí	adverb
（数）	数词	shùcí	numeral
（量）	量词	liàngcí	measure word
（介）	介词	jiècí	preposition
（连）	连词	liáncí	conjunction
（助）	助词	zhùcí	particle
（叹）	叹词	tàncí	interjection
（头）	词头	cítóu	prefix
（尾）	词尾	cíwěi	suffix
（成）	成语	chéngyǔ	idiom

Dì yī kè rènshi
第一课 认识 Getting To Know Each Other

Yī chángyòngyǔ
一、常用语 Basic Sentences

1. (Nín) guìxìng
(您)贵姓?
What's your surname?

2. Wǒ xìng Wáng jiào Wáng Hànpíng
我姓王，叫王汉平。
My surname is Wang and my name is Wang Hanping

3. Wǒ jiào Lǐ Lán nín shì
我叫李兰，您是?
My name is Li Lan, you are ?

4. Nín hǎo Zhāng xiānsheng
您好，张先生。
Hello, Mr. Zhang.

5. Nín hǎo ma Wáng tàitai
您好吗，王太太?
How are you? Mrs. Wang?

6. Zěnme chēnghu nín
怎么称呼您?
What should I call you?

7. Lǐ tóngzhì wǒ lái jièshào yíxià zhèshì wǒmen gōngsī de Wáng jīnglǐ
李同志，我来介绍一下，这是我们公司的王经理。
Comrade Li, I'd like to introduce Manager Wang from our company.

8. Wáng xiānsheng rènshi nín hěn gāoxìng
王先生，认识您很高兴。
Glad to meet you, Mr. Wang.

9. Liú lǎoshī qǐng duō guānzhào
刘老师，请多关照。
Prof Liu, please keep an eye on me.

10 Nín láile huānyíng huān yíng
您 来了，欢迎， 欢迎！
So here you are, Welcome, welcome!

Èr kèwén
二、课文 Text

Lǐ Lán Qǐngwèn xiānsheng guìxìng
李兰： 请问 先生 贵姓？

Wáng Hànpíng Wǒ xìngwáng jiào Wáng Hànpíng nín shì
王 汉平： 我 姓王， 叫 王 汉平， 您 是…？

Lǐ Lán Wǒ jiào Lǐ Lán nínhǎo
李 兰： 我 叫 李兰，您好！

Wáng Hànpíng Nǐhǎo Lǐ Lán Nǐ shì Měiguórén ma
王 汉平： 你好，李 兰。 你是 美国人 吗？

Lǐ Lán Búshì wǒ shì Jiānádà rén
李 兰： 不是，我 是 加拿大 人。

Wáng Hànpíng Duìbùqǐ Huānyíng nǐ lái Zhōngguó
王 汉平： 对不起。欢迎 你来 中国。

Lǐ Lán Wáng xiānsheng shì lǎoshī ma
李 兰： 王 先生 是 老师 吗？

Wáng Hànpíng Shì wǒ lái jièshào yíxiàr zhèwèi shì bàngōngshì de Liú lǎoshi
王 汉平： 是。 我来 介绍 一下儿， 这位 是 办公室 的 刘 老师，
zhèwèi shì cóng Jiānádà lái de Lǐ Lán
这位 是 从 加拿大 来 的 李 兰。

Lǐ Lán Liú lǎoshī nínhǎo
李 兰： 刘 老师， 您好。

Liú lǎoshī Rènshi nǐ hěngāoxìng huānyíng lái wǒmen xuéxiào xuéxí
刘 老师： 认识 你 很高兴， 欢迎 来 我们 学校 学习。

Sān shēngcí
三、生词 New Words and Phrases

1. nín	您	(代)	you
2. Guìxìng	贵姓		What is your surname?
3. xìng	姓	(名，动)	surname, one's surname is...
4. wǒ	我	(代)	I, me
5. jiào	叫	(动)	call
6. shì	是	(动)	be, yes
7. nǐ	你	(代)	you

8. hǎo	好	(形)	good
9. xiānsheng	先生	(名)	Mister, Sir
10. ma	吗	(助)	a modal partical indicating a question
11. tàitai	太太	(名)	Mrs.
12. zěnme	怎么	(代)	how
13. chēnghu	称呼	(动 . 名)	call, address; form of address
14. tóngzhì	同志	(名)	comrade
15. lái	来	(动)	come, used before a verb to indicate that one is about to do sth.
16. jièshào	介绍	(动)	introduce
17. yíxiàr	一下儿		one time, once (used after a verb to indicate a brief action)
18. zhè	这	(代)	this
19. mēn	们	(尾)	a suffix after a pronoun or a noun to show plural
20. gōngsī	公司	(名)	company, corporation
21. dē	的	(助)	a structural particle used after an attributive
22. jīnglǐ	经理	(名)	manager
23. rènshi	认识	(动)	know
24. hěn	很	(副)	very
25. gāoxìng	高兴	(形)	glad, happy
26. lǎoshī	老师	(名)	teacher
27. qǐng	请	(动)	please
28. duō	多	(副)	more
29. guānzhào	关照	(动)	care, look after
30. huānyíng	欢迎	(动)	welcome
31. wèn	问	(动)	ask
32. rén	人	(名)	people, person
33. bù	不	(副)	not, no
34. Duìbuqǐ	对不起		sorry
35. wèi	位	(量)	a measure word used for people
36. bàngōngshì	办公室	(名)	office
37. cóng	从	(介)	from
38. xuéxiào	学校	(名)	school
39. xuéxí	学习	(动)	study

专有名词 Proper nouns

1. Měiguó	美国	USA
2. Jiānádà	加拿大	Canada
3. Zhōngguó	中国	China
4. Wáng Hànpíng	王汉平	a Chinese name
5. Lǐ Lán	李兰	a Chinese name
6. Zhāng	张	a Chinese surname
7. Wáng	王	a Chinese surname
8. Liú	刘	a Chinese surname

Sì tìhuàn
四、替 换 Substitutions

Nǐ hǎo
1. 你 好!

nín	您	(you, polite)
nǐmen	你们	(you, plural)
lǎoshī	老师	(teacher)
Zhāng xiānsheng	张先生	(Mr. Zhang)
Wáng tàitai	王太太	(Mrs. Wang)
Lǐ xiǎojiě	李小姐	(Miss Li)

Wǒ xìng Wáng jiào Wáng Hànpíng
2. 我 姓 王 ,叫 王 汉 平 。

Zhāng 张,	Zhìyuǎn 志 远
Lǐ 李,	Lǐ Lán 李 兰
Mǎ 马,	Mǎ Míng 马 明
Lín 林,	Lín Fēng 林 风

Wǒ lái jiè shào yí xià zhè wèi shì Wáng jīnglǐ
3. 我来介绍一下，这位是王经理。

Liú lǎo shī	刘　老师	Teacher Liu
Zhōu xiānsheng	周　先生	Mr. Zhou
Lín xiǎo jiě	林　小姐	Miss Lin
Sūn dàifu	孙　大夫	Dr. Sun
Chén zhǔrèn	陈　主任	Director Chen

Wǔ wénhuà jiāojì zhīshi
五、文化 交际 知识 Knowledge of Cultural Communication

中国人的姓名和称呼

中国人的名字分为姓和名两部分，姓在前，名在后。姓多为一个字，如“李”、“王”、“张”、“刘”等，少数为两个字，如“欧阳”、“司徒”等。名有两个字的，也有一个字的。拼写时，姓和名要分写，姓和名的第一个字母要大写。

中国人通常互相称呼对方的姓加上一个称呼语或职位，以示尊重。如“王先生”、“刘小姐”、“周主任”、“林经理”等。只用名字称呼则表示关系亲密。

“先生”是对男子的通用称呼。对于年长的著名的教授、学者、专家，不分男女，均可称“先生”。妇女也常称自己的丈夫为“先生”，但不用于直接称呼。“同志”是中国大陆通用的称呼，不分男女。“夫人”是对已婚妇女的尊称，多用于正式交际的场合。“太太”也是对已婚妇女的称呼，用于普通场合，在“太太”前可冠以丈夫的姓氏。“小姐”是对年轻女子最通用的称呼。“女士”是对妇女的一种尊称，多用于交际场合。在同一单位内，人们常在姓氏前加“老”或“小”，表示尊重或亲切。“老”或“小”的使用可以不分性别，只依据相对的年龄差别。“师傅”则是对有技艺的人的尊称。称呼对方最直接、最简单的办法是用“您”来代替称呼。

NAMES AND ADDRESS IN CHINA

A Chinese name consists of a surname and a given name, with the former preceding the latter. Surnames are usually single-charactered, such as Li, Wang, Zhang, Liu, etc, with but a few exceptions, such as Ouyang, Situ, etc. Given names are composed of one or two characters. To write a name in the phonetic alphabet, the surname and given name are written separately and the first letter of each is capitalized.

A title following a surname is a common form of address to show respect in China, such as Wáng Xiānsheng(Mr. Wang), Liú xiǎojiě (Miss Liu), Zhōu Zhǔrèn (Director Zhou), and Lín Jīnglǐ (Manager Lin). Addressing someone by his given name indicates a close relationship. Xiānsheng(Mr.) is a common form of address for a man. Towards old, famous professors, scholars, and experts, Xiānsheng is used regardless of sex. Chinese women often refer to their husbands as Xiānsheng, but do not use it as a direct form of address. Tóngzhì(comrade) is a common form of address in the mainland, regardless of sex, Fūrén (Madame, Mrs.) is a respectful form of address for a married woman used mostly on formal social occasions. Tàitai (Mrs.) is also used to address a married woman but on less formaloccasions. The husband' s surname is often added before the Chinese term Tàitai. Xiǎojie (Miss) is commonly used to address young ladies. Nǚshì is a respectful address for women, often used on formal occasions. Less formally, Lǎo (old) and Xiǎo (young) are prefixed to surnames, for both sexes, whether one is Lǎo or Xiǎo depends on relative age and seniority within one's working or social group. Shīfu (Master) is a respectful form of address for people with certain skills. But the most direct and simple way used to address people , is Nín (you), particularly in Mainland China.

Liù liànxí
六、练 习 Exercises

(一) 辨音 Sound discrimination

1. dà tà dí tí dū tū
   dāo tāo diǎn tiǎn dàn tàn
2. dàodá tāntā dìdiǎn tiāndì
   dìtǎn tiāntī dàotián túdāo
3. gāogē kāikěn hǎohuà hóngguǒ
   gùkè kèhuà huàkān gōngkè
4. bēibāo piáopō měimǎn fènfā
   bǎobèi pǔbiàn méngfā pěngfǔ

(二) 读译句子 Read and translate the following sentences:

1. Qǐngwèn, xiānsheng guìxìng?

2. Lǐ xiǎojiě shì Měiguó rén ma?

3. Wǒ lái jièshào yíxià, zhè wèi shì Liú jīnglǐ, zhè wèi shì Wáng lǎoshī.

4. Huānyíng nǐ lái Zhōngguó xuéxí.

(三) 完成对话 Complete the following dialogue:

A: Nǐ hǎo!

B: ______________________。

A: ______________________。

B: Wǒ xìng Wáng, jiào Wáng Hànpíng, nín shì…?

A: ______________________。

B: Rènshi nǐ hěn gāoxing。

A: Wǒ yě ______________。

B: Nǐ shì Měiguó rén ma?

A: ______________________。

(四) 把你的同学或朋友介绍给老师

Introduce your classmate or friend to your teacher.

Dì èr kè wènhòu
第二课 问候 Greetings

Yī chángyòngyǔ
一、常用语 Basic Sentences

1 Wáng xiānshēng zǎo
王 先 生 早!
Good morning, Mr. Wang!

2 Nǐ zài máng shénme ne
你在忙 什么呢?
What are you busy with at the moment?

3 Nín chī (fàn) le ma
您 吃(饭) 了 吗?
Have you eaten yet?

4 Hǎojiǔ méi jiàn le nǐ shēntǐ hǎo ma
好久 没见了, 你 身体 好吗?
I haven't seen you for a long time. How are you?

5 Chū mén mǎi dōng xi qù a
出门买 东西 去 啊?
Are you going out to shop?

6 Yìnián méi jiàn nǐ gèng niánqīng le
一年 没见, 你更 年轻 了。
It has been one year since I last saw you. You look younger.

7 Nǐ jiàndào Mǎ lǎoshī tì wǒ wèn hǎo
你见到 马老师替我 问好。
Remember me to Prof. Ma when you see him.

8 Yīlùshàng xīnkǔ le
一路上 辛苦 了!
Your journey must have been tiring.

9 Fēicháng gǎnxiè nín lái jiē wǒmen
非常 感谢 您来接 我们。
It's very kind of you to come and meet us.

10 Duōxiè duōxiè
多谢,多谢!
Thanks a lot.

Èr kèwén
二、课文 Text

yī zài xiào ménkǒu
(一) 在校 门口

Lǐ Lán Zǎoshang hǎo Wáng lǎoshī
李兰: 早上好, 王老师!

Wáng lǎoshī Nǐ zǎo zhè shì wǒ àirén
王老师: 你早!这是我 爱人。

Lǐ Lán Wáng shīmǔ hǎo nǐmen jìnchéng qù a
李兰: 王 师母 好! 你们 进城 去 啊?

Wáng lǎoshī Shì a chūqù mǎi diǎn dōngxi Nǐ shàng nǎr qù a
王 老师: 是啊,出去 买点 东西。你上 哪儿去啊?

Lǐ Llán Wǒ qù kàn yígè péngyou Zàijiàn
李兰: 我 去 看 一个 朋友。 再见。

Wáng lǎoshī Zàijiàn
王 老师: 再见。

èr zài fēijīchǎng
(二) 在 飞机场

Lǐ Lán Mǎlì nǐ hǎo ma
李兰: 玛丽,你好吗?

Mǎlì Wǒ hěn hǎo yìnián méi jiàn nǐ gèng piàoliang le
玛丽: 我 很 好。一年 没 见,你更 漂亮 了。

Lǐ Lán Nǐ cái piāoliàng ne Nǐ bàba māma dōu hǎo ba
李兰: 你才 漂亮 呢!你 爸爸 妈妈 都 好吧?

Mǎlì Tāmen dōu hěnhǎo xièxiè Wǒ lái jièshào yíxiàr zhè shì Dàwèi zhè shì Lǐ Lán
玛丽: 他们 都 很好, 谢谢。 我 来 介绍 一下儿, 这 是 大卫, 这 是 李兰。

Dàwèi Nǐ hǎo fēicháng gǎnxiè nǐ lái jiē wǒmen
大卫: 你好! 非常 感谢 你来接 我们。

Lǐ Lán Yílù shàng xīnkǔ le lèibúlèi
李兰: 一路上 辛苦了! 累不累?

Mǎlì Yìdiǎnr yě búlèi Zhèshì wǒmen sònggěi nǐ de
玛丽: 一点儿 也 不累。这是 我们 送给 你的。

Lǐ Lán Xièxie nǐ de nán péngyou zhēn shuài
李兰: 谢谢,你的男 朋友 真 帅!

Mǎlì Shì ma Hé Míng zěnme méi lái
玛丽: 是吗? 何 明 怎么 没 来?

Lǐ Lán　　Tā báitiān yǒushì, wǎnshàng gěi nǐmen jiēfēng.
李兰：　他白天有事，晚上给你们接风。
Mǎlì Dàwèi　　Tài hǎo le! Xièxie!
玛丽、大卫：　太好了！谢谢！

Sān shēngcí
三、生词 New Words and Phrases

1. zǎo	早	（形．名）	early, morning
2. zài	在	（动．介）	to be in (at, etc.)
3. máng	忙	（形）	busy
4. shénme	什么	（代）	what
5. ne	呢	（助）	a modal particle used at the end of a sentence to form one elliptical question
6. chī	吃	（动）	eat
7. fàn	饭	（名）	meal
8. le	了	（助）	a modal particle
9. chūmén	出门		go out
10. mǎi	买	（动）	buy
11. dōngxi	东西	（名）	things
12. qù	去	（动）	go, go to
13. hǎojiǔ	好久		very long time
14. méi	没	（副）	not
15. jiàn	见	（动）	see
16. shēntǐ	身体	（名）	body, health
17. a	啊	（叹）	a modal particle, ah, oh
18. nián	年	（名）	year
19. gèng	更	（副）	more, still more
20. niánqīng	年轻	（形）	young
21. dào	到	（动．助）	arrive, go to, a verb complement to show the result of an action
22. tì	替	（介．动）	for, replace
23. wènhǎo	问好		send one's regards to
24. yílùshàng	一路上		all the way, throughout the journey
25. xīnkǔ	辛苦	（形．动）	hard, tiring, go to great trouble
26. fēicháng	非常	（副）	very, extremely

27. gǎnxiè	感谢	（动）	thank
28. jiē	接	（动）	meet
29. xiào	校	（名）	school
30. ménkǒu	门口	（名）	doorway, gate
31. zǎoshang	早上	（名）	morning
32. shīmǔ	师母	（名）	the wife of one's teacher
33. jìnchéng	进城		go downtown
34. chūqù	出去		go out
35. yìdiǎnr	一点儿		a little, a bit
36. shàng	上	（动．名）	go, upper
37. nǎr	哪儿	（代）	where
38. kàn	看	（动）	see, look
39. gè	个	（量）	a common measure word
40. zàijiàn	再见		good-bye
41. fēijīchǎng	飞机场	（名）	airport
42. piàoliang	漂亮	（形）	pretty
43. cái	才	（副）	just, only
44. bàba	爸爸	（名）	Dad, father
45. māma	妈妈	（名）	Mom, mother
46. dōu	都	（副）	all, both
47. ba	吧	（助）	used at the end of a sentence to indicate that the speaker has an estimate of something but is not very certain
48. lèi	累	（形）	tired
49. yě	也	（副）	also
50. sòng	送	（动）	give
51. gěi	给	（动．介）	give, to, for
52. nán	男	（形）	male
53. péngyou	朋友	（名）	friend
54. shuài	帅	（形）	handsome
55. báitiān	白天	（名）	daytime, day
56. yǒushì	有事		have something to do
57. wǎnshang	晚上	（名）	evening
58. jiēfēng	接风		give a dinner for a visitor from afar
59. tài	太	（副）	too, so

专有名词 Proper nouns

1. Mǎ	马	a Chinese surname
2. Dàwèi	大卫	David
3. Mǎlì	玛丽	Mary
4. Hémíng	何明	a Chinese name

Sì tìhuàn
四、替换 Substitutions

Wáng xiānshēng zǎo
1. 王 先生 早!

zǎoshanghǎo	早上好!	Good morning
wǎnshanghǎo	晚上好!	Good evening!
chīle ma	吃了吗?	Have you eaten?
chūmén a	出门啊?	Are you going out?
mǎi dōngxi qù a	买东西去啊?	Are you going shopping?
sànbù a	散步啊?	Going for a stroll?
shàngkè qù a	上课去啊?	Are you going to class?

Nǐ hǎo ma
2. 你好吗?

máng	忙	busy
lèi	累	tired
è	饿	hungry
kě	渴	thirsty
kùn	困	sleepy
gāoxìng	高兴	happy

Hǎojiǔ méi jiàn nǐ gèng niánqīng le
3. 好久 没 见，你 更 年轻 了 。

piàoliang	漂亮	pretty
shuài	帅	handsome
miáotiáo	苗条	slender and graceful
jiēshi	结实	strong
fēngqù	风趣	humorous

Nǐ jiàndào Mǎ lǎoshī tì wǒ wènhǎo
4. 你 见到 马 老师， 替 我 问好。

Wáng xiàozhǎng	王校长	Chancellor Wang
Mǎlì xiǎojiě	玛丽小姐	Miss Mary
Nǐ fùqin	你父亲	Your father
Chén zhǔrèn	陈主任	Director Chen
Lǐ Wénhuá	李文华	Li Wenhua

Wǔ wénhuà jiāojì zhīshi
五、 文化 交际 知识 Knowledge of Cultural Communication

打招呼与问候的方式

中国人最常用的招呼语是“你(您)好”，可用在任何时间、场合。早上见面时常说“你(您)早”或“早”。

每天见面的朋友、熟人、同事之间，他们的招呼语很特别，西方人可能会觉得非常奇怪。比如在就餐前后见面时，常问对方“您吃饭了吗?”或“吃了吗?”；途中相遇，则问对方：“您去(上)哪儿?”或“干什么去呀?”。有时明知对方做什么，仍以询问方式表示招呼。如：“老王，下班了?”“你上课去呀?”“买菜去了?”“李老师，散步呢?”“等车呢?”“回来啦?”等等。在中国，这类招呼语只表示热情与亲切，并无探听或干涉别人私事的意思，问者对实际情况并不一定感兴趣，答者可以酌情回答。按中国人的习惯，有问有答，打招呼或开始交谈的目的也就算达到了。

如果双方比较熟悉，一段时间没见面，彼此相见时常说：“好久不见了，你身体好吗?”“两年没见，你变得更年轻了。”“你好吗?工作忙不忙?”“学习紧张吗?”“最近生意怎么样?”等等。当对方远道而来，就问候“一路上辛苦了!”问候病人时常说"这两天您好点儿吗?"或"感觉好些吗?"还可以问候对方的家属或第三者,如:"你爱人好吗?""伯父伯母都好吗?""你孩子怎么样?""见到老马,替我问好。""请替我问候高校长。"等等。

GREETINGS

The most common way of saying "Hello" in China is "Nǐ(Nín) hǎo", which can be used on any occasions. "Nǐ(Nín)zǎo" or "zǎo"(Good morning) is often used when people meet in the morning.

The common greetings exchanged among Chinese friends, acquaintances, and colleagues are very special and may appear to westerners very strange. For example, when one meets people around meal times, he (she) would ask "Nín chīfàn le ma?" (Have you had your meal?) or "Gànshénme qù ya?" (Where are you off to?) People often greet others by asking what they are doing, even though the answer is already known to the askers. For example, "Lǎo Wáng, xiàbān le?" (Knocking off, Old Wang?), "Nǐ shàngkè qù ya?" (Going to class?), "Mǎi cài qù le?" (Coming back from the market?), "Lǐ lǎo shī, sànbù ne? " (Taking a walk, prof. Li?), "Děng chē ne?" (Are you waiting for a bus?), "Huí lái le?" (Just came back?). In China, greetings like these only indicate one' s friendliness and cordiality, and in no way interfere with other people' s business or pry into their private affairs. The questioner might not be so much interested in the answer and the answerer need not reply to it factually. According to Chinese customs, it has already achieved the purpose of greetings or starting a conversation when a question is asked and the one addressed answers it one way or another.

When meeting a friend whom one has not seen for a long time, the commonly-used greetings are "Hǎojiǔ bú jiàn, nǐ shēntǐ hǎo ma? " (I haven' t seen you for a long time. How are you?), "Liǎngnián méi jiàn, nǐ biàndé gèng niánqīng le."(It has been two years since I saw you last. You look younger.), "Nǐ hǎo ma? Gōngzuò máng bù máng?" (How are you? Are you busy with your work?), "Xuéxí jǐnzhāng ma? " (How are you getting on with your studies?), "Zuìjìn shēngyi zěnmeyàng? " (How is business going?), etc. Say "Yílùshàng xīnkǔ le" (Your journey must have been tiring.) when greeting someone who has come from afar. "Zhè liǎngtiān nín hǎodiǎnr ma? " (Are you getting better?) or "Gǎnjué hǎoxiē le ma?" (Are you feeling better?) are commonly used to greet a sick person. When greeting a member of a family, you may say "Nǐ àirén hǎo ma?" (How is your spouse?), "Bófù bómǔ dōu hǎo ma?" (Are your parents well?) "Nǐ de háizi zěnmeyàng?" (How is your child?). One would say "Jiàndào Lǎo Mǎ tìwǒ wènhǎo." (Remember me to Lao Ma if you see him.) or "Qǐng tì wǒ wènhòu Gāo xiàozhǎng." (Please give my regards to Principal Gao.) when asking someone to give one's regards to a third party.

Liù liàn xí
六、 练 习 Exercises

(一) 辨音 sound discrimination:

1. nèn néng zhēn zhèng
dān dāng sòng chòng
2. běnfèn rènzhēn fēngshēng zhēnchéng
nánfāng lànmàn hóngtáng mángcóng
3. Ōuzhōu dǒusǒu guóhuò zuǒyòu
sōusuǒ guóyǒu shòuruò luòhòu

(二) 读译句子 Read and translate the following sentences:

1. Hǎojiǔ méijiàn le, nǐ shēntǐ hǎo ma?

2. Bófù bómǔ dōu hǎo ma?

3. Qǐng nǐ tì wǒ wènhòu Lín yīshēng.

4. Yìnián méi jiàn, nǐ gèng piàoliang le.

5. Yílùshàng xīnkǔ le.

6. Fēicháng gǎnxiè nín lái jiē wǒmen.

(三) 完成对话 Complete the following dialogue:

1. A: Wáng xiānsheng zǎo!
B: ____________________

2. A: Nǐ shàng nǎr?
B: ____________________

3. A: Chīfàn le ma?
B: ____________________

4. A: Lǐ lǎoshī, mǎi cài qù le?
B: ______________________

5. A: Hǎojiǔ méi jiàn, nǐ shēntǐ hǎo ma?
B: ______________________

6. A: Liǎngnián méijiàn, nǐ gèng niánqīng le.
B: ______________________

Dì sān kè　　tánjiātíng
第三课　谈家庭　About Family

Yī　chángyòngyǔ
一、常用语　Basic Sentences

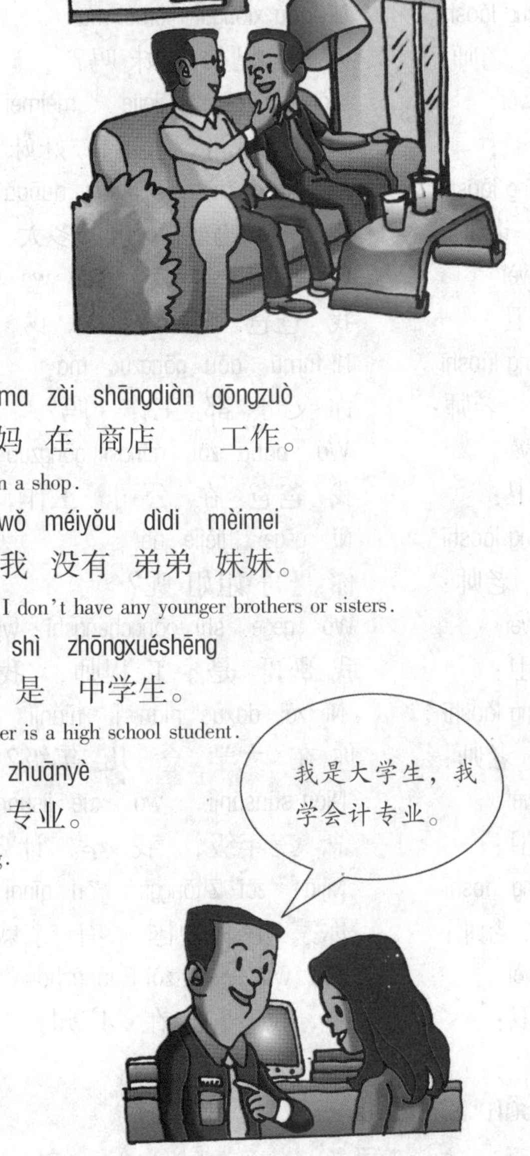

1 Nǐ jiā yǒu jǐkǒu rén
你家有几口人?
How many people are there in your family?

2 Nǐ yǒu xiōngdì jiěmèi ma
你有兄弟姐妹吗?
Do you have any brothers and sisters?

3 Nǐ bàba jīnnián duō dà suìshù
你爸爸今年多大岁数?
How old is your father?

4 Tā àirén gōngzuò ma
他爱人工作吗?
Does his wife have a job?

5 Wǒ bàba shì gōngchéngshī wǒ māma zài shāngdiàn gōngzuò
我爸爸是工程师，我妈妈在商店工作。
My father is an engineer and my mother works in a shop.

6 Wǒ yǒu yígè gēge liǎnggè jiějie wǒ méiyǒu dìdi mèimei
我有一个哥哥，两个姐姐，我没有弟弟妹妹。
I have an elder brother, two elder sisters, and I don't have any younger brothers or sisters.

7 Wǒ gēge gōngzuò le wǒ mèimei shì zhōngxuéshēng
我哥哥工作了，我妹妹是中学生。
My elder brother has a job and my younger sister is a high school student.

8 Wǒ shì dàxuéshēng wǒ xué kuàijì zhuānyè
我是大学生，我学会计专业。
I am a college student. My major is accounting.

9 Nǐ jiā zài Zhōngguó yǒu qīnqi ma
你家在中国有亲戚吗?
Do you have any relatives in China?

10 Wǒ yímā zài Guǎngzhōu
我姨妈在广州。
My mother's sister lives in Guangzhou.

Èr kèwén
二、课文 Text

Wáng lǎoshī　Dàwèi nǐmen jiā zhùzài shénme dìfāng
王 老师：　大卫，你们 家 住在 什么 地方？

Dàwèi　Měiguó jiùjīnshān
大卫：　美国 旧金山。

Wáng lǎoshī　Nǐjiā yǒu jǐkǒu rén
王 老师：　你家 有 几口 人？

Dàwèi　Wǒ jiā yǒu liùkǒu rén
大卫：　我 家 有 六口 人。

Wáng lǎoshī　Nǐ yǒu xiōngdì jiěmèi ma
王 老师：　你 有 兄弟 姐妹 吗？

Dàwèi　Wǒ yǒu gēge jiějie mèimei méiyǒu dìdi
大卫：　我 有 哥哥，姐姐，妹妹，没有 弟弟。

Wáng lǎoshī　Nǐ bàba māmā jīnnián duōdà suìshù
王 老师：　你爸爸 妈妈 今年 多大 岁数？

Dàwèi　Wǒ bàba sìshíbā suì wǒ māma sìshíliù suì
大卫：　我 爸爸 四十八 岁，我 妈妈 四十六 岁。

Wáng lǎoshī　Nǐ fùmǔ dōu gōngzuò ma
王 老师：　你 父母 都 工作 吗？

Dàwè　Wǒ bàba zài gōngsī gōngzuò wǒ māma zài cānguǎn gōngzuò
大卫：　我 爸爸 在 公司 工作，我 妈妈 在 餐馆 工作。

Wáng lǎoshī　Nǐ gēge jiějie ne
王 老师：　你 哥哥 姐姐 呢？

Dàwèi　Wǒ gēge shì gōngchéngshī wǒ jiějie shì dàxuéshēng
大卫：　我 哥哥 是 工程师，我 姐姐 是 大学生。

Wáng lǎoshī　Nǐ zài dàxué niàn jǐ niánjí Xuéxí shénme zhuānyè
王 老师：　你 在 大学 念 几 年级？学习 什么 专业？

Dàwèi　Niàn sānsānjí wǒ xué jìsuànjī
大卫：　念 三年级，我 学 计算机。

Wáng lǎoshī　Nǐjiā zài Zhōngguó yǒu qīnqi ma
王 老师：　你家 在 中国 有 亲戚 吗？

Dàwèi　Yǒu wǒ wàipó zài Guǎngzhōu
大卫：　有，我 外婆 在 广州，

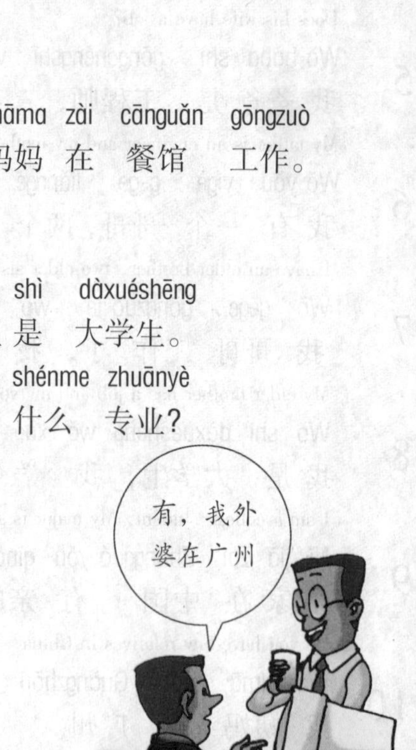

Sān shēng cí
三、生 词 New Words and Phrases

1 jia	家	(名)	home family, house
2. yǒu	有	(动)	have
3. jǐ	几	(数)	(in a question) how many; (in a statement) several
4. kǒu	口	(名.量)	mouth, a measure word for family members
5. xiōngdì	兄弟	(名)	brother
6. jiěmèi	姐妹	(名)	sister
7. jīnnián	今年	(名)	this year
8. duōdà	多大		how old, how big
9. suìshu	岁数	(名)	age
10. tā	他	(代)	he, him
11. gōngzuò	工作	(名.动)	work, job
12. gōngchéngshī	工程师	(名)	engineer
13. shāngdiàn	商店	(名)	shop, store
14. gēge	哥哥	(名)	elder brother
15. jiějie	姐姐	(名)	elder sister
16. dìdi	弟弟	(名)	younger brother
17. mèimei	妹妹	(名)	younger sister
18. zhōngxuéshēng	中学生	(名)	high school student
19. dàxuéshēng	大学生	(名)	college student
20. xué	学	(动)	study
21. kuàijì	会计	(名)	accounting, accountant
22. zhuānyè	专业	(名)	major, special field
23. qīnqi	亲戚	(名)	relatives
24. yímā	姨妈	(名)	mother's sister
25. zhù	住	(动)	live, stay
26. dìfang	地方	(名)	place
27. suì	岁	(名)	years of age
28. cānguǎn	餐馆	(名)	restaurant
29. dàxué	大学	(名)	university
30. niàn	念	(动)	read, study
31. niánjí	年级	(名)	grade
32. jìsuànjī	计算机	(名)	computer
33. wàipó	外婆	(名)	mothe's mother

专有名词 Proper nouns

1.	Guǎngzhōu	广州	Canton
2.	Jiùjīnshān	旧金山	San Francisco
3.	Zhōngshān	中山	Zhongshan City (in Guangdong Province)

Sì tìhuàn
四、替换 Substitutions

Nǐ fùqin jīnnián duōdà suìshu (niánji)
1. 你父亲今年多大岁数(年纪)?

zǔfù	祖父	grandfather
nǎinai	奶奶	grandmother
fùmǔ	父母	parents
shūshu	叔叔	uncle
gēge	哥哥	elder brother

Wǒ bàba shì gōngchéngshī
2. 我爸爸是工程师。

māma	lǎoshī	老师	teacher
bóbo	chúshī	厨师	cook
yéye	shāngrén	商人	businessman
jiùjiu	yīshēng	医生	doctor
gēge	tuīxiāoyuán	推销员	salesman
jiějie	dàxuéshēng	大学生	college student
dìdi	zhōngxuéshēng	中学生	high school student

Wǒ yǒu gēge jiějie méiyǒu dìdi mèimei
3. 我有哥哥,姐姐,没有弟弟,妹妹。

gē ge 哥哥，	mèi mei 妹妹，	jiě jie 姐姐，	dì di 弟弟
dì di 弟弟，	mèi mei 妹妹，	gē ge 哥哥，	jiě jie 姐姐
jiě jie 姐姐，	gē ge 哥哥，	dì di 弟弟，	mèi mei 妹妹
jiě jie 姐姐，	dì di 弟弟，	mèi mei 妹妹，	gē ge 哥哥

Wǒ shì dà xué shēng wǒ xué kuàijì zhuānyè
4. 我是大学生，我学会计专业。

diànnǎo	电脑	computer
jīngjì	经济	econmics
yīxué	医学	medical science
wàiyǔ	外语	foreign language
shāngxué	商学	business
shìchǎngxué	市场学	marketing
xīnwénxué	新闻学	journalism

Wǔ wénhuà jiāojì zhīshi
五、文化 交际 知识 Knowledge of Cultural Communication

英汉社交应酬用语的对比(1)

英语最常用的招呼语是"Hi!""How are you?""How are you doing?""What's up?"。初次见面相识，双方都说"How do you do?"熟人在中午以前见面都可以说"(Good) morning!"，甚至告别时也可以说，如"Good morning, doctor. I hope I'll see you again soon."此外还有 Good afternoon. Good evening. Have a nice day. Enjoy your week-end. 晚上告别时说 Good night。

汉语除了"(你)早"，"你(您)好"以外，没有其他相对应的说法。下午和晚上熟人相遇也说"你好"。不说"下午好"，"晚安"。中国人有独特的打招呼与问候的方式，可参见第二课的《文化交际知识》。

分手道别时，英语除了"Bye"，"Bye-bye""Good-bye"之外，常说 It's nice meeting you. I'm glad to have met you. I wish you a pleasant journey. 之类。汉语除了"幸

会"、"再见"、"一路顺风"之外，主人常对客人说"慢慢走"，"走好"，"不远送了"。作为客人，在主人送别的情况下，往往说一声"请回"，"请留步"。

操英语的人受到赞许，马上说 Thank you，中国人听见夸奖往往使用否认或自贬的话以示谦虚。常用的有："哪里，哪里!"，"过奖了"，"不敢当"，"差得远呢"，"不敢不敢"，"您太客气了"等等。有时则直接否认，如甲对乙说："你这件毛衣真漂亮!"乙可能回答："漂亮什么?都穿了好几年了。"

THE COMPARISON OF ENGLISH AND CHINESE EXPRESSIONS IN SOCIAL CONTACT (1)

The most frequently used greetings in English are 'Hi!', 'How are you?', 'How are you doing?', etc. People say 'How do you do?' when they meet for the first time. People also greet each other by saying 'Good morning' before noon. They even say 'Good morning' when taking their leave; for example, "Good morning, doctor, I hope we'll see you again soon." At other times, they would say 'Good afternoon', 'Good evening', 'Have a nice day', 'Enjoy your week-end' and 'Good night' When they part in the evening.

For those expressions there are no equivalents in Chinese except for (你)早! (Good morning) and 你(您)好!(Hi). Chinese people would say 你好 in the afternoon or evening instead of 下午好(Good afternoon) or 晚上好,晚安 (Good evening). There are also special ways to extend greetings in Chinese. Please see Knowledge of Cultural Communication in Lesson Two. Beside 'Bye', 'Bye-bye', 'Good-bye', English speakers often say 'It's nice meeting you', 'I'm glad to have met you', 'I wish you a pleasant journey home', etc. There are similiar expressions in Chinese, such as 再见 (Good-bye), 一路顺风 (I wish you a pleasant journey), 幸会 (Nice meeting you). The Chinese host often says to the guest 慢慢走 (Walk slowly), 走好 (Watch your steps). The guest would answer 请回 or 请留步 (Don't bother to see me off).

English speakers would say 'Thank you' immediately when praised, while Chinese often use expressions of negation to show their modesty. For example, A says to B 你这件毛衣真漂亮! (What a beautiful sweater!) B would answer, 漂亮什么? 都穿了好几年了。 (Beautiful? No, I have been wearing this sweater for many years). The common expressions for being praised are 哪里,哪里;过奖了(You are flattering me), 不敢当 or 不敢,不敢(I really don't deserve this); 差得远呢 (I am not up to the mark), and so on.

Liù liànxí
六、练习 Exercises

(一) 辨音 Sound discrimination:

1. jiànjiē	qiānqiú	xièxie
jiǎnjié	qīnqiè	xiángxì

2.	zàizuò	cāicè	sīsuǒ	
	zōngzú	cūcāo	sōngsǎn	
3.	cāozá	sōngzǐ	zǒusī	
	zìcóng	cízǔ	sùzào	
4.	bīngxiāng	cānguān	chūzū	fēijī
	dāngrán	fēicháng	gāngcái	gōngyuán
	chūbǎn	fāzhǎn	gōngbǐ	xiūlǐ
	biānji	bōsòng	chīfàn	fāxiàn
	bēizi	cōngming	dāozi	gāngjīn

（二） 回答问题 Answer the following questions:

1. Nǐ jiā yǒu jǐkǒu rén?

2. Nǐ yǒu xiōngdì jiěmèi ma?

3. Nǐ bàba māma jīnnián duōdà suìshu?

4. Nǐ bàba zuò (to do) shénme gōngzuò?

5. Nǐ shì dàxuéshēng ma?

6. Nǐ jiā zhùzài shénme dìfang?

7. Nǐ xuéxí shénme zhuānyè?

8. Nǐ jiā zài Zhōngguó yǒu qīnqi ma?

（三） 对句中划线的词提问 Ask questions about the underlined words in the following sentences:

1. Wǒ bàba jīnnián sìshíwǔ suì.

2. Tā māma zài cān'guǎn gōngzuò.

3. Wǒ gēge de zhuānyè shì kuàiji.

4. Dàwèi de jiějie shì gōngchéngshī.

5. Wǒ zài dàxué niàn èr niánjí.

6. Wǒ de wàipó zhùzài Shànghǎi.

Dì sì kè shíjiān
第四课 时间 Time

Yī chángyòngyǔ
一、常用语 Basic Sentences

1 Xiànzài jǐ diǎn
现在 几点?
What time is it now?

2 Xiànzài shénme shíhòu le
现在 什么 时候了?
What's the time already?

3 Jīntiān jǐyuè jǐhào xīngqī jǐ
今天 几月几号?星期几?
What's the date today? What day is today?

4 Xiànzài shí yī diǎn yí kè
现在 十一点 一刻。
It's a quarter past eleven.

5 Míngtiān qī yuè yī hào xīngqīsān
明天 七 月 一号,星期三。
Tomorrow is Wednesday, July the first.

6 Wǒ jiǔ yuè yī hào qù Běijīng xuéxí
我 九月 一号 去 北京 学习。
I'm going to Beijing to study on September the first.

7 Wǒ yào zài zhèr xuéxí yì nián bàn
我 要 在 这儿学习 一 年 半。
I'm going to study here forone year and a half.

8 Tā kàn le yí gè xiǎoshí diànshì
他 看 了一个 小时 电视。
He has been watching television for one hour.

9 Zhōumò rúguǒ tiānqì hǎo wǒmen qù gōngyuán
周末 如果 天气 好,我们 去 公园。
We'll go to the park this weekend if the weather is fine.

10 Wǒ de shēngrì shì yī jiǔ qī liù nián shí yuè liù rì
我 的 生日 是 一九七六 年 十 月 六 日。
The date of my birth is October 6, 1976.

Èr kèwén
二、课文 Text

Mǎlì Dàwèi nǐ gāngcái qù nǎr le
玛丽：大卫，你刚才 去 哪儿了？
Dàwèi Wǒ qù Zhāng Zhìyuǎn nàr kàn le yíhuìr diànshì
大卫：我 去 张 志远 那儿 看 了 一会儿 电视。
Mǎlì Nǐ kànkan xiànzài jǐdiǎn le
玛丽：你 看看 现在 几点 了？
Dàwèi Xiànzài wǔdiǎnbàn le zěnme lā
大卫：现在 五点半 了，怎么啦？
Mǎlì Jīntiān shì shénme rìzi Nǐ wàngle
玛丽：今天 是 什么 日子？你忘了？
Dàwèi Jīntiān shì shíyuèliùhào xīngqīwǔ duìbúduì
大卫：今天 是 十月六号，星期五，对不对？
Mǎlì Jīntiān shì Lǐ Lán de shēngrì Tā yào qǐng wǒmen chī wǎnfàn
玛丽：今天 是 李 兰 的 生日。她 要 请 我们 吃 晚饭。
Dàwèi Ào wǒ xiǎngqǐlái le Zánmen zǒu ba
大卫：噢，我 想起来 了。咱们 走 吧！
Mǎlì Kěshì wǒmen hái méi mǎi lǐwù ne
玛丽：可是 我们 还 没 买 礼物 呢。
Dàwèi Méguānxi kěyǐ shùnlù qù mǎi
大卫：没关系，可以 顺路 去 买。
Mǎlì Dàwèi yàoshi míngtiān bú xiàyǔ zánmen qù Shìjiègōngyuán hǎobùhǎo
玛丽：大卫，要是 明天 不 下雨，咱们 去 世界公园 好不好？
Dàwèi Hǎojíle
大卫：好极了。

Sān shēng cí
三、生 词 New Words and Phrases

1. xiànzài	现在	（名）	now
2. diǎn	点	（名）	o'clock
3. shíhou	时候	（名）	time
4. yuè	月	（名）	month
5. hào	号	（名）	number, date

6.	xīngqī	星期	（名）	week
7.	kè	刻	（名）	quarter
8.	míngtiān	明天	（名）	tomorrow
9.	yào	要	（动）	want
10.	bàn	半	（形）	half
11.	xiǎoshí	小时	（名）	hour
12.	diànshì	电视	（名）	TV，TV program
13.	zhōumò	周末	（名）	weekend
14.	rúguǒ	如果	（连）	if
15.	tiānqì	天气	（名）	weather
16.	gōngyuán	公园	（名）	park
17.	shēngrì	生日	（名）	birthday
18.	gāngcái	刚才	（副）	just now
19.	nàr	那儿	（代）	there
20.	yíhuìr	一会儿		a while，a short time
21.	la	啦	（助）	
22.	jīntiān	今天	（名）	today
23.	rìzi	日子	（名）	day，date，life
24.	wàng	忘	（动）	forget
25.	duì	对	（形）	correct
26.	wǎnfàn	晚饭	（名）	dinner，supper
27.	ào	噢	（叹）	O，Oh
28.	xiǎng	想	（动）	think，remember
29.	qǐlái	起来	（动）	start to，get up，rise
30.	zánmen	咱们	（名）	we ，us（including both the speaker and the person or persons spoken to）
31.	zǒu	走	（动）	walk，leave
32.	kěshì	可是	（连）	but
33.	hái	还	（副）	still
34.	lǐwù	礼物	（名）	gift，present
35.	guānxi	关系	（名）	relation，matter
36.	kěyǐ	可以	（动）	may，can
37.	shùnlù	顺路		on the way
38.	yàoshì	要是	（连）	if
39.	xiàyǔ	下雨		rain

40. jí 极 (副) extremely utmost

专有名词 Proper nouns

1. Běijīng 北京 Beijing
2. Zhāng Zhìyuǎn 张志远 (Mr. Zhang Zhiyuan)
3. Shìjiègōngyuán 世界公园 World Park

Sì tìhuàn
四、替换 Substitutions

Jīntiān qīyuè shíwǔ hào xīngqī sān
1. 今天七月十五号，星期三。

Bāyuè liùhào xīngqī rì
八月 六号，星期日
Shíèryuè sìhào xīngqīyī
十二月 四号，星期一
Wǔyuè èrshíjiǔ hào xīngqīliù
五月 二十九号，星期六

Xiàn zài wǔdiǎnbàn le
2. 现在五点半了。

Sìdiǎn yíkè	四点一刻	4:15
Jiǔdiǎnzhěng	九点整	9:00
Sāndiǎn sānshíwǔ	三点三十五	3:35
Liùdiǎn sānkè	六点三刻	6:45
Chàwǔfēn shídiǎn	差五分十点	9:55

Tā kàn le yígè xiǎoshí diànshì
3. 他看了一个小时电视。

Bàngè xiǎoshí 半个小时 half an hour

Ershí fēnzhōng	二十分钟	20 minutes
Yíkè zhōng	一刻钟	a quarter
Liǎnggèbàn xiǎoshí	两个半小时	2 and a half hour
bàn tiān	半天	half a day
yì wǎnshang	一晚上	whole evening

Wǒ yào zài zhèr xué xí yì nián bàn
4. 我要在这儿学习一年半。

bànnián	半年	half a year
sāngèyuè	三个月	three months
wǔzhōu	五周	five weeks
liǎnggè xīngqī	两个星期	two weeks
èrshítiān	二十天	20 days
yígèbàn yuè	一个半月	a month and a half

Wǔ wénhuà jiāojì zhīshi
五、文化交际知识 Knowledge of Cultural Communication

英汉社交应酬用语的对比(2)

中国人见面喜欢问:(1)姓名,(2)籍贯,(3)年龄,(4)职业,(5)工资收入;西方人对(3)(5)两项是不愿谈的。问姓名时,常常只问"(您)贵姓?"有必要时则问"尊姓大名?"除非长辈对晚辈,一般不这样问:"你叫什么名字?"中国人讲究长幼有序,晚辈对长辈从不直呼其名,连平辈的同事之间也很少以姓名相称呼。操英语的人不分辈份和年纪,直呼其名表示亲切。汉语中问年龄的句子常用的有:"你今年多大了?""你多大年纪(龄)?"。问10岁以下的孩子时可以问"你几岁了?",问老人则一定要说"您多大年纪(岁数)了?"或"您今年高寿?",一般不问妇女年龄,但高龄者除外,因为中国是人人敬老的社会。中国人喜欢称呼比自己年长的熟人"老王"、"老李",以示亲切,又喜欢称呼高龄的学者为"张老"、"刘老",以示尊重。

英语中对父母的称呼随年龄的变化而变化,年幼时称父母为Daddy, Mommy,稍大时改称Dad, Mom,再大时常改口叫Father, Mother,甚至对父母直呼其名。现在已不大使用 Papa, Mama 了。中国人始终称父母为爸爸,妈妈。英语称同辈兄弟姐妹或年龄相仿的父母辈亲属，一般互相称呼名字，且多用爱称，如 John – Jonny, Robert – Bob, Elizabeth – Liz，等等。汉语中弟妹不能称兄姐的名字，可在名下附上哥、姐、弟、妹以示长幼，而且还根据排行冠以数字，如二哥，大姐、三弟、四妹等说法。

西方人收到礼物时，当即打开，说一番赞赏的话，并向赠送人表示感谢。中国人先推辞一番，以示礼貌，接受礼物之后一般也不当面打开，而是等客人走后再看。

中国人熟人之间，尤其是家庭成员之间很少说“谢”字，认为关系疏远的才说“谢谢”。中国人常对为自己提供了服务的服务员、司机、售货员、厨师表示谢意。Thank you 在英美人口中，一天要说上百遍。他们对外人说，也对家人说，对每个人都说。服务人员不断对顾客说 Thank you，是为了鼓励客人以后再光顾。

THE COMPARISON OF ENGLISH AND CHINESE EXPRESSIONS IN SOCIAL CONTACT (2)

Chinese people might ask about each other' s name, native place, age, profession and income when they first meet. Most Westerners prefer not to talk about their age or income.

Chinese people usually ask about the other' s surname , not the other' s given name. The most common question is 您贵姓?(What' s your honorable surname?). Only a member of an older generation would ask the question like 你叫什么名字?(What' s your full name?). People may ask 请问尊姓大名?(May I know your honorable surname and given name?) if necessary. Because Chinese people respect the old, the younger generation never addresses the older generation by their given names or full names—even the colleagues of the same generation don' t do so. English speakers, however, often address each other by given names regardless of their generation gap to show the cordialness. When asking the age, Chinese people often say 你今年多大了?(How old are you?)你多大年纪(年龄)?(What' s your age?). You may ask a child 你几岁(了)? But you must say 您多大岁数(年纪)了?or 您今年高寿? to enquire an old person' s age.

Chinese people like to put 老 (old) before the surnames of his acquaintances or friends who are older to show closeness, such as 老王,老李。 They sometimes put 老 after the surname of a scholar at an advanced age to show their respect, such as 张老,刘老。

English speakers address their parents differently according to their age. The young child would call his parents 'Daddy, Mommy'; later this changes to 'Dad, Mom'; when he is older he uses 'Father, Mother' instead and, perhaps, even calls his parents by their given names if permission is given. The term of Papa or Mama is seldom used nowadays. Chinese people always address their parents as 爸爸,妈妈。 English speakers call their brothers , sisters, cousins, or even their relatives of older generation by their given names or nick names, such as Johnny, Bob, Liz and so on.

In China, people never call an elder brother or elder sister by the given name. They may use the given name followed by 哥, or 姐; or 哥, 姐 prefixed by a seniority number, such as 二哥 (the second elder brother), 大姐 (the eldest sister), 三弟 (the third younger brother), 四妹 (the fourth younger sister), etc.

Having received a gift, a Westerner usually opens it at once and expresses his (her) appreciation and thanks to the person who presents the gift. A Chinese person usually declines it first before accepting it, and opens it only after the giver has left.

Chinese people don't often say 'Thank you' to their family, but they do say it to those who are not close to them. Chinese people show their gratitute to waiters, waitresses, chefs, shop assistants and other service providers. English speakers say 'Thank you' hundreds of times everyday to everyone—family members, as well as people they do not know well. Service providers say 'Thank you' to a customer as a greeting and to encourage the customer to come again.

Liù liànxí
六、练习 Exercises

(一) 用汉语说出下列时间和日期:(Say the following time and date in Chinese)

3:15　　4:30　　5:25

9:45　　7:58　　11:00

April 15　　July 21　　August 3

December 7　　January 1　　October 25

Monday, June 22, 1998

Wednesday, July 11, 2001

(二) 根据实际情况回答问题:(Answer questions according to the real situation)

1. Jīntiān jǐyuè jǐhào?

2. Míngtiān xīngqī jǐ?

3. Xiànzài shénme shíhou?

4. Nǐ jǐdiǎn chī wǎnfàn?

5. Nǐ de shēngrì shì jǐ yuè jǐ hào?

6. Zhōumò nǐ qù nǎr?

（三） 朗读并翻译：(Read and translate the following sentences):

1. Tā kàn le yígè xiǎoshí de diànshì.

2. Tā chīfàn chī le sìshí fēnzhōng.

3. Wǒ kàn le bàn xiǎoshí Hànyǔshū.

4. Wǒ yào zài zhèr xuéxí yìnián bàn.

5. Yàoshì míngtiān bú xiàyǔ, wǒ hé tā qù gōngyuán.

Dì wǔ kè mǎidōngxi
第五课 买东西 Going Shopping

Yī chángyòngyǔ
一、常用语 Basic Sentences

1 Nín mǎi shénme
您 买 什么?
What would you like to buy?

2 Wǒ xiān kànkan
我先 看看。
I'll have a look.

3 Wǒ yào liǎngjīn píngguǒ
我 要 两斤 苹果。
I want two jin of apples.

4 Xīhóngshì duōshǎo qián yìjīn
西红柿 多少 钱 一斤?
How much are these tomatoes per jin?

5 Xiāngjiāo sìkuàiwǔ yì jīn nín yào duōshao
香蕉 四块五 一斤, 您 要 多少?
Bananas are four yuan and five jiao per jin. How many jins do you want?

6 Tài guì le piányi diǎnr xíngbuxíng
太贵了, 便宜 点儿 行不行?
It's too expensive, can you let me have it a bit cheaper?

7 Zhè jiàn yīfu wǔshí kuài mài bu mài
这 件 衣服 五十 块 卖不卖?
Will you sell me this clothes for 50 yuan?

8 Zhè shuāng xié tàixiǎo le yǒu dà yìdiǎnr de ma
这 双 鞋 太小了, 有大 一点儿 的 吗?
This pair of shoes is too tight. Do you have a bigger one?

9 Qǐngwèn yǒu Xīhú Lóngjǐngchá ma
请问, 有 西湖 龙井茶 吗?
Excuse me, have you got Xihu Longjing tea?

10 Kěyǐ shìshi ma
可以 试试 吗?
May I try it (on)?

Èr kèwén
二、课文 Text

Dàwèi	Mǎlì nǐ kàn píngguǒ bākuài qián yì jīn tài guì le
大卫：	玛丽，你看，苹果 八块 钱 一斤， 太贵 了！
Mǎlì	Nǐ kàn cuò le xiě de shì gōngjīn yě jiùshì sìkuài qián yì jīn
玛丽：	你看错了，写的是 公斤， 也就是 四块 钱 一斤。
Dàwèi	Xiǎojiě bōluó zěnme mài
大卫：	小姐， 菠萝 怎么 卖？
Xiǎojiě	Sānkuàiwǔ yìjīn nín mǎi jǐ gè
小姐：	三块五 一斤 您 买 几 个？
Dàwèi	Sānkuài yìjīn mài bumài
大卫：	三块 一斤 卖 不卖？
Xiǎojiě	Sānkuàièr ba zhègè yòuxiāng yòutián
小姐：	三块二 吧，这个 又香 又甜。
Mǎlì	Hǎoba jiùyào zhègè Duōshǎo qián
玛丽：	好吧，就要 这个。多少 钱？
Xiǎojiě	Sānjīnbàn shíyīkuàièr nín gěi shíyīkuài ba
小姐：	三斤半， 十一块二，您给 十一块 吧。
Mǎlì	Qǐngwèn zhèzhǒng píxié yǒu èrshísān mǎ de ma
玛丽：	请问， 这种 皮鞋 有 二十三 码 的 吗？
Shòuhuòyuán	Yǒu nǐ shìshi
售货员：	有，你 试试。
Mǎlì	Jǐn le yìdiǎnr máfánnǐ gěi huàn yìshuāng dà yìdiǎnr de
玛丽：	紧了 一点儿，麻烦你 给 换 一双 大 一点儿 的。
Shòuhuòyuán	Gěi nǐ èrshísì mǎ de shìshi
售货员：	给你 二十四 码 的 试试。
Mǎlì	Dàwèi nǐ kàn yàngshì zěnmeyàng
玛丽：	大卫， 你看， 样式 怎么样？
Dàwèi	Yàng shì zhì liàng dōu búcuò Duōshǎo qián yìshuāng
大卫：	样式、 质量 都 不错。 多少 钱 一双？
Shòuhuòyuán	Yìbǎiliùshíkuài
售货员：	一百六十块。
Dàwèi	Yìbǎiwǔshíkuài xíng ma
大卫：	一百五十块 行 吗？
Shòuhuòyuán	Wǒmen bù jiǎngjià
售货员：	我们 不 讲价。
Mǎlì	Dàwèi zhèshì bǎihuògōngsī búshì zìyóushìchǎng Hǎoba wǒ mǎi zhèshuāng
玛丽：	大卫， 这是 百货公司，不是 自由市场。好吧， 我 买 这双。

Sān shēngcí
三、生词 New Words and Phrases

1. xiān	先	(形)	first
2. liǎng	两	(数)	two
3. jīn	斤	(量)	jin (= 1/2 kilogram)
4. píngguǒ	苹果	(名)	apple
5. xīhóngshì	西红柿	(名)	tomato
6. duōshǎo	多少	(形)	how many; how much
7. qián	钱	(名)	money
8. xiāngjiāo	香蕉	(名)	banana
9. guì	贵	(形)	expensive; dear
10. piányi	便宜	(形)	cheap
11. (yì)diǎnr	(一)点儿		a little, a bit of
12. xíng	行	(形)	all right, O.K.
13. jiàn	件	(量)	measure word
14. yīfu	衣服	(名)	clothes
15. kuài	块	(量)	measure word
16. mài	卖	(动)	sell
17. shuāng	双	(量)	pair
18. xié	鞋	(名)	shoes
19. xiǎo	小	(形)	small, tight
20. shì	试	(动)	try, try it on
21. dà	大	(形)	big, large
22. chá	茶	(名)	tea
23. shòuhuòyuán	售货员	(名)	shop assistant
24. cuò	错	(形)	wrong, mistake
25. gōngjīn	公斤	(名)	kilogram
26. xiě	写	(动)	write
27. jiù	就	(副)	exactly, at once
28. xiǎojiě	小姐	(名)	Miss, young lady
29. bōluó	菠萝	(名)	pineapple
30. yòu	又	(副)	again
31. xiāng	香	(形)	sweet - smelling, fragrant
32. tián	甜	(名)	sweet
33. zhǒng	种	(名)	type, kind

34. píxié	皮鞋	（名）	leather shoes
35. mǎ	码	（名）	size
36. jǐn	紧	（形）	tight
37. máfan	麻烦	（动，形）	trouble, bother, troublesome
38. huàn	换	（动）	change
39. yàngshì	样式	（名）	style, pattern, type
40. zěnmeyàng	怎么样	（副）	how
41. zhìliàng	质量	（名）	quality
42. búcuò	不错	（形）	not bad, good
43. jiǎngjià	讲价	（动）	bargain
44. bǎihuògōngsī	百货公司	（名）	department store
45. zìyóu	自由	（形）	free
46. shìchǎng	市场	（名）	market

专有名词 Proper nouns

1. Xīhú	西湖	West Lake (in Hangzhou City)
2. Lóngjǐng	龙井	Longjing Tea

Sì tìhuàn
四、替换 Substitutions

Wǒ mǎi (yào) liǎngjīn píngguǒ
1. 我买（要）两斤 苹果。

xiāngjiāo	香蕉	banana
pútao	葡萄	grape
lí	梨	pare
júzi	橘子	tangerine
mángguǒ	芒果	mango

Xīhóngshì duōshǎo qián yìjīn (zěnmemài)
2. 西红柿 多少 钱 一斤（怎么卖）？

báicài	白菜	Chinese cabbage
yángcōng	洋葱	onion
huángguā	黄瓜	cucamber
làjiāo	辣椒	hot pepper
dòujiǎo	豆角	French bean
qīngcài	青菜	greens

Zhèshuāngxié tài xiǎo le yǒu dà yìdiǎnr de ma

3. 这双鞋 太 小 了，有 大 一点儿 的 吗？

jiàn	yī fu	féi	shòu
件	衣服	肥	瘦
(M)	clothes	loose	tight
tiáo	kù zi	duǎn	cháng
条	裤子	短	长
(M)	trousers	short	long
jiàn	chènyī	shēn	qiǎn
件	衬衣	深	浅
(M)	shirt	deep(color)	light
běn	shū	jiù	xīn
本	书	旧	新
(M)	book	old	new

Wáng xiǎojiě qù shāngdiàn mǎi dōngxi

4. 王 小姐 去 商店 买 东西。

bǎihuògōngsī	百货公司	Department Store
chāojíshìchǎng	超级市扬	Supermarket
zìyóushìchǎng	自由市场	farmers market
gòuwùzhōngxīn	购物中心	Shopping Center
yèshì	夜市	night market
xiǎomàibù	小卖部	canteen

Wǔ wénhuà jiāojì zhīshi
五、文化 交际 知识 Knowledge of cultural Communication

英汉社交应酬用语的对比（3）

你进了商店，英美国家的售货员会说 Can I help you? 中国的售货员则问“你买什么？”或“您要点儿什么？”。英语中对道谢的回答是“You're welcome.”，中文则说“不谢”，“不用谢”或“不客气”。

英语中“Excuse me”常用于不由自主的咳嗽、打喷嚏之后，或讲演、朗诵时讲错读错了词语时，中文在这种情况一般不表示歉意。当有人打喷嚏时，周围的人可能会有所表示。有些中国人会说“有人想你了”，“有人说你了”或开玩笑地说“谁在骂你了”。而西方人多半会说“上帝保佑你”。向陌生人打听消息，请求让路或提供轻微的服务时，英语说 Excuse me，中文不说“对不起”，而说“劳驾”。

西方男性初次遇见年轻女性时可以称赞她的容貌，女性听了会高兴地表示感谢。中国强调男女有别，一个小伙子在初次见面时通常不会称赞姑娘漂亮，如果他说得过分，姑娘可能会认为他举止轻浮，并为他不尊重自己而生气。中国异性之间，常保持一定距离，哪怕是夫妻也不会当众作出亲昵的举动。在西方，女性之间可以举止亲密，但男性之间尽量避免亲密的身体接触，以免被人误认为同性恋。在中国，两个同性青少年却可以挽手勾臂地走路、谈笑，而不会被视为同性恋者。

西方人请客吃饭，主人常说“Help yourself.”“Make yourself at home.”；中国主人常会说“慢慢吃”，“多吃点”，还会主动给客人夹菜、劝酒，中国人喜欢劝酒，总是千方百计劝客人多喝一杯。客人们也可以高声谈笑，中国人喜欢喜庆热闹的气氛，和朋友欢聚时不大讲究所谓“餐桌礼仪”（Table Manners）。

THE COMPARISON OF ENGLISH AND CHINESE EXPRESSIONS IN SOCIAL CONTACT(3)

An English speaking shop assistant would greet a customer by saying 'Can I help you?' or 'What can I do for you?' while a Chinese shop assistant would say 你买什么？or 您要点儿什么？(What are you going to buy?) The English answer for 'Thank you' is 'You are welcome', while the Chinese answer would say…不谢，不用谢，(No thanks are due) or 不客气(Don't stand on ceremony).

'Excuse me' is widely used among English speakers when they cough, sneeze or make a mistake while speaking or reading aloud. Chinese speakers, however, do not offer an apology in these cases. When a person sneezes, people nearby often make a remark. Some Chinese say something like 有人想你了(Someone is missing you), or 有人说你了(Someone is talking about you), or humorously 谁在骂你了 (Someone is scolding you now) An English speaker would probably say 'God bless you, An

American or English man says ‘Excuse me’ when asking for some information, or help, while Chinese people would say 劳驾 under similar situations.

When members of the opposite sex meeting for the first time, a Western man may compliment a woman on her general appearance and the woman will respond by saying ‘Thank you!’. However, a Chinese man usually does not compliment a woman on her appearance, and if she is praised too much, she might view the compliment as frivolous and become angry. In China, persons of the opposite sex rarely show affection in public, even between husband and wife.

In the West, women might show affection for each other openly but displays of physical affection between men are kept to a minimum to avoid the appearance of homosexuality. Chinese persons of the same sex more easily show physical affection for one another. Two girls or boys may put their arms on each others shoulders or hold hands in public, and they would not be regarded as acting in any sexual way.

A Western host tells his guests at the dining table to ‘Help yourself’ or ‘Make yourself at home’, while a Chinese host would say 慢慢吃 (Please eat slowly) or 多吃点儿 (Please eat more) and would-pick some dishes and put on the guests plates and try every means to encourage the guests to drink more. It is acceptable for the guests to talk and laugh loudly, because Chinese people like the lively-atomsphere and don't care too much about the ‘table manners’ when dining with friends.

Liù liànxí
六、 练习 Exercises

(一) 填空 Fill in the blanks

1. Zhèshuāng xié tài xiǎo le, yǒu ________ yìdiǎnrde ma?

2. Zhètiáo kùzi tài duǎn le, yǒu ________ yìdiǎnrde ma?

3. Zhèjiàn yīfu tài féi le, yǒu ________ yìdiǎnrde ma?

4. Zhèběnshū tài jiù le, yǒu ________ yìdiǎnrde ma?

5. Zhèzhǒng shǒubiǎo tài guì le, yǒu ________ yìdiǎnrde ma?

(二) 回答问题 (Answer the following questions)

1. Píngguǒ duōshǎo qián yìjīn?

2. Pútao yìjīn duōshǎo qián?

3. Xīhóngshì zěnmemài?

4. Mángguǒ yìjīn jǐkuàiqián?

5. Zhèjiàn yīfu wǔshíkuài mài búmài?

6. Nǐ qù nǎr mǎi xīhóngshì hé qīngcài?

（三） 对划线部分提问 （Asking questions on the underlined parts）

1. Xiāngjiāo <u>sānkuài qián</u> yì jīn.

2. Zhèshuāng xié <u>tàixiǎo le</u>.

3. Mǎlì mǎile <u>liǎnggè</u> bō luó.

4. Dàwèi qù <u>bǎihuògōngsī</u> mǎi yī fu.

5. Tā mǎi le <u>huángguā hé dòujiǎo</u>.

短剧表演： 《做客》

A Short Play: **BEING GUESTS**

序幕

（幕启，玛丽头戴耳机，在房间里随着音乐节拍舞动身体。大卫上，虚拟敲门，效果敲门声，玛丽听不见，大卫重敲并叫门）

Dàwèi　　Mǎlì Mǎlì
大卫：　玛丽！玛丽！

Mǎlì　　Shuí yā
玛丽：　（摘下耳机）谁呀？

Dàwèi　　Shì wǒ Dàwèi
大卫：　是 我，大卫。
Mǎlì　　　　　　Qǐngjìn　qǐngzuò　qǐnghēchá
玛丽：（开门，一口气说）请进，请坐，请 喝茶。
Dàwèi　　Hòutiān　nǐ　yǒukòng　ma
大卫：　后天　你　有空　吗？
Mǎlì　　Hòutiān　shíbā　hào　xīngqīliù　dāngrán　yǒukòng
玛丽：　后天　十八 号，星期六，当然　有空。
Dàwèi　　Zhāng Zhìyuǎn　shíbā　hào　guò　shēngrì　qǐng　wǒmen　qù　tājiā　chīfàn
大卫：　张　志 远　十八 号　过　生日，请　我们　去　他家 吃饭。
Mǎlì　　Tàihǎo le　Wǒmen mǎi　shénme　lǐwù　ne
玛丽：　太好了！我们　买　什 么　礼物　呢？
Dàwèi　　Mǎi　shuǐguǒ　ba　Hòutiān zǎoshang　jiǔdiǎn　wǒmen xiān qù　zìyóushìchǎng　kànkan
大卫：　买　水果　吧。后天　早上　九 点　我们 先　去 自由市场　看看。
Mǎlì　　Méi　wèntí
玛丽：　没　问题。

第一场：自 由 市 场

（几个摊贩分别卖苹果、梨、橘子、香蕉、菠萝和草莓，有的吆喝着。大卫、玛丽手挽手上）

Dàwèi　　Mǎlì　nǐkàn　píngguǒ　bāyuán　yìjīn　tàiguì　le
大卫：　玛丽，你看，苹果　八 元　一斤，太贵 了！
Mǎlì　　Nǐ　kàncuò　le　xiě de shì　gōngjīn　yě　jiùshì　sìkuài　qián　yìjīn
玛丽：　你 看错 了，写的 是　公斤，也 就是　四 块　钱　一斤。
Xiǎofànjiǎ　　Duì　hóngfùshì　píngguǒ　sìkuài　yìjīn　nǐ　mǎi　duōshǎo
小贩甲：　对，红富士　苹果，　四块　一斤，你　买　多少？
Dàwèi　　Wǒ　xiān　kànkan　júzǐ　Qǐngwèn　júzǐ　zěnme　mài
大卫：　我　先　看看　橘子。请问，橘子　怎么　卖？
Xiǎofànyǐ　　Nǐ　kànkan　yòudà　yòutián　liǎngkuàiwǔ　yìjīn
小贩乙：　你　看看，　又大　又甜，　两块五　一斤。
Mǎlì　　Dàwèi　nǐkàn　nàbiān　yǒu　cǎoméi
玛丽：　大卫，你看　那边　有　草莓。
Dàwèi　　Qǐngwèn　cǎoméi　yìjīn　duōshǎo　qián
大卫：　请 问，草莓　一斤　多少　钱？
Xiǎofànbǐng　　Shíkuài　nǐ kàn　duōxīnxiān
小贩 丙：　十块，　你看　多新鲜。
Dàwèi　　Qīkuài　xíng buxíng
大卫：　七块　行不行？

Xiǎofànbǐng　Zuìshǎo bākuài Nín mǎijǐjīn
小贩丙：　最少　八块。您　买几斤？
Dàwèi　Nǐshuō mǎijǐjīn
大卫：　（问玛丽）你说　买几斤？
Mǎlì　Mǎi sānjīn ba
玛丽：　买　三斤　吧。
Dàwèi　Gění qián
大卫：　（接过一袋草莓）给你钱。
Xiǎofànbǐng　Zhèshì wǔshíkuài zhǎonǐ èrshíliùkuài
小贩丙：这是　五十块，找你　二十六块。
Mǎlì　Zánmen zài mǎi diǎnr pútao Qǐngwèn zhè pútao zěnme mài
玛丽：　咱们　再　买点儿葡萄。请问，这　葡萄　怎么　卖？
Xiǎofàndīng　Shíbākuài yìjīn zhèshì Měiguó Jiāzhōu pútao
小贩丁：　十八块一斤，这是　美国　加州　葡萄。
Dàwèi　Shíèrkuài xíng ma
大卫：　十二块　行　吗？
Xiǎofàndīng　Kāi wánxiào bú mài
小贩丁：　开　玩笑！不卖！
Dàwèi　Zuìshǎo duōshǎo qián
大卫：　最少　多少　钱？
Xiǎofàndīng　Shíqīkuài
小贩丁：　十七块。

Mǎlì　Shíliùkuài ba Nǐ chēngcheng zhè chuànr
玛丽：　十六块　吧。你　称称　这　串儿。
Xiǎofàndīng　Èrjīnbàn zhènghǎo sìshíkuài
小贩丁：　二斤半，正好　四十　块。
Mǎlì　Gěi nǐ qián
玛丽：　给你钱。

第二场：张志远家

（张家，中央桌子上放着一个大生日蛋糕，张志远的爷爷、奶奶、父、母、弟弟和妹妹都在家）

Mèimei　Gē yǒu kè rén lái
妹妹：　哥，有客人来。
Zhāng Zhìyuǎn　Dàwèi Mǎlì nǐmen láile huānyíng huānyíng
张志远：　大卫、玛丽，你们　来了，欢迎，　欢迎。
Dàwèi　Zhùnǐ shēngrìkuàilè
大卫：　（递上水果），祝你　生日快乐！

Zhāng Zhìyuǎn　Xièxie xièxie Wǒ lái jièshào yíxià zhèshì wǒ de péngyou Dàwèi hé
张　志远：　谢谢，谢谢。我 来 介绍 一下，这是 我 的 朋友 大卫 和
Mǎlì
玛丽。

Zhòng　Huānyíng huānyíng qǐng jìnlái zuò
众：　欢迎，欢迎，请 进来 坐。

Zhāng Zhìyuǎn　Zhèshì wǒ yéye wǒ nǎinai Zhèshì wǒ bàba Zhèshì wǒ dìdi Xiǎo
张　志远：　这是 我 爷爷，我 奶奶。这是 我 爸爸。这是 我 弟弟 小
píng wǒ mèimei Xiǎohóng（环视一下，叫了一声"妈"，妈妈从厨房
平，我 妹妹 小红。
走出来，系着围裙）　Zhèshì wǒ māma
这是 我 妈妈。

Dàwèi Mǎlì　Āyí hǎo
大卫、玛丽：　阿姨 好。

Māma　Nǐmen qǐngzuò wǒ qù zuòfàn
妈妈：　你们 请坐，我 去 做饭。

Yéye　Nǐmen shì nǎ guó rén a
爷爷：　你们 是 哪 国 人啊？

Dàwèi　Wǒmen shì Měiguó rén zhù zài Jiùjīnshān
大卫：　我们 是 美国 人，住 在 旧金山。

Yéye　Nǐjiā yǒu jǐkǒu rén
爷爷：　你家 有 几口 人？

Xièwèi　Wǒjiā yǒu liùkǒu rén bàba māma gēge jiějie hé yígè mèimei
大卫：　我家 有 六口 人，爸爸、妈妈、哥哥、姐姐 和 一个 妹妹。

Mǎlì　Wǒjiā yǒu sìkǒu rén bàba māma wǒ hé yígè dìdi
玛丽：　我家 有 四口 人，爸爸、妈妈、我 和 一个 弟弟。

Nǎinai　Nǐ bàba māma zuò shénme gōngzuò
奶奶：　你 爸爸、妈妈 做 什么 工作？

Mǎlì　Wǒ bàba shì lǎoshī wǒ māmā shì gōngsī wényuán
玛丽：　我 爸爸 是 老师，我 妈妈 是 公司 文员。

Nǎinǎi　Tāmen duōdà niánjì le
奶奶：　他们 多大 年纪 了？

Mǎlì　Sìshí duōsuì Nǎinai nín duōdà suìshu le
玛丽：　四十 多岁。奶奶 您 多大 岁数 了？

Nǎinǎi　Wǒ jīnnián qīshísān le tā yéye jīnnián qīshíliù
奶奶：　我 今年 七十三 了，他 爷爷 今年 七十六。

Fùqīn　Nǐmen lái Zhōngguó duōcháng shíjiān le Shēnghuó xíguàn ma
父亲：　你们 来 中国 多长 时间 了？生活 习惯 吗？

Mǎlì　　Liǎng gè xīng qī le shēnghuó xíguàn jiùshì tiānqì tàirè le Yí
玛丽：　两 个 星期 了，生活 习惯，就是 天气 太热 了。咦，
　　　　Zhāng Zhìyuǎn de nǚpéngyou zěnme hái méilái
　　　　张 志远 的 女朋友 怎么 还 没来？

Mǔqīn　　　　　　Nǚpéngyou Tā hái méiyǒ nǚpéngyǒu ne
母亲：　(刚从厨房走出来)女 朋 友？ 他 还 没有 女朋友 呢。

Dàwèi　　Méi guānxi wǒmen bāng tā zhǎo yígè
大卫：　没 关系，我们 帮 他 找 一个。

Dì liù kè　wènlù
第六课　问路　Asking the Way

Yī chángyòngyǔ
一、常用语 Basic Sentences

1. Qǐngwèn dìèr yīyuàn zài Nǎr
请问，第二 医院 在 哪儿？
Excuse me, where is the No. 2 Hospital, please?

2. Qǐngwèn qù wàiwén shūdiàn zěnme zǒu
请问，去 外文 书店 怎么 走？
Excuse me, how do I get to the Foreign Language Bookstore?

3. Qǐngwèn qù huǒchēzhàn zuò jǐlù chē
请问，去 火车站 坐 几路 车？
Excuse me, what bus do I need to catch to get to the train station?

4. Zài nǎr huàn chē Huàn jǐlù chē
在 哪儿 换 车？换 几路 车？
Where shall I change buses? Which route do I change to?

5. Qǐngwèn zhège dìzhǐ zěnme zhǎo
请问，这个 地址 怎么 找？
Excuse me, how can I get to this address?

6. Qǐngwèn nín zhù zài nǎr
请问，您 住 在 哪儿？
Excuse me, where do you live?

7. Wáng xiānsheng zhù jǐcéng jǐhào
王 先生 住 几层 几号？
Could you tell me Mr. Wang's room number? and on which floor?

8. Wǎngqián zǒu dào shízì lùkǒu wǎngzuǒ guǎi
往前 走，到 十字路口 往左 拐。
Go straight ahead and then turn left at the intersection.

9. Qǐngwèn dìtiězhàn lí zhèr yǒu duō yuǎn
请问，地铁站 离 这儿 有 多 远？
Excuse me, how far is the subway station from here?

10. Qǐngwèn fùjìn yǒu cèsuǒ ma
请问，附近 有 厕所 吗？
Excuse me, is there a toilet near here?

Èr kèwén
二、课文 Text

Dàwèi Lǐ Lán nǐ qùguò Mǎ lǎoshī jiā ma
大卫：李兰，你去过马老师家吗？

LǐLán Qùguò tā jiā hěnyuǎn zài chéngnán
李兰：去过，他家很远，在城南。

Dàwèi Zěnme zuò chē ne
大卫：怎么坐车呢？

LǐLán Nǐ zài xiào ménkǒu zuò èrshíqī lù gōnggòngqìchē
李兰：你在校门口坐二十七路公共汽车。

Dàwèi Yào huàn chē ma
大卫：要换车吗？

LǐLán Yào huàn shíbā lù diànchē
李兰：要，换十八路电车。

Dàwèi Zài nǎr huàn chē
大卫：在哪儿换车？

LǐLán Zài HuāyuánJiǔdiàn ménkǒu
李兰：在花园酒店门口。

Dàwèi Shíbā lù chē zuò jǐzhàn Zài nǎr xià chē
大卫：十八路车坐几站？在哪儿下车？

LǐLán Dàgài wǔliù zhàn zài Hépíngqiáo xià chē
李兰：大概五六站，在和平桥下车。

Dàwèi Xià chē yǐhòu zěnme zǒu
大卫：下车以后怎么走？

LǐLán Wàngqián zǒu dào shízìlùkǒu wàngyòuguǎi zǒu jǐfēnzhōng jiù dào dàtóngxiǎoqū le
李兰：往前走，到十字路口往右拐，走几分钟就到大同小区了。

Dàwèi Mǎ lǎoshī zhù jǐhào lóu Jǐcéng jǐhào
大卫：马老师住几号楼？几层几号？

LǐLán Tā zhù wǔhào lóu liùcéng liùlíng èr hào
李兰：他住五号楼，六层，六0二号。

Dàwèi Nàr fùjìn yǒu shénme biāozhì ma
大卫：那儿附近有什么标志吗？

LǐLán Wǔhào lóu duìmiàn yǒu yígè xiǎoxuéxiào
李兰：五号楼对面有一个小学校。

Dàwèi Xièxie xièxie wǒ kěndìng néng zhǎodào le
大卫：谢谢，谢谢，我肯定能找到了。

			used before a number to show the order
			hospital
			foreign language
			book store
			train station
			sit
			route, road, way
			ehicle, bus, car
			ddress
			ook for; find
			door
			head, front
			ntersection
zuǒ	左		left
guǎi	拐	(动)	turn
17. dìtiě	地铁	(名)	subway
18. zhàn	站	(名．动)	station, stop
19. lí	离	(动)	from
20. yuǎn	远	(形)	far
21. fùjìn	附近	(名)	nearby, neighboring
22. cèsuǒ	厕所	(名)	toilet, lavatory, W.C.
23. guò	过	(助．动)	after a verb to show past experience
24. chéngnán	城南		the southern part of the city
25. xiǎo	小	(形)	small, little
26. gōnggòng	公共	(形)	public
27. qìchē	汽车	(名)	bus, automobile
28. diànchē	电车	(名)	trolleybus, tramcar
29. huāyuán	花园	(名)	garden
30. jiǔdiàn	酒店	(名)	hotel
31. xià	下	(动．名)	get off
32. dàgài	大概	(副．形)	approximate, roughly
33. yǐhòu	以后	(名)	after

34.	yòu	右	(名.形)	right
35.	fēnzhōng	分钟	(名)	minute
36.	xiǎoqū	小区	(名)	residential district
37.	biāozhì	标志	(名)	mark, sign, symbol
38.	lóu	楼	(名)	building
39.	duìmiàn	对面	(方名)	opposite, across the way
40.	xiǎoxuéxiào	小学校	(名)	primary school
41.	xièxie	谢谢	(动)	thank
42.	kěndìng	肯定	(形.动)	affirm, positive; definite; certainly
43.	néng	能	(助动)	can, be able to

专有名词 Proper nouns

1.	Huāyuánjiǔdiàn	花园酒店	Garden Hotel
2.	Hépíngqiáo	和平桥	name of a place
3.	Dàtóngxiǎoqū	大同小区	Datong Residential District

Sì tìhuàn
四、替换 Substitutions

Qǐngwèn qù wàiwénshūdiàn zěnme zuò chē
1. 请问，去 外文书店 怎么 坐 车？

Yǒuyìshāngdiàn	友谊商店	Friendship Store
Dōngfāng Bīnguǎn	东方宾馆	Dongfang Hotel
Wángfǔjǐng	王府井	a shopping district in Beijing
fēijīchǎng	飞机场	airport
bówùguǎn	博物馆	museum

Qǐngwèn Jìnándàxué zài shénme dìfāng
2. 请问，暨南大学 在 什么 地方？

Rénmínyīyuàn People's Hospital	人民医院	nǎr where	哪儿
Měiguódàshǐguǎn U S Embassy	美国大使馆	nǎtiáo jiē which street	哪条街
Xiǎokāng jiǔjiā Xiaokang Restaurant	小康酒家	nǎge dìfāng what place	哪个地方
huǒchēzhàn Railway station	火车站	nǎge fāngxiàng which direction	哪个方向

Qǐngwèn zhèr zhōuwéi yǒu cèsuǒ ma
3. 请问， 这儿 周围 有 厕所 吗?

fùjìn nearby	附近	yóujú post office	邮局
zhèlǐ here	这里	xǐshǒujiān toilet, hathroom	洗手间
zhèyídài in the vicinity	这一带	kuàicāndiàn fast food restaurant	快餐店
zhètiáo jiēshang in this street	这条街上	gōngyòngdiànhuà public telephon	公用电话

Wǔ wénhuà jiāojì zhīshi
五、文化 交际 知识 Knowledge of cultural Communication

亲属称谓

在传统的中国社会中，家庭和家族占据着核心地位，发达的宗法制度使人们非常重视社会关系中的亲疏、长幼、尊卑的次序，因此汉语中的亲属称谓特别多。例如，uncle 一词在中文中就有五个对应词：伯父（父亲的哥哥）、叔叔（父亲的弟弟）、姑父（父亲姐妹的丈夫）、舅舅（母亲的兄弟）和姨父（母亲姐妹的丈夫）。中文中不存在 uncle，cousin 这样的统称，但是儿童对家庭以外的成年人一般称为“叔叔”、“阿姨”。

汉语中常用的亲属称谓有以下这些：
"祖父"或"爷爷"(父亲的父亲)；
"祖母"或"奶奶"(父亲的母亲)；
"外祖父"或"外公"(母亲的父亲)；
"外祖母"或"姥姥"、"外婆"(母亲的母亲)；
"伯母"或"大妈"(伯父的妻子)；
"婶婶"或"婶子"(叔叔的妻子)；
"姑母"或"姑姑"、"姑妈"(父亲的姐妹)；
"舅母"或"舅妈"(舅舅的妻子)；
"姨母"或"姨妈"、"姨"(母亲的姐妹)；
"嫂子"或"嫂嫂"(哥哥的妻子)；
"弟妹"或"弟媳妇"(弟弟的妻子)；
"姐夫"(姐姐的丈夫)；
"妹夫"(妹妹的丈夫)；
"岳父"或"爸爸"(妻子的父亲)；
"岳母"或"妈妈"(妻子的母亲)；
"公公"或"爸爸"(丈夫的父亲)；
"婆婆"或"妈妈"(丈夫的母亲)。

在亲属往来中，中国人对比自己年长的亲戚决不称名道姓，而只用亲属称谓。

TITLES OF RELATIVES

Family and clan held a commanding position in traditional Chinese society. The highly developed patriarchal system has made Chinese people value greatly the order of social relationships, i.e. close or distant, senior or junior, high or low; therefore, titles of relatives are very rich in Chinese vocabulary. For example, the English word "uncle" has five equivalents in Chinese: bófù (father's elder brother), shūshu (father's younger brother), gūfu (husband of father's sister), jiùjiu (mother's brother), and yífu (husband of mother's sister). There is no chinese equivalent for the English general terms such as "uncle" or "cousin." Chinese children often call adults outside their families "shūshu" (for male) or "āyí" (for female).

The other frequently used titles of relatives in Chinese everyday life are:
Zǔfù or yéye (father's father, grandfather);
Zǔmǔ or nǎinai (father's mother, grandmother);
Wàizǔfù or wàigōng (mother's father, grandmother);
Wàizǔmǔ or lǎolao, wàipó (mother's mother, grandmother);
Bómǔ or dàmā (bofu's wife, aunt);
Shěnshen or shěnzi (shushu's wife, aunt);
Gūmǔ, gūgu or gūmā (father's sisters, aunt);

Jiùmǔ or jiùmā (jiùjiu's wife, aunt);
Yímǔ, yímā or yí (mother's sisters, aunt);
Sǎozi or sǎosao (gēge's wife, sister-in-law);
Dìmèi or dìxífu (dìdi's wife, sister-in-law);
Jiěfu (jiějie's husband, brother-in-law);
Mèifu (mèimei's husband, brother-in-law);
Yuèfù or bàba (wife's father, father-in-law);
Yuèmǔ or māma (wife's mother, mother-in-law);
Gōnggong or bàba (husband's father, father-in-law);
Pópo or māma (husband's mother, mother-in-law);

On social occasions, Chinese people never call their senior relatives by names, but by these titles only.

Liù liànxí
六、练 习 Exercises

(一) 根据回答提问 Make questions according to the answers given

1. ____________________?
Dìèr yīyuàn zài Zhōngshānlù.

2. ____________________?
Wǎng qián zǒu, dào shízilùkǒu wǎng yòu guǎi, nín jiù kàn jiàn Wàiwén Shūdiàn le.

3. ____________________? ____________________?
Qù huǒchēzhàn zài Huāyuán Jiǔdiàn ménkǒu huànchē. Huànliù lù qìchē.

4. ____________________?
Dìtiě zhàn lí zhèr bù yuǎn, dàgài sānbǎimǐ (300m).

5. ____________________?
Wáng lǎoshī zhù sìcéng sìlíngbā hào.

(二) 读译句子 Read and translate the following sentences

1. Wǒ méi qùguo Mǎ lǎo shī de jiā.

2. Qǐngwèn, qù Qīngpíng Shìchǎng zěnme zǒu?

3. Nǐ zuò27(èrshíqī) lù dào Hépíngqiáo xiàchē huàn103(yāolíngsān) lù.

4. Duìbuqǐ, qǐngwèn xǐshǒujiān zài nǎr?

（三） 完成对话 Complete the following dialogue

A: ______________________

B: Wàiwénshūdiàn zài Tiānhé.

A: Qù Tiānhé zěnme zuò chē?

B: ______________________

A: Yào huàn chē ma? Zài nǎr huàn chē?

B: ______________________

A: Nàr fùjìn yǒu shénme biāozhì ma?

B: ______________________

A: Xièxie.

Dì qī kè qùyóujúhéyínháng
第七课 去 邮局和银行 Going to the Bank and Post Office

Yī chángyòngyǔ
一、常用语 Basic Sentences

1 Qǐngwèn jì zhè fēng xìn yào duōshǎo qián
请问，寄这封信要多少钱？
Excuse me, how much is it to send this letter?

2 Jì wǎng Měiguó de xìn yào tiē duōshǎo yóupiào
寄往美国的信要贴多少邮票？
How much is it to mail a letter to the U.S.?

3 Zhè fēng xìn chāo zhòng ma
这封信超重吗？
Is this letter over weight?

4 Zhè fēng xìn jì dào Jiānádà yào duōjiǔ
这封信寄到加拿大要多久？
How long will it take for this letter to get to Canada?

5 Qǐngwèn zài nǎr qǔ bāoguǒ
请问，在哪儿取包裹？
Excuse me, where can I get my parcel?

6 Wǒ yào jì tèkuài zhuāndì
我要寄特快专递。
I want to send this by EMS.

7 Wǒ xiǎng huàn yìbǎi Měiyuán
我想换一百美元。
I want to change $ 100 (to RMB).

8 Měiyuán de páijià shì duōshǎo
美元的牌价是多少？
What is the exchange rate for U.S. dollars?

9 Lǚxíng zhīpiào zài zhèr kěyǐ tíqǔ xiànjīn ma
旅行支票在这儿可以提取现金吗？
Can I cash traveller's cheques here?

10 Wǒ xiǎng cún huóqī
我想存活期。
I want to put this into my current account.

Èr kèwén
二、课文 Text

Dàwèi　Lín Fēng nǐ yě shàngjiē qù a
大卫：林风，你也上街去啊？

Lín Fēng　Wǒ qù yínháng huàn qián nǐ ne
林风：我去银行换钱，你呢？

Dàwèi　Wǒ qù yóujú jì xìn hái yào tì Mǎlì qǔ bāoguǒ
大卫：我去邮局寄信，还要替玛丽取包裹。

Lín Fēng　Qǔ bāoguǒ yào zhèngjiàn nǐ dài le ma
林风：取包裹要证件，你带了吗？

Dàwèi　Wǒmen liǎnggè rén de hùzhào dōu dài le Háiyào xuéshēngzhèng ma
大卫：我们两个人的护照都带了。还要学生证吗？

Lín Fēng　Kěnéng bú yòng le
林风：可能不用了。

Dàwèi　Lín Fēng nǐ zhīdào jì dào Měiguó de hángkōngxìn yào tiē duōshǎo yóupiào
大卫：林风，你知道寄到美国的航空信要贴多少邮票？

Lín Fēng　Wǔkuàisì
林风：五块四。

Dàwèi　Dàgài jǐtiān néng dào
大卫：大概几天能到？

Lín Fēng　Yígè xīngqī zuǒyòu
林风：一个星期左右。

Dàwèi　Rúguǒ jì tèkuài zhuāndì ne
大卫：如果寄特快专递呢？

Lín Fēng　Yě yào sānsì tiān dànshì guì de duō
林风：也要三四天，但是贵得多。

Dàwèi　Nǐ shàngcì huàn de qián dōu huā wán le
大卫：你上次换的钱都花完了？

Lín Fēng　Zǎo yòng guāng le Zhècì wǒ xiǎng duō huàn yìdiǎnr Rénmínbì cún ge huóqī
林风：早用光了。这次我想多换一点儿人民币，存个活期。

Dàwèi　Xiànzài yì Měiyuán huàn duōshǎo Rénmínbì
大卫：现在一美元换多少人民币？

Lín Fēng　Bākuàisānmáo wǔ
林风：八块三毛五。

Dàwèi　Nǐ yòng xiànjīn háishì lǚxíng zhīpiào huàn
大卫：　你用　现金　还是　旅行 支票　换？

Lín Fēng　Yòng lǚxíng zhīpiào huàn
林风：　用　旅行　支票　换。

Dàwèi　Shōu bù shōu shǒuxùfèi
大卫：　收　不 收　手续费？

Lín Fēng　Shōu hǎoxiàng shì qiānfēnzhīqī ba
林风：　收，好像　是　千分之七　吧。

Dàwèi　Huóqī cúnkuǎn lìlǜ gāo ma
大卫：　活期　存款　利率 高　吗？

Lín Fēng　Bù gāo dàn shì qǔqián fāngbiàn kěyǐ zài xiào ménkǒu de yínháng qǔ
林风：　不 高，但 是 取钱　方便，可以 在 校　门口　的　银行　取。

Dàwèi　Zhè jiào tōngcúntōngduì duì ba
大卫：　这 叫　通存通兑，对吧？

Lín Fēng　Duì
林风：　对。

Sān shēngcí
三、生词　New Words and Phrases

1.	jì	寄	（动）	mail, post
2.	fēng	封	（量）	measure word for letter
3.	xìn	信	（名）	letter
4.	tiē	贴	（动）	paste, stick
5.	yóupiào	邮票	（名）	stamp
6.	chāozhòng	超重		over weight
7.	duōjiǔ	多久		how long time
8.	qǔ	取	（动）	get, fetch
10.	bāoguǒ	包裹	（名）	parcel
11.	Měiyuán	美元	（名）	U.S.dollar
12.	páijià	牌价	（名）	list price, exchange rate
13.	lǚxíng	旅行	（动）	travel
14.	zhīpiào	支票	（名）	cheque
15.	tíqǔ	提取	（动）	draw
16.	xiànjīn	现金	（名）	cash
17.	cún	存	（动）	deposit

18. huóqī	活期	（形）	current deposit
19. shàngjiē	上街		go shopping, go into the street
20. yínháng	银行	（名）	bank
21. yóujú	邮局	（名）	post office
22. zhèngjiàn	证件	（名）	credentials; certificate; I. D.
23. dài	带	（动）	bring
24. hùzhào	护照	（名）	passport
25. xuéshēngzhèng	学生证	（名）	student's identity card
26. kěnéng	可能	（助动）	may; maybe, possible
27. yòng	用	（动）	use
28. zhīdào	知道	（动）	know
29. hángkōng	航空	（名）	by airmail
30. zuǒyòu	左右	（名）	about, around
31. dé	得	（助）	used after a verb to indicate a complement of result or degree
32. shàngcì	上次		last time
33. huā	花	（动．名）	spend; flower
34. wán	完	（形．动）	whole; finish, be over
35. guāng	光	（形．动）	used up, nothing left; light
36. Rénmínbì	人民币	（名）	RMB
37. háishì	还是	（连）	or (in questions)
38. shōu	收	（动）	charge, collect; receive
39. shǒuxùfèi	手续费	（名）	service charge
40. hǎoxiàng	好像	（动）	seem, be like
41. qiān	千	（数）	thousand
42. qiānfēnzhīqī	千分之七		seven thousandth
43. cúnkuǎn	存款	（名）	deposit
44. lìlǜ	利率	（名）	interest rate
45. gāo	高	（形）	high
46. dànshì	但是	（连）	but
47. fāngbiàn	方便	（形）	convenient
48. tōngcúntōngduì	通存通兑		allow to deposit or withdraw from any bank subbranches

专有名词 Proper nouns

1. Lín Fēng 林风 a name

Sì tìhuàn
四、替换 Substitutions

Zhè fēng xìn jì dào Jiānádà yào duōjiǔ
1. 这 封 信 寄到 加拿大 要 多久？

Hángkōngxìn an airmail letter	航空信	duōshǎo tiān how many days	多少天
Zhè fēng píngxìn This ordinary letter	这封平信	jǐtiān how many days	几天
Zhè gè bāoguǒ This parcel	这个包裹	duōshǎo qián how much	多少钱
Zhè běn shū This book	这本书	duōshǎoqián yóupiào how much postage	多少钱邮票

Wǒ yào jì tèkuài zhuāndì
2. 我要寄特快专递。

jì guàhào xìn	寄挂号信	send a registered letter
jì qián	寄钱	send a postal order
mǎi jìniàn yóupiào	买纪念邮票	buy commemorative stamps
mǎi míngxìnpiàn	买明信片	buy postcards
mǎi yìzhāng wǔkuàisì de yóupiào	买一张五块四的邮票	buy one ¥ 5.40 stamp
mǎi yígè zhǐhé	买一个纸盒	buy a carton

Wǒ xiǎng bǎ yìbǎiMěiyuán huàn chéng Rénmínbì
3. 我想 把 一百美元 换 成 人民币。

sānbǎi Fǎláng	三百法郎	300 F.francs
shíwàn Rìyuán	十万日元	100,000 Japanese yen
wǔbǎi Mǎkè	五百马克	500 Deutschmark
èrbǎi Yīngbàng	二百英镑	200 Pound
yìqiān Gǎngyuán	一千港元	1,000 HK dollars

Wǔ wénhuà jiāojì zhīshi
五、 文化 交际 知识 Knowledge of Cultural Communication

汉语思维特点

英语叙述和说明事物时,习惯于从小到大,从特殊到一般,从个体到整体;而汉语的顺序一般是从大到小,从一般到特殊,从整体到个体。例如表示时间:

一九九九年十月二十五日上午九点半

9:30 am the 25th of December, 1999

表示地点:中国广州天河区中山大道10号

No.10 Zhongshan Road, Tianhe Distrect, Guangzhou, China

在称呼语中,也遵循从大到小,从长到幼,从男到女的顺序,如:父子、母女、兄弟、姐妹、姐弟、兄妹、哥儿俩、男女、夫妻、夫妇、父母、爸爸妈妈等。

介绍人物时,汉语先罗列其职务头衔,后出现姓名,英语则先出现姓名或简略的头衔加姓名,再罗列其职务。

在特殊疑问句中,英语先提出询问未知信息的疑问词,然后再列出已知信息部分,汉语却先提出表示已知信息的主语,然后再提出疑问。例如:

What did you say?	你说什么?
Where are you going?	你去哪儿?
When will you come?	你什么时候来?
Why did you go there?	你为什么去那儿?
Whom did you see?	你看见谁了?
Whose house is that?	那是谁的房子?
How does he do it?	他是怎样做的?
Who saw him?	谁看见他了?

只有当"谁"作主语时,其位置是与英文一致的。

在说明自然现象、时间、季节、天气、距离等时,汉语可以不用主语,英语则必须用无人称代词"it"作主语。例如:

It is raining. 下雨了。

It is two o'clock. 两点了。

It's so hot! 真热。

It is late autumn now. 现在是深秋。

Is it very far to the post office? 去邮局很远吗?

对否定问句的回答,英汉截然相反。如:

他不是教师吗?—是的,他不是。

Isn't he a teacher? No, he is not.

Won't you come? Yes, I will. 不,我来。

(你不来吗?) No, I won't. 对,我不来。

汉语是站在问话人立场,对其推测作出评价,思维注重人情;而英语则以事实作答,思维注重逻辑。

汉语和英语的思维方式差异还有很多,可以概括地说:英语思维习惯于形式分析,从小到大,强调个体,体现的是西方文化的"自我中心";汉语思维习惯于整体把握,从大到小,强调整体,体现的是汉文化的"群体观念。"

MODE OF THINKING OF CHINESE LANGUAGE

The way of narration and explanation in English is from small to large, from particular to general, from special to or dinary. But the mode of thinking in the Chinese Language is from large to small, from general to particular, from special to ordinary. Take the expressions of time and address as anexample:

Yījiǔjiǔjiǔ nián shíèryuè èrshíwǔrì shàngwǔ jiǔdiǎnbàn

一九九九 年 十二月 二十五日 上 午 九点半

9:30 a.m. the 25th of December, 1999

Zhōngguó Guǎngzhōu tiānhéqū Zhōngshān dàdào shíhào

中国 广州 天河区 中山 大道 十号

No.10 Zhongshan Road, Tianhe District, Guangzhou, China

Chinese form of address is also from the elder to the younger, from male to female. For example, fùzǐ (father and son), mǔnǚ (mother and daughter), xiōngdì (elder brother and younger brother), jiěmèi (elder sister and younger sister), jiědì (elder sister and younger brother), xiōngmèi (elder brother and younger sister) gērliǎ (brothers of two), nánnǚ (men and women), fūqī (husband and wife), fūfù (husband and wife), fùmǔ (father and mother, parents), bàbamāma (father and mother), etc.

When introducing people, Chinese give ranks and titles before the name, while English give the name or a simple title plus name first, then introduce his/her ranks and titles.

In the questions with an interrogative pronoun English ones start with the question- word to ask the unknown information, but the Chinese questions usually start with the subject of known information, then raise the question. For example:

What did you say? Nǐ shuō shénme?

Where are you going? Nǐ qù nǎr?

When will you come? Nǐ shénme shíhou lái?
Why did you go there? Nǐ wèishénme qù nàr?
Whom did you see? Nǐ kànjiàn shuíle?
Whose house is that? Nà shì shuí de fángzi?
How does he do it? Tā shì zěnyàng zuò de?
Who saw him? shuí kànjiàn tā le?

In the last pair of sentences, the interrogative pronouns "who" and "shui" are both at the beginning of the question because they serve as the subjects.

There are some types of Chinese sentences that have no subjects when they describe natural phenomena, time, season, weather or distance. However, the English ones use nonpersonal pronoun "it" as the subject. For example,

It is raining. Xià yǔ le.
It is two o'clock. Liǎngdiǎn le.
It's so hot! Zhēn rè!
It is late autumn now. Xiànzài shì shēn qiū.
Is it very far to the post office? Qù yóujú hěn yuǎn ma?

As for the answer to a negative question, Chinese is just the opposite to English. For example,
Tā búshì jiàoshī ma?/ Shì de, tā bú shì.
Isn't he a teacher?/ No, he is not.
Won't you come?/ Yes, I will. (Bù, wǒ lái.)
(Nǐ bù lái ma?)/ No, I won't. (Duì, wǒ bù lái.)

Chinese answers are actually comments on the speaker' s guess. Special emphasis is given to sensibility in the thinking process. But English answers are based on the truth and an emphasis is given to the logic.

There are many other differences between Eglish thinking and Chinese way of thonght. We may sum up as the following. English thinking is used to form analysis, from small to large, emphasizing the individual, which reflects the egocentrism of western culture, while Chinese thinking tends to view the situation as a whole, from large to small, emphasizing the whole, which reflects the group - orientation of Chinese culture.

Liù liànxí
六 练习 Exercises

(一) 读译句子 Read and translate the follwing sentences

1. Qǐng wèn jì wǎng Jiānádà de xìn yào tiē duōshao yóupiào?

2. Duìbùqǐ, nǐzhèfēng xìn chāozhòng le。

3. Wǒ xiǎng bǎ sānbǎi měiyuán huànchéng rénmínbì。

4. Wǒ yǒu lǚxíng zhīpiào，méiyǒu xiànjīn。

（二） 回答问题 Answer the following questions

1. Xiànzài jìwǎng Àodàlìyà de xìn yào tiē duōshǎo yóupiào?

2. Hángkōngxìn jìdào Niǔyuē yào jǐtiān?

3. Yì Měiyuán kěyǐ huàn duōshǎo qián Rénmínbì?

4. Zuìjìn (the nearest) dē yóujú zài nǎr?

（三） 翻译下列词语 Translate the following words and phrases into Chinese

1. post office

2. Bank of China

3. airmail letter

4. ordinary letter

5. parcel

6. commemorative stamps

7. registered letter

8. post card

9. EMS

10. traveller's cheques

11. current account

12. fixed deposit

Dì bā kè chīfàn
第八课 吃饭 Eating Out

Yī chángyòngyǔ
一、常用语 Basic Sentences

1 Wǒ kànkan càidān
我 看看 菜单。
I'd like to see the menu.

2 Nǐ xǐhuān chī Guǎngdōngcài háishì sìchuān cài
你 喜欢 吃 广东菜 还是 四川 菜?
Do you like Cantonese cuisine or Sichuan cuisine?

3 Zhègè fàndiàn de míngcài shì shénme
这个 饭店 的 名菜 是 什么?
What is your most famous speciality?

4 Wǒmen hē wūlóngchá
我们 喝 乌龙茶。
We'd like to drink Woolong tea.

5 Jīntiān yǒu shénme tè jià cài
今天 有 什么 特价 菜?
What is today's special?

6 Lái liǎngpíng píjiǔ yíguàn kěkǒukělè
来 两瓶 啤酒, 一罐 可口可乐。
Two bottles of beer and a can of coke.

7 Wǒ bù chī ròu wǒ chī sù
我 不 吃 肉,我 吃 素。
I'm a vegetarian, and I don't eat meat.

8 Wǒ xǐhuān chī hǎixiān
我 喜欢 吃 海鲜。
I'd like to have some sea food.

9 Yào yígè kǎo Rǔzhū yígè háoyóu cǎogū yígè tiěbǎn niúròu hé yígè qīngzhēng guìyú
要 一个 烤 乳猪, 一个 蚝油 草菇, 一个 铁板 牛肉 和 一个 清蒸 鳜鱼。
One roast sucking pig, one straw mushrooms in oyster sauce, a beef platter, and one steamed mandarin fish.

10 Chī mǐfàn háishì chī jiǎozi
吃 米饭 还是 吃 饺子?
Do you have rice or boiled dumplings?

Èr kèwén
二、课文 Text

Lín Fēng　　Dàwèi Mǎlì　nǐmen qù nǎr
林 风：　大卫,玛丽，你们 去 哪儿?

Dàwèi　　Wǒmen chūqù chī wǎnfàn　Nǐ chī le ma
大卫：　我们　出去　吃　晚饭。　你吃了吗?

Lín Fēng　　Hái méiyǒu ne
林 风：　还　没有　呢。

Dàwèi　　Zánmen yíkuàir　chī ba
大卫：　咱们　一块儿 吃吧。

Lín Fēng　　Hǎo　Nǐmen　xiǎng chī Màidāngláo hái shì Bǐ sà
林 风：　好。你们　想 吃　麦当劳　还 是 比萨?

Mǎlì　　Zài Zhōngguó　dāngrán yào chī zhōngcān wǒmen qù　Sìchuān　fàndiàn hǎobùhǎo
玛丽：　在　中国　　当然　要 吃　中餐，我们　去 四川　饭店　好不好?

Lín Fēng　　Hǎo jí　le　Wǒ yě　xǐhuān chī làde
林风：　好 极 了。我 也　喜欢　吃 辣的。

(在四川饭店)

Fúwùyuán　　Zhèshì càidān sānwei qǐng diǎncài
服 务 员：　这是 菜单，三位　请　点 菜。

Dàwèi　　Nǐmen　xǐhuān　chī　shénme
大卫：　你们　喜欢　吃　什么?

Mǎlì　　Gōngbǎojīdīng hé　yúxiāngròusī shì tāmen de náshǒu cài
玛丽：　宫保鸡丁　和　鱼香肉丝　是　他们　的　拿手　菜。

Lín Fēng　　Mápó dòufu yě búcuò
林 风：　麻婆豆腐 也 不错。

Dàwèi　　Háiyào yígè guōbā xiārénr
大卫：　还要　一个 锅巴　虾仁儿。

Fúwùyuán　　Yào bú yào huíguōròu hé guàiwèijī
服务 员：　要 不要　回锅肉　和　怪味鸡?

Mǎlì　　Cài gòu le　bú yào le　Měirén yào yífèn tāngyuán
玛丽：　菜够了，不要了。每人　要　一份　汤圆。

Fúwùyuán　　Qǐngwèn hē diǎnr shénme yǐnliào
服务员：　请问，喝点儿 什么　饮料?

Dà wèi　　Hē chá jiù xíng le
大卫：　喝茶 就 行了。

Mǎ lì　　Yàobúyào jiā yígè sānxiāntāng
玛丽：　要不要 加一个 三鲜汤？
Lín Fēng　　Bú yào tāng le jiā yí gè chǎo qīngcài hǎobùhǎo
林风：　不要汤了，加一个 炒 青菜 好不好？
Dàwèi　　Hǎo wǒmen dōu ài chī qīngcài
大卫：　好，我们 都爱吃 青菜。

Sān shēngcí
三、生词 New Words and phrases

1. càidān	菜单	（名）	menu
2. xǐhuān	喜欢	（动）	like
3. chīfàn	吃饭		have meal
4. cài	菜	（名）	dish, course
5. fàndiàn	饭店	（名）	restaurant
6. míng	名	（名）	famous
7. hē	喝	（动）	drink
8. tèjià	特价		specialprice
9. píng	瓶	（量）	a bottle of
10. píjiǔ	啤酒	（名）	beer
11. guàn	罐	（量）	a can of, tin
12. ròu	肉	（名）	meat
13. sù	素	（名）	vegetarian
14. hǎixiān	海鲜	（名）	sea food
15. mǐfàn	米饭	（名）	cooked rice
16. jiǎozi	饺子	（名）	dumpling (with meat and vegetable stuffing)
17. yíkuàir	一块儿		together
18. dāngrán	当然	（副）	of course
19. zhōngcān	中餐	（名）	Chinese food
20. là	辣	（形）	hot, pungent, peppery
21. diǎncài	点菜		order food
22. náshǒu	拿手	（形）	good at, expert
23. gòu	够	（形）	enough
24. měi	每	（副）	every

25. fèn	份	（量）	a measure word
26. tāngyuán	汤圆	（名）	stuffed dumplings made of glutinous rice flour served in soup
27. yǐnliào	饮料	（名）	drink
28. jiā	加	（动）	add
29. tāng	汤	（名）	soup
30. chǎo	炒	（动）	stir fry
31. qīngcài	青菜	（名）	green vegetable
32. ài	爱	（动）	love, like

专有名词 Proper nouns

1.	Guǎngdōng	广东	Guangdong Province
2.	Sìchuān	四川	Sichuan Province
3.	Wūlóngchá	乌龙茶	Woolong tea
4.	Kěkǒukělè	可口可乐	Coca – Cola
5.	Kǎo rǔzhū	烤乳猪	roast sucking pig
6.	Háoyóucǎogū	蚝油草菇	straw mushrooms in oyster sauce
7.	Tiěbǎnniúròu	铁板牛肉	beef platter
8.	Qīngzhēngguìyú	清蒸鳜鱼	steamed mandarin fish
9.	Màidāngláo	麦当劳	Macdonald's fast food restaurant
10.	Bǐsà	比萨	pizza
11.	Gōngbǎojīdīng	宫保鸡丁	chicken with peanuts and chili pepper
12.	Yúxiāngròusī	鱼香肉丝	shredded pork and green sauce
13.	Mápódòufu	麻婆豆腐	spicy hot bean curd
14.	Guōbāxiārén	锅巴虾仁	shrimp with crispy rice
15.	Huíguōròu	回锅肉	twice – cooked pork with chili
16.	Guàiwèijī	怪味鸡	special flavour chicken
17.	Sānxiāntāng	三鲜汤	combination seafood soup

Sì tìhuàn
四、替 换 Substitutions

Wǒ xǐhuān chī Guǎngdōngcài
1. 我 喜欢 吃 广东菜。

Sìchuāncài	四川菜	Sichuan food
Húnáncài	湖南菜	Hunan food
Hǎixiān	海鲜	sea food
Làde	辣的	spicy
Bǐsà	比萨	pizza
Yìdàlì cài	意大利菜	Italian food
Fǎguó cài	法国菜	French food
Rìběn cài	日本菜	Japanese food

Wǒmen hē Wūlóngchá
2. 我们 喝 乌龙茶。

Hóngchá	红茶	black tea
Huāchá	花茶	jasmine tea
Lóngjǐngchá	龙井茶	Longjing tea
Júhuāchá	菊花茶	chrysanthemum tea
Píjiǔ	啤酒	beer
Pútaojiǔ	葡萄酒	wine
Chéngzhī	橙汁	orange juice
Kuàngquánshuǐ	矿泉水	mineral water

Wǒ yào yígè tiě bǎn niú ròu
3. 我 要 一个铁板 牛肉。

Hóngshāoyú	红烧鱼	fish braised in soy sauce
Chǎo xiārén	炒虾仁	sauteed shrimp
Běijīng kǎoyā	北京烤鸭	Beijing duck
Shūcài chǎofàn	蔬菜炒饭	fried rice with vegetables
Ròusī chǎomiàn	肉丝炒面	fried noodles with pork
Suānlà tāng	酸辣汤	sour and hot soup
Sùshíjǐn	素什锦	assorted vegetarian food

Wǔ wénhuà jiāojì zhīshi
五、 文化 交际 知识 Knowledge of Cultural Communication

客套语(口语惯用语之一)

1、劳驾

请求别人让路或做某些举手之劳的事情时用。例如,请人让路,就说"劳驾,请让一让,谢谢啦!";请求别人协助时,说:"劳驾,您拿那双鞋我试试。""劳驾,把这本书递给小王"。"劳驾"中间可插入其他成分,如"劳您驾了""劳您大驾"等。

2、哪儿呀,哪儿的话

别人赞扬自己时表示谦虚的答语,或表示否定。例如别人称赞你唱歌达到专业水平,你可以说:"哪儿呀,让大家见笑了。"

3、瞧你说的,看你说的

用以回答别人对自己的恭维,有一种喜悦而又不好意思的感情色彩。

4、彼此彼此

在得到对方夸奖时说,表示对方跟自己水平一样,是一种礼貌的客气。例如:"王先生,你辛苦啦!""彼此彼此。"

POLITE GREETINGS
(COLLOQUIAI CUSTOMARY EXPRESSIONS I)

1. Láojià

It is used when you ask someone to give way or to give you some simple help. For example, "Láojià, qǐng ràng yí ràng, xièxie la!" (Excuse me, let me pass, thank you.) "Láojià, nín ná nèishuāng xié wǒ shìshi." (please give me that pair of shoes, I' ll try them on, thank you.) "láojià, qǐng bǎ zhèběn shū dìgěi Xiǎo Wáng." (Please pass that book to Xiao Wang.) Some elements can be inserted between Láo and jià, for example, "Láo nín jià le" or "Láo nín dàjià," which carry the same meaning as 'Excuse me.'

2. Nǎr ya, Nǎr de huà

A tone of negation, used as a reply when being praised. For example, when someone praises your voice, "as good as a professional", you may say "nǎr ya" or "nǎr de huà, ràng dàjiā jiànxiào le" (Please don't laugh at me.")

3. Qiáo nǐ shuō de, Kàn nǐ shuō de

Used as a reply when being praised, with a feeling of happiness and shyness.

4. Bǐcǐ bǐcǐ

Used when you want to say that the other side has done the same. It's a polite response after being praised. For example, "Wáng Xiānsheng, nín xīnkǔ le", "Bǐcǐ bǐcǐ". (Mr. Wang, you must have gone to a lot of trouble over it. —So must you!)

Liù liànxí
六、练习 Exercises

(一) 读译句子 Read and translate the following sentences

1. Mǎlǐ Xǐhuan chī Guǎngdōng cài.

2. Dàwèi chī sù bù chī ròu.

3. Wǒ xiǎng chī Zhōngguó cài bùxiǎng chī Màidāngláo.

4. Wǒ xihuan chī hǎixiān wǒ bàba xǐhuan chī niúròu.

(二) 对划线部分提问 Ask questions on the part underlined

1. Wáng lǎoshī (a) xǐhuan chī Sìchuān (b) cài

a) ____________________

b) ____________________

2. Dàwèi yào sān (a) píng píjiǔ

a) ____________________

3. Lǐ Lán xīngqī wǔ (a) wǎnshang qī (b) diǎn qù Guǎngzhōn jiǔjiā (c) chī fàn

a) ____________________

b) ____________________

c) ____________________

(三) 回答问题 Answer questions

1. Nǐ xǐhuan chī Zhōngguó cài ma?

2. Nǐ xǐhuan chī là de ma?

3. Nǐ chángcháng hē shénme yǐnliào?

4. Nǐ zuì xǐhuan chī zhūròu, jīròu, niúròu háishì yú?

5. Nǐ néng shuōchū jǐgè Zhōngguó cài de míngzi?

6. Nǐ huì zuò Zhōngguó cài ma?

Dì jiǔ kè dǎdiànhuà
第九课 打电话 Making Phone Calls

Yī Chángyòngyǔ
一、常用语 Basic Sentences

1
Wèi Shì mínháng shòupiàochù ma
喂！是 民航 售票处 吗？
Hello, Is this the CAAC Booking Office?

2
Wèi máfan nǐ zhǎo yíxiàr chén jīnglǐ hǎo ma
喂，麻烦 你 找 一下儿 陈 经理，好 吗？
Hello, May I speak to Manager Chen, please?

3
Zǒng jī ma Qǐng zhuǎn sìèryāo fēn jī
总机 吗？请 转 421 分 机。
Operater, would you put me through to extension 421, please?

4
Wǒ shì Tiánzhōng qǐngwèn Jítiányīláng zài ma
我 是 田中，请问 吉田一郎 在 吗？
This is Tanaka speaking. Could I speak to Yichiro Yoshida?

5
Nǐ zhǎo shuí
你 找 谁？
Who do you wish to speak to?

6
Qǐngwèn nín shì nǎwèi
请 问，您 是 哪位？
Excuse me, who's speaking, please?

7
Wǒ jiù shì
我 就 是。
It's me.

8
Zhè diànhuà shì guójì chángtú zhíbō ma
这 电话 是 国际 长途 直拨 吗？
Is this an IDD phone?

9
Qǐng zhuǎngào Dàwèi huílái yǐhòu gěi wǒ huí gè diànhuà
请 转告 大卫，回来 以后 给 我 回 个 电话。
Please ask Dawei to ring me back when he gets in.

10
Duìbùqǐ dǎ cuò le
对不起，打 错 了！
Sorry, wrong number!

Èr kèwén
二、课文 Text

Zhāng Zhìyuǎn　Wèi shì liúxuéshēng sùshè ma
张志远：喂，是留学生宿舍吗？

Huàwùyuán　Shì nǐ zhǎo shuí
话务员：是，你找谁？

Zhāng Zhìyuǎn　Wǒ zhǎo Dàwèi kēěr qǐng jiē sānyāoliù fáng jiān
张志远：我找大卫·科尔，请接 316 房间。

Huàwùyuán　Qǐng shāohòu
话务员：请稍候。

Zhāng Zhìyuǎn　Wèi shì Dàwèi ma
张志远：喂，是大卫吗？

Dàwèi　Wǒ jiù shì nín shì nǎ wèi
大卫：我就是，您是哪位？

Zhāng Zhìyuǎn　Wǒ shì Zhāng Zhìyuǎn
张志远：我是张志远。

Dàwèi　Nǐ hǎo Wǒ tīng bu qīngchu qǐng nǐ dàdiǎnr shēng
大卫：你好！我听不清楚，请你大点儿声。

Zhāng Zhìyuǎn　Nǐmen nàér de diànhuà zhēn nán dǎ lǎo shì zhànxiàn Hǎo bù róngyì dǎtōng le yòu méirén jiē
张志远：你们那儿的电话真难打，老是占线。好不容易打通了，又没人接。

Dàwèi　Zhēn duìbuqǐ wǒ gāng huílái Yǒu shénme hǎoshì
大卫：真对不起，我刚回来。有什么好事？

Zhāng Zhìyuǎn　Zhōng guó zájìtuán de yǎnchū nǐ xiǎng bu xiǎng kàn
张志远：中国杂技团的演出，你想不想看？

Dàwèi　Dāngrán xiǎng kàn shénme shíhou
大卫：当然想看，什么时候？

Zhāng Zhìyuǎn　Xīngqīliù wǎnshàng zài Yǒuyì jùchǎng
张志远：星期六晚上，在友谊剧场。

Dàwèi　Nǐ néng mǎi dào piào ma
大卫：你能买到票吗？

Zhāng Zhìyuǎn　Nǐ yào jǐ zhāng
张志远：你要几张？

Dàwèi　　Yào liǎngzhāng Mǎlì yě qù
大卫：　要 两张， 玛丽 也 去。

Zhāng Zhìyuǎn　　Wǒ zhèr gānghǎo yǒu sānzhāng zánmen yíkuàir qù
张 志远：　我 这儿 刚好 有 三 张， 咱们 一块儿 去。

Dàwèi　　Duōshǎo qián yìzhāng
大卫：　多少 钱 一张？

Zhāng Zhìyuǎn　　Bāshíkuài yìzhāng shì qiánpái de
张 志远：　八十块 一张，是 前排 的。

Dàwèi　　Tài hǎo le wǎnshàng jǐdiǎn kāiyǎn
大卫：　太 好 了，晚上 几点 开演？

Zhāng Zhìyuǎn　　Bādiǎn Zánmen qīdiǎnbàn hái zài lǎodìfang Hēisēnlín kāfēiguǎn ménkǒu pèngtóu hǎobuhǎo
张 志远：　八点。咱们 七点半 还 在 老地方—黑森林 咖啡馆 门口 碰 头， 好不好？

Dàwèi　　Hǎo qīdiǎnbàn Hēisēnlín bújiànbúsàn
大卫：　好，七 点 半，黑森林， 不见不散！

Sān shēncí
三、生 词 New Words and Phrases

1. dǎ	打	（动）	dial
2. diànhuà	电话	（名）	telephone, call
3. wèi	喂	（叹）	Hello
4. mínháng	民航	（名）	CAAC
5. shòupiàochù	售票处	（名）	booking office
6. zǒngjī	总机	（名）	operator
7. zhuǎn	转	（动）	shift, connect
8. fēnjī	分机	（名）	extension
9. shuí	谁	（代）	who, whom
10. guójì	国际	（名）	international
11. chángtú	长途	（名）	long distance
12. zhíbō	直拨		direct dialing
13. zhuǎn'gào	转告	（动）	pass on
14. huílái	回来	（动）	return, come back
15. huí	回	（动）	return
16. cuò	错	（形）	wrong
17. liúxuéshēng	留学生	（名）	foreign student

18. fángjiān	房间	（名）	room
19. shāohòu	稍候		wait a moment
20. tīng	听	（动）	listen, hear
21. qīngchu	清楚	（形）	clear
22. shēng	声	（名）	sound, voice
23. zhēn	真	（副）	really
24. nán	难	（形）	difficult
25. lǎo	老	（副）	always
26. zhànxiàn	占线		the line is busy
27. róngyi	容易	（形）	easy
28. tōng	通	（动）	through
29. gāng	刚	（副）	just, only a short while ago
30. shì	事	（名）	matter, business
31. zájì	杂技	（名）	acrobatics
32. yǎnchū	演出	（动·名）	show, performance
33. yǒuyì	友谊	（名）	friendship
34. jùchǎng	剧场	（名）	theatre
35. piào	票	（名）	ticket
36. zhāng	张	（量）	ameasureword
37. gānghǎo	刚好	（副）	happen to, just
38. pái	排	（名）	row
39. kāiyǎn	开演		start, begin, opening of a show
40. kāfēiguǎn	咖啡馆	（名）	cafe, coffee shop
41. pèngtóu	碰头		meet
42. bújiànbúsàn	不见不散		not leave the place until we meet

专有名词 Proper nouns

1.	Chén	陈	Chinese surname
2.	Tiánzhōng	田中	Tanaka
3.	Jítiányīláng	吉田一郎	Yichiro Yoshida
4.	Zhōngguózájìtuán	中国杂技团	Chinese Acrobatics Troupe
5.	Yǒuyìjùchǎng	友谊剧场	Friendship Theatre

6.	Dàwèi · kēěr	大卫·科尔	David Cole
7.	Hēisēnlínkāfēiguǎn	黑森林咖啡馆	Black Woods Cafe

Sì tìhuàn
四、替换 Substitutions

Wèi máfán nǐ zhǎo yíxiàr Chén jīnglǐ
1. 喂，麻烦 你 找 一下儿 陈 经理。

Zhāng zhǔrèn	张主任	Director Zhang
Liú lǎoshī	刘老师	Mr. Liu
Wáng jiàoshòu	王教授	Professor Wang
Hé Míng xiānsheng	何明先生	Mr. He Ming
Lǐ Lán	李兰	Li Lan

Wǒ shì Tiánzhōng qǐngwèn Jítiányīláng zài ma
2. 我 是 田 中， 请问 吉田一郎 在 吗？

Dàwèi	大卫	Mǎlì	玛丽
Zhāng Zhìyuǎn	张志远	Lǐ Wénhuá	李文华
Zhōu Xiǎohóng	周小红	Mǎ lǎoshī	马老师
Lín Fēng	林风	Ōu Wén	欧文
Wáng Hànpíng	王汉平	Yú Huì xiǎojiě	于惠小姐

Qǐng zhuǎngào Dàwèi huílái yǐhòu gěi wǒ huí gè diànhuà
3. 请 转告 大卫，回来 以后 给 我 回 个 电 话。

Wǔdiǎnbàn wǒ zài gěi tā dǎ diànhuà 五点半 我 再 给 他 打电话。	I'll call him again at 5:30.
Liùdiǎn zhěng zài dàménkǒu děng wǒ 六点 整 在大门口 等 我。	Wait for me at the front gate at 6:00.
Xiàkè yǐhòu qù Lǐ Lǎn jiā 下课 以后 去李兰 家。	Go to LiLan'shouse after class.
Huǒchēpiào yǐjing mǎi dào le 火车票 已经 买 到 了。	The train tickets have been bought.

Wǔ wénhuà jiāojì zhīshi
五 文化 交际 知识 Knowledge of cultural Communication

肯定语(口语惯用语之二)

1、那还用说、当然

都表示赞同对方的话,是一种非常肯定的语气。如“我能用一下你的自行车吗?”“那还用说,给,这是车钥匙。”

2、没说的、没的说、没问题

这都是说话人对对方要求所做的十分肯定的答复。如:“老王,我的电视机出毛病了,晚上您抽空来看看行吗?”,“没说的,我吃了饭就去你家。”

3、有的是、多的是

在对话中作为应答语使用,表示某种事物数量很多,语气十分肯定。如:“小王,我的信封用完了,能跟你借一个吗?”,“你拿去用吧,我有的是。”

4、还别说

表示说话人认为某种观点、主张有一定道理,因而给予肯定。“还别说”前面可加“您”或“你”,后面还可以有表示赞同的话。例如:大家正在讨论周末开晚会的事,小张却提出了反对意见并说明了理由,小王想了一下说,“还别说,小张的想法还有点道理。”

AFFIRMATIVE WORDS
(COLLOQUIAL CUSTOMARY EXPRESSIONS Ⅱ)

1. Nà háiyòng shuō or Dāngrán

Both used in conversation to show an agreement with the other side. You may use them when you confirm what is said. For example, “Wǒ néng yòng yíxià nǐ de zìxíngchē ma?” “Nà háiyòng shuō, gěi, zhè shì chēyàoshi.” (May I borrow your bicycle for a while?—Certainly, please take the key to the bike.)

2. Méi shuō de, Méi de shuō, Méiwèntí

Used to consent to the other side's request. They are in a very confirmative tone. For example, “Lǎo Wáng, wǒ de diànshìjī chūmáobìngle, wǎnshang nín chōukòng lái kànkan xíng ma?” “Méi shuō de, wǒ chīle fàn jiùqù nǐjiā.” (Lao Wang, there is something wrong with my television, could you take some time to check it after dinner?—No problem, I'll go to your house after dinner.)

3. Yǒudeshì, Duōdeshì

Used as a positive reply in conversation, meaning the quantity is large. For example, “Xiǎo Wáng, wǒ de xìnfēng yòng wán le, néng gēn nǐ jiè yígè ma?" "Nǐ ná qù yòng ba, wǒ yǒu de shì." (Xiao Wang, I have run out of envelopes. May I borrow one from you?—Here you are, I have plenty.)

4. Háibiéshuō

Used as a means of confirmation, indicating that the speaker's idea or view is reasonable. Nin or Ni can be prefixed to Hái bié shuō. For example, when we were discussing the scheduled party at the weekend, Xiao Zhang put forward a different opinion After thinking on his opinion for a while, Xiao Wang said, "Hái bié shuō, Xiǎo Zhāng de xiǎngfǎ hái yǒudiǎn dàolǐ."

Liù liànxí
六、练习 Exercises

(一) 读译句子 Read and translate the following sentences

1. Wèi, shì liúxuéshēng sùshè ma?

2. Shì zǒngjī ma?

3. Wǒ shì Wáng Hànpíng, qǐngwèn Dàwèi zài ma?

4. Máfan nǐ zhǎo yíxiàr Lǐ jīnglǐ.

5. Qǐng zhuǎn'gào Lǐ Lán, qù Shànghǎide fēijī míngtiān zǎoshang bādiǎn sānshíwǔ qǐfēi.

(二) 用中文怎么说? Say it in Chinese

1. Telephone number

2. extension

3. IDD

4. Wait a moment

5. (the line is) busy

6. get through

7. no one answers

8. public phone

9. Hello

10. wrong number

（三） 完成对话 Complete the dialogue

A： Wèi, shì liúxuéshēng sùshè ma?
B： ________________________?

A： Wǒ zhǎo Zhāng Xiǎohuì.
B： ________________________。

A： Tā zhù 402 fángjiān.
B： ________________________。

A： Wèi, shì Zhāng Xiǎohuì ma?
B： ________________________?

A： Wǒ shì Lín Fēng. Nǐ hǎo!
B： ________________________!

A： Jīn tiān wǎnshang yǒu kòngr ma?
B： ________________________?

A： Wǒ xiǎng qǐng nǐ qù Dōngfāng Fàndiàn chīfàn.
B： ________________________。

A： Liùdiǎnbàn wǒ dào nǐ sùshè dàménkǒu děng nǐ, hǎo bù hǎo?
B： ________________________?

A： Nà hǎoba, wǒ zài 27 lù gōnggòng qìchēzhàn děng nǐ.
B： ________________________。

A： Duì, liùdiǎnbàn. Bújiànbúsàn.
B： ________________________。

Dì shí kè　àihào
第十课　爱好　Hobbies

Yī　Chángyòngyǔ
一、常用语　Basic Sentences

1 Nǐ yǒu shénme àihào
你有 什么 爱好?
What is your hobby?

2 Wǒ hěn xǐhuān kàn diànyǐng
我很 喜欢 看电影。
I love wat ching movies.

3 Nǐ duì gǔdiǎnyīnyuè gǎn xìngqù ma
你对 古典音乐 感 兴趣 吗?
Are you interested in classical music?

4 Tā shì zúqiúmí
他是足球迷。
He's a football fan.

5 Wǒ de àihào hěn guǎngfàn zuì xǐhuān de shì diàoyú
我的爱好很广泛,最喜欢的是钓鱼。
I have a wide range of interests, but my favourite hobby is fishing.

6 Wǒ tǎoyàn kǎlā'ōukèi
我 讨厌 卡拉OK。
I hate going to Karaoke.

7 Nǐ xǐhuan shénme yùndòng
你喜欢 什么 运动?
What sports do you like?

8 Wǒ jīngcháng pǎobù
我经常 跑步。
I go running regularly.

9 Tā tiàowǔ tiào de hěnhǎo
她 跳舞跳得很好。
She dances very well.

10 Nǐmen zhōumò yǒu shénme yùlè huódòng
你们 周末有 什么 娱乐活动?
What entertainment do you have for weekends?

Èr kèwén
二、课文 Text

Dàwèi　　Wáng lǎoshī Zhōngguórén wèishénme tèbié xǐhuān kǎlā 'ōukèi

大卫：　　王 老师，中国人 为什么 特别 喜欢 卡拉 OK?

Wáng lǎoshī　　Dàgài shì yīnwèi tā jì néng ràng rén fāxiè gǎnqíng yòu néng mǎnzú biǎoxiànyù ba Nǐmen yǒu shénme àihào

王 老师：　　大概 是 因为 它 既能 让 人 发泄 感情，又 能 满足 表现欲 吧。你们 有 什么 爱好？

Dàwèi　　Wǒ xǐhuan yùndòng xǐhuan dǎqiú yě xǐhuan kànqiú

大卫：　　我 喜欢 运动，喜欢 打球，也 喜欢 看球。

Wáng lǎoshī　　Shénme qiú

王 老师：　　什么 球？

Dàwèi　　Lánqiú zúqiú hé wǎngqiú wǒ dōu xǐhuan

大卫：　　篮球、足球 和 网球，我 都 喜欢。

Wáng lǎoshī　　Mǎlì nǐ duì shénme gǎn xìngqu

王 老师：　　玛丽，你 对 什么 感 兴趣？

Mǎlì　　Wǒ xǐhuan kàn xiǎoshuō tīng yīnyuè dànshì bù xǐhuan kǎlā 'ōukèi

玛丽：　　我 喜欢 看 小说，听 音乐，但是 不 喜欢 卡拉 OK。

Wáng lǎoshī　　Lǐ Lán nǐ de àihào shì shénme

王 老师：　　李 兰，你 的 爱好 是 什么？

Lǐ Lán　　Wǒ shì gè diànyǐng mí

李 兰：　　我 是 个 电影 迷。

Wáng lǎoshī　　Nǐ zuì ài kàn nǎ lèi diànyǐng ne

王 老师：　　你 最 爱 看 哪 类 电影 呢？

Lǐ Lán　　Wǒ zuì ài kàn de shì xuánniànpiān wǒ juédé cóngqián Xīqūkēkè dǎoyǎn de diànyǐng dōu hěn hǎokàn

李 兰：　　我 最 爱 看 的 是 悬念片，我 觉得 从前 希区柯克 导演 的 电影 都 很 好看。

Wáng lǎoshī　　Lín Lēng nǐ yǒu shénme àihào

王 老师：　　林 风，你 有 什么 爱好？

Lín Fēng　　Wǒ àihào lǚyóu shèyǐng yě xǐhuān guàng shāngdiàn

林 风：　　我 爱好 旅游、摄影，也 喜欢 逛 商店。

Dàwèi　　Wáng lǎoshī nǐ de àihào shì shénme

大卫：　　王 老师，你 的 爱好 是 什么？

Wáng lǎoshī　　Niánqīng de shíhou wǒ de àihào hěn guǎngfàn qín qí shū huà dǎqiú

王 老师：　　年轻 的 时候，我 的 爱好 很 广泛，琴 棋 书 画，打球、

yóuyǒng dōu xǐhuān Xiànzài huódòng bùduōle měitiān dǎda tàijíquán
游泳 都喜欢。现在 活动 不多了，每天 打打 太极拳，
kànkan diànshì zhōumò yǒushí hé jiārén dào jiēshàng guàngguang tán bú
看看 电视， 周末 有时 和家人 到 街上 逛逛， 谈不
shàng shénme àihào
上 什么 爱好。

Sān Shēngcí
三、生 词 New Words and Phrases

1. àihào	爱好	（动．名）	like, be keen on; hobby
2. diànyǐng	电影	（名）	film, movie
3. gǔdiǎn	古典	（形）	classical
4. yīnyuè	音乐	（名）	music
5. gǎnxìngqù	感兴趣		be interested in
6. zúqiú	足球	（名）	football, soccer
7. mí	迷	（名．动）	fan
8. guǎngfàn	广泛	（形）	extensive
9. diàoyú	钓鱼	（动）	fishing
10. dǎoyǎn	导演	（名．动）	director; direct
11. kǎlā'ōukèi	卡拉 OK	（名）	karaoke
12. yùndòng	运动	（名．动）	sports, exercise
13. jīngcháng	经常	（副）	often
14. pǎobù	跑步	（动）	run, jogging
15. tiàowǔ	跳舞	（动）	dance
16. yùlè	娱乐	（形．动）	entertainment
17. huódòng	活动	（名）	activity
18. tèbié	特别	（形）	special
19. yīnwèi	因为	（连）	because
20. tā	它	（代）	it
21. jì…yòu…	既…又…		both…and…
22. ràng	让	（动）	let
23. fāxiè	发泄	（动）	give vent to, express, let off
24. gǎnqíng	感情	（名）	feelings
25. mǎnzú	满足	（动）	satisfy, meet
26. biǎoxiànyù	表现欲		showing off

27. dǎqiú	打球		play ball games
28. lánqiú	篮球	(名)	basketball
29. wǎngqiú	网球	(名)	tennis
30. xiǎoshuō	小说	(名)	novel
31. lèi	类	(名.量)	kind, sort, type
32. xuánniàn	悬念	(名)	suspension, audience involvement
33. piān	片	(名.量)	film
34. juédé	觉得	(动)	feel, think
35. cóngqián	从前	(名)	before
36. lǚyóu	旅游	(名.动)	travel, tour, journey
37. shèyǐng	摄影	(动)	take a picture, photograph
38. guàng	逛	(动)	stroll, loaf about
39. qín	琴	(名)	a general name for certain musical instru ments
40. qí	棋	(名)	chess
41. shū	书	(名)	calligraphy, handwriting
42. huà	画	(名.动)	painting, drawing
43. yóuyǒng	游泳	(名.动)	swimming, swim
44. tàijíquán	太极拳	(名)	shadow boxing
45. jiārén	家人	(名)	family members
46. jiēshàng	街上	(名)	street
47. tánbúshàng	谈不上		far from being

专有名词 Proper nouns

1. Xīqūkēkè 希区柯克 Alfred Hitchcock

Sì tìhuàn
四、替换 Substitutions

Wǒ de àihào shì kàn diànyǐng
1. 我的爱好是看电影。

tīng yīnyuè	听音乐	listening to music
diào yú	钓鱼	fishing
xià qí	下棋	playing chess
dǎ qiáopái	打桥牌	playing bridge
lǚxíng	旅行	traveling
kàn xiǎoshuō	看小说	reading novels
dǎ wǎngqiú	打网球	playing tennis
guàng shāngdiàn	逛商店	window shopping

Nǐ duì gǔdiǎn yīnyuè gǎn xìngqù ma
2. 你 对 古典 音乐 感 兴趣 吗?

mínjiān yīnyuè	民间音乐	folk music
liúxíng yīnyuè	流行音乐	popmusic
juéshì yīnyuè	爵士音乐	jazz
yáogǔnyuè	摇滚乐	big beat, rock´-n´-roll
xiāngcūn yīnyuè	乡村音乐	country music
jiāoxiǎngyuè	交响乐	symphony
gējù	歌剧	opera

Tā shì zúqiú mí
3. 他 是 足球迷。

diànyǐng	电影	movie
jīngjù	京剧	Peking opera
lánqiú	篮球	baske tball
diànshì	电视	television
jíyóu	集邮	stamp collecting
tǐyù	体育	sports
qí	棋	chess
qìchē	汽车	car
shūfǎ	书法	Chinese calligraphy

Wǔ wénhuà jiāojì zhīshi
五、文化 交际 知识 Knowledge of Cultural Communication

否定语 (口语惯用语之三)

1、好什么呀、好什么好

均表示否定,意思是"一点儿也不好",多用于对于某种称赞、叫好的否定,具有客气、自谦的意味(对方称赞自己时),或轻蔑的意味(对方称赞别人时)。例如:"那本小说大家都说好,你觉得怎么样?","好什么好,乏味透了。"

2、什么呀

说话人认为某种说法不符合实际或者没有道理而加以否定时用,含有不满、轻蔑的意味。例如:"什么呀,这条广告纯粹是骗人的,这种药一点儿功效也没有。"

3、哪儿跟哪儿呀

表示否定对方的说法,是说话人认为对方搞错了事物间的关系或说话没有根据。例如:"你这是哪儿跟哪儿呀,小兰是王平的妹妹,怎么可能是他的女朋友呢?"

4、得了吧、算了吧

均用于否定对方的某种说法,"得了吧"口气较重,带有轻蔑、反驳的意味;"算了吧"除了否定、反驳的意思外,有时还带有劝阻的意味。例如:"就他那唱歌水平,还想当专业歌手?得了吧!""算了吧,你们都说错了。"

5、笑话

说话人认为对方的说法十分荒谬时,用"笑话"来加以否定。例如:"听说你要结婚了,恭喜,恭喜!""笑话!我连女朋友还没有呢,结什么婚!"

NEGATION WORDS
(COLLOQUIAL CUSTOMARY EXPRESSIONS III)

1. Hǎo shénme ya, Hǎo shénme hǎo

Both used in conversation to show negation, meaning, "not good at all." These are negative answers with a polite and modest flavor when the speaker of the answer is being flattered, but with a scornful flavor when someone else is praised. For example, "Nà běn xiǎoshuō dàjiā dōu shuō hǎo, nǐ juéde zěnmeyàng?" "Hǎo shéme hǎo, fáwèi tòu le." (Everyone says that novel is good, how do you feel about it?—Good? No! It's rather boring.)

2. Shénme ya

Used when the speaker considers some saying is not true or not sensible. It's a negative comment with a discontented or scornful flavor. For example, "Shémne ya, zhè tiáo guǎnggào chúncuì shì piànrén de. Zhèzhǒng yào yìdiǎn gōngxiào yě méiyǒu." (It' s so disappointing! This advertizement is entirely false. This medicine is not effective at all!)

3. Nǎr gēn nǎr ya

Used when the speaker considers that the other side has a wrong idea about the relationship between the two things or is making assertions without good grounds. For example, "Nǐ zhèshì nǎr gēn nǎr ya, Xiǎolán shì Wáng Píng de mèimei, zěnme kě néng shì tāde nǚpéngyǒu ne?" ("It´s ridiculous! Xiao lan is Wangping's younger sister. How could she be his girl friend?")

4. Dé le ba, Suàn le ba

Both are used to disagree with what the other side says. "Déle ba" has quite a strong tone with aflavor of contempt and retort. "Suàn le ba" may have a dissuasive flavor besides the negative one. For example, "Jiù tā nà chànggē shuǐpíng, hái xiǎng dāng zhuānyè gēshǒu? Dé le ba!" (How could he become a professional singer while he sings so poorly? A daydream!) "Suàn le ba, nǐmen dōu shuō cuò le." (That' s enough! You both were wrong.)

5. Xiào huà

Used to negate some absurd saying. For example. "Tīngshuō nǐ yào jiéhūn le, gōngxǐ, gōngxǐ!" "Xiàohuà, Wǒ lián nǚpéngyou hái méiyǒu ne, jié shénme hūn?" (I was told that you are going to get married, congratulations! —You are ridiculous! I don't even have a girl friend!)

(一) 用汉语说 Say it in Chinese

1. hobby

2. movie fan

3. Karaoke

4. Classical music

5. folk music

6. fishing

7. playing chess

8. reading

9. sports

10. dance

（二） 回答问题 Answer questions

1. Nǐ de àihào shì shénme?

2. Nǐ zuì xǐhuan tīng shénme yīnyuè?

3. Nǐ xǐhuan shénme yùndòng?

4. Nǐ chángcháng chàng Kǎlā´OK ma?

5. Nǐ xǐhuan kàn shénme qiúsài?

6. Nǐ zhōumò yǒu shénme yùlè huódòng?

（三） 根据回答提问 Make questions according to the answers given

1. A: ________________?
B: Wǒ de àihào shì kàn diànshì.

2. A: ________________?
B: Wǒ duì juéshìyuè bù gǎn xìngqù.

3. A: ________________?
B: Wǒ hěn tǎoyàn kǎlā´OK.

4. A: ________________?
B: Wǒ zuì xǐhuān de yùndòng shì mànpǎo.

5. A: ________________?
B: Wǒ bú huì tiàowǔ.

6. A: ________________?

B: Wǒ xǐhuān kàn Xuánniàn piān hé kǒngbù piān. (horror films)

短剧表演： 《上街》

A Short Play: **GOING SHOPPING**

第一幕

（幕启，大卫、玛丽上，大卫手捧一个礼品盒，两人边走边谈。林风从后边追上来。）

Lín Fēng　Dàwèi Mǎlì nǐmen shàng nǎr qù
林风：大卫，玛丽，你们 上 哪儿 去？

Mǎlì　Wǒmen qù yóujú
玛丽：我们 去 邮局。

Dàwèi　Tā māma shēngrì kuài dào le wǒ gěi tā jì gè shēngrì lǐwù
大卫：她 妈妈 生日 快 到 了，我 给 她 寄 个 生日 礼物。

Lín Fēng　Xiào Dàwèi zhēn shì hǎo háizi
林风：（笑）大卫 真 是 好 孩子！

Dàwèi　Nǐ qù nǎr
大卫：你 去 哪儿？

Lín Fēng　Wǒ xiǎng qù wàiwén shūdiàn kànkan yǒu méi yǒu YóuXuéZàiZhōngguó zhè běn shū
林风：我 想 去 外文 书店， 看看 有 没有《游学在中国》这 本 书。

Dàwèi　Wǒ men yě xiǎng qù kànkan nǐ zhīdào wàiwén shūdiàn zài nǎr ma
大卫：我们 也 想 去 看看，你 知道 外文 书店 在 哪儿 吗？

Lín Fēng　Wǒ yě bù qīngchǔ tīng shuō shì zài Běijīnglù nà yí dài
林风：我 也不 清楚，听 说 是 在 北京路 那 一 带。

（见到路边有位老人，玛丽走上去）

Mǎlì　Qǐngwèn lǎodàye qù wàiwén shūdiàn zěnme zǒu
玛丽：请问 老大爷，去 外文 书店 怎么 走？

Lǎo dàye　Wǒ bú dà qīngchu nǐ qù wènwen nà wèi mínjǐng
老大爷：我 不 大 清楚，你 去 问问 那 位 民警。

Mǎlì　Hǎo Qǐngwèn qù wàiwén shū diàn zěnme zǒu
玛丽：好。（走到民警身边）请 问，去 外文 书 店 怎么 走？

Mínjǐng　Wàiwén shūdiàn zài Zhōngshānlù Nǐmen wǎngqián zǒu dào shízìlùkǒu wǎng yòu guǎi zuò shíbālù qìchē
民警：外文 书店 在 中 山 路。你们 往 前 走，到 十字路口 往 右 拐，坐 十八路 汽车。

Malì　　Zài nǎr xià chē Yào huàn chē ma
玛丽：　在哪儿下车？要换车吗？
Mínjǐng　　Yàohuànchē zài wénhuàgōng xiàchē huàn èrshíwǔlù zài zuò liǎngzhàn jiù dào le
民警：　要换车，在文化宫下车，换二十五路，再坐两站就到了。
Mǎlì　　Xièxiè nín
玛丽：　谢谢您！
Mínjǐng　　Búkèqi
民警：　不客气。
Dàwèi　　Yuǎn ma
大卫：　（问玛丽）远吗？
Mǎlì　　Tǐng yuǎn de hái yào huàn chē Zánmen xiān qù yóujú ba yóujú jiù zài qián biān
玛丽：　挺远的，还要换车。咱们先去邮局吧，邮局就在前边。
Lín Fēng　　Hǎo de Wǒ shùnbiàn qù mǎi jǐ zhāng yóupiào
林风：　好的。我顺便去买几张邮票。

第二幕

（在邮局，柜台后坐着三位小姐，柜台前有若干人排队，大卫走到1号柜台）

Dàwèi　　Xiǎojiě zhè fēng xìn chāochòng le ma
大卫：　小姐，这封信超重了吗？
Guìtái yī　　Wǒ chēng yíxiàr chāochòng le yào tiē bākuài qián de yóupiào
柜台1：　我称一下儿，超重了，要贴八块钱的邮票。
Dàwèi　　Wǒ mǎi bākuài qián de yóu piào wǒ hái yào jì zhègè bāoguǒ
大卫：　我买八块钱的邮票，我还要寄这个包裹。
Guìtái yī　　Jì bāoguǒ qǐng dào èrhào guìtái
柜台1：　寄包裹请到二号柜台。
Lín Fēng　　Qǐngwèn yǒu méi yǒu jìniàn yóupiào hé míngxìnpiàn
林风：　请问，有没有纪念邮票和明信片？
Guìtái yī　　Qǐng dào sānhào guìtái
柜台1：　请到三号柜台。
Dàwèi　　Xiǎojiě wǒ yào jì bāoguǒ
大卫：　（到了2号柜台）小姐，我要寄包裹。
Guìtáièr　　Jì nǎr

柜台 2:　　寄 哪儿?

Dàwèi　　Měiguó
大卫:　　美国。

Guìtái èr　　Xiān tián bāoguǒdān　Hézi　lǐ　shì　shénme　dōngxi
柜台 2:　　先 填 包裹单。盒子 里 是 什么 东西?

Dàwèi　　Yí jiàn hànshān hé yígè　gōngyìpǐn
大卫:　　一 件 汗衫 和一个 工艺品。

Guìtái èr　　Dǎkāi　kànkan　　Nǐ bǎ dōngxi fàngzài zhègè zhǐxiāng lǐ
柜台 2:　　打开 看看。(看了以后)你 把 东西 放 在 这个 纸箱 里。

Dàwèi　　Gěi　tián hǎo　le
大卫:　　给, 填 好 了。

Guìtái èr　　Yàobúyào　jì　hángkōng
柜台 2:　　要不要 寄 航空?

Dàwèi　　Qǐngwèn　píngjì　xūyào　duōshǎo tiān
大卫:　　请 问, 平寄 需要 多少 天?

Guìtái èr　　Dàgài liùgè xīngqī　zuǒyòu
柜台 2:　　大概 六个 星期 左右。

Dàwèi　　Nà tài màn le　háishì　jì hángkōng ba
大卫:　　那 太 慢 了, 还是 寄 航空 吧。

Guìtái èr　　Yìbǎièrshíbākuài
柜台 2:　　一百二十八块。

Dawèi　　Gěi　nǐ qián
大卫:　　给 你 钱。

Lín　Fēng　　Qǐngwèn　zhè tào　yóupiào　duōshǎo qián
林 风:　　(在柜台 3)请问, 这 套 邮票 多少 钱?

Guìtái sān　　Jiǔkuàièr
柜台 3:　　九块二。

Lín Fēng　　Wǒ mǎi liǎngtào　Zài kànkan ZhōngguóFēngguāng de　míngxìnpiàn
林 风:　　我 买 两套。再 看看 中国风光 的 明 信片。

Guìtái sān　　Míngxìnpiàn　shíkuài　yítào　yào　jǐtào
柜台 3:　　明信片 十块 一套, 要 几套?

Lín Fēng　　Mǎi yítào　Gěi nǐ　sānshíkuài
林 风:　　买 一套。给 你 三十块。

Guìtái sān　　Zhǎo　nǐ　yíkuàiliù
柜台 3:　　找 你 一块六。

Lín Fēng　　Jì wán le ma Zánmen zǒu ba
林 风:　　(问玛丽)寄 完 了吗? 咱们 走吧。

第三幕

(他们来到一家名叫"大三元"的广东菜馆门口)

Lín Fēng　　Shíèrdiǎnbàn le wǒ dùzi è le zánmen chīfàn ba

林风：(看了一下手表)十二点半了,我肚子饿了,咱们吃饭吧。

Dàwèi　　Hǎo Mǎlì nǐ xiǎng chī màidāngláo hái shì Písā

大卫：好。玛丽,你想吃麦当劳还是比萨?

Mǎlì　　Wǒ bù xiǎng chī xīcān chī chuāncài zěnmeyàng

玛丽：我不想吃西餐,吃川菜怎么样?

Lín Fēng　　Wǒ sǎngzi téng bùnéng chī làde háishì chī guǎngdōngcài ba

林风：我嗓子疼,不能吃辣的,还是吃广东菜吧。

Dàwèi　　Hǎo chī yuècài zhè jiā zěnmeyàng

大卫：好,吃粤菜,这家怎么样?

Mǎlì　　Jìnqù kànkan Èn huánjìng hái búcuò

玛丽：进去看看。嗯,环境还不错。

Fúwùyuán　　Sānwèi qǐng lǐbiān zuò　Nǐmen hē shénme chá

服务员：三位请里边坐。(三人坐下后)你们喝什么茶?

Dàwèi　　Hē wūlóngchá

大卫：喝乌龙茶。

Fúwùyuán　　Zhè shì càichán Nǐmen hē shénmetāng

服务员：这是菜单。你们喝什么汤?

Lín Fēng　　Lái gè lìtāng Qǐngwèn jīntiān yǒu shénme tèjiàcài

林风：来个例汤。请问今天有什么特价菜?

Fúwùyuán　　Qīngzhēngguìyú měijīn sìshíkuài

服务员：清蒸鳜鱼,每斤四十块。

Lín Fēng　　Dàwèi Mǎlì yàobúyào yìtiáo

林风：大卫,玛丽,要不要一条?

Mǎlì　　Hǎo yào yìtiáo wǒ ài chī yú

玛丽：好,要一条,我爱吃鱼。

Dàwèi　　Nǐ xiǎng chī shénme

大卫：你想吃什么?

Dàwèi　　Yào bànzhī báiqiējī yí gè háoyóu niúròu zěnmeyàng

大卫：要半只白切鸡,一个蚝油牛肉,怎么样?

Lín Fēng　　Hǎo zài yào yígè chǎo qīngcài jiù chàbuduō le

林风：好,再要一个炒青菜就差不多了。

Fúwùyuán　　Qīngzhēngguìyú háoyóu niúròu chǎo qīngcài bànzhī báiqiējī duìbúduì

服务员：清蒸鳜鱼,蚝油牛肉,炒青菜,半只白切鸡,对不对?

Lín Fēng　　Duì　Háiyào sānwǎn báifàn
林风：　　对。还要 三碗 白饭。

Fúwùyuán　　Hē shénme yǐnliào Yàobúyào píjiǔ
服务员：　　喝 什么 饮料？要不要 啤酒？

Dàwèi　　Lái liǎngpíng qīngdǎopíjiǔ
大卫：　　来 两 瓶 青岛啤酒。

Dì shí yī kè　　kànpéngyǒu
第 十 一 课　看 朋 友　Visiting a Friend

Yī　Chángyòngyǔ
一、常 用 语　Basic Sentences

1 Qǐng nín lái wǒ jiā zuò kè
请 您 来 我 家 做 客。
I'd like to invite you to my home.

2 Xīngqītiān wǒ qǐng nín hé fūrén chīfàn nǐmen yǒu shíjiān ma
星期天 我 请 您 和夫人 吃饭,你们 有 时间 吗?
I 'd like to invite you and your wife to dinner on Sunday. Are you free then?

3 Zhēn bù qiǎo xīngqītiān wǒ yǐjīng yǒu yuēhuì le
真 不 巧, 星期天 我 已经 有 约会 了。
What a shame, I have something else to do on Sunday.

4 Nǐmen hē chá háishì hē kāfēi
你们 喝 茶 还是 喝 咖啡?
Do you prefer tea or coffee?

5 Zhèdiǎn xiǎo yìsi qǐng nǐ shōuxià
这 点 小意思,请 你 收 下。
Please accept this small thing.

6 Nín tài kèqì le Xièxie
您 太 客气 了。谢谢。
You are being too courteous. Thank you.

7 Nǐ de fángjiān bùzhì dé zhēn yǎzhì
你 的 房 间 布置 得 真 雅致。
Your room is very tastefully decorated.

8 Zhùhè nǐmen qiáoqiān
祝贺 你们 乔迁。
Congratulatio nson moving to your new house.

9 Ào shíjiān bù zǎo le wǒ gāi zǒu le
噢, 时间 不 早 了, 我 该 走 了。
Oh, it's late, I must go.

10 Nín sòng wǒ zhème guìzhòng de lǐwù zhēn bùgǎndāng
您 送 我 这么 贵重 的 礼物, 真 不敢当。
I really don't deserve such a precious gift.

Èr kèwén
二、课文 Text

Lǐ Lán　　Lín Fēng xīngqītiān yǒukòng ma　Huānyíng nǐ lái wǒjiā　wánr　wǒmen bān
李兰：　林风，星期天 有空 吗？ 欢迎 你来我家 玩儿，我们 搬
　　　　jiā le
　　　　家了。

Lín Fēng　　Qiáoqiān zhī xǐ a　wǒ yídìng qù　jǐdiǎn qù bǐjiào héshì
林风：　乔迁 之喜啊，我一定 去，几点 去 比较 合适？

Lǐ Lán　　Shídiǎnduō ba　Zhōngwǔ zài wǒ　nar　chī dùn biànfàn
李兰：　十点多吧。中午 在我 那儿吃顿便饭。

Lín Fēng　　Chīfàn jiù miǎnle ba
林风：　吃饭 就 免了吧。

Lǐ Lán　　Biékèqi le　shuōdìng le
李兰：　别客气了，说定了。

Lǐ Lán　　Lín Fēng nǐ lái le　qǐngjìn　zhèshì wǒde xiānsheng Hé Míng
李兰：　林风，你来了，请进，这是我的 先生 何明。

Hé Míng　　Nǐhǎo zhè dìfang bù nán zhǎo ba
何明：　你好，这 地方不难 找 吧？

Lín Fēng　　Bù nán zhǎo　Lǐ Lán zài dìtú shàng huà dé qīngqīngchǔchǔ　Zhèshì　yìdiǎnr
林风：　不难 找，李兰 在地图 上 画得清清楚楚。这是 一点儿
　　　　xiǎoyìsi　qǐng nǐmen shōuxià
　　　　小意思，请 你们 收下。

Hé Míng　　Zhè tào cíqì zhēn piàoliàng
何明：　这套瓷器真 漂 亮！

Lǐ Lán　　Nǐ sòng wǒmen zhème guìzhòng de lǐwù　zhēn bùgǎndāng
李兰：　你送 我们 这么 贵重 的礼物，真 不敢当。

Lín Fēng　　Zhùhè nǐmen qiáoqiān ma
林风：　祝贺你们 乔迁 嘛！

Lǐ Lán　　Xièxie qǐngzuò　Nǐ hē chá háishì hē　kělè
李兰：　谢谢，请坐。你喝茶 还是 喝 可乐？

Lín Fēng　　Hēchá ba　Nǐmen fángjiān bùzhì dé zhēn yǎzhì
林风：　喝茶 吧。你们房间 布置得真 雅致。

Lǐ Lán　　Xièxie dōushì Hé Míng　shèjì de
李兰：　谢谢，都是 何明 设计的。

Lín Fēng　Nǐ xiānsheng zhēn néng gàn a
林风：你先生真能干啊。
Hé Míng　Nǎ lǐ　nǎlǐ
何明：哪里，哪里。
Lín Fēng　Lǐ Lán nǐ yǒu shénme juéhuó
林风：李兰，你有什么绝活？
Hé Míng　Děnghuǐr nǐ chángchang tāde náshǒucài
何明：等会儿你尝尝她的拿手菜。
Lín Fēng　Nà kěndìng wèidào hǎojíle　Lǐ Lán nǐ hái qǐng le shuí
林风：那肯定味道好极了。李兰，你还请了谁？
Lǐ Lán　Hái yǒu Dàwèi hé Mǎlì　tāmen mǎshàng jiù dào
李兰：还有大卫和玛丽，他们马上就到。

Sān shēngcí
三、生词 New Words and Phrases

1. zuòkè	做客		being a guest
2. fūrén	夫人	（名）	wife; madam
3. shíjiān	时间	（名）	time
4. bùqiǎo	不巧		unfortunately
5. xīngqītiān	星期天	（名）	Sunday
6. yǐjīng	已经	（副）	already
7. yuēhuì	约会	（名．动）	appointment, date
8. xiǎoyìsi	小意思		little gift as a token of one's appreciation
9. shōuxià	收下	（动）	accept, receive
10. kèqi	客气	（形）	polite, couteous
11. zhème	这么	（代）	so
12. guìzhòng	贵重	（形）	expensive, valuable, precious
13. bùgǎndāng	不敢当		I really don't deserve this.
14. bùzhì	布置	（动）	arrange, decorate
15. yǎzhì	雅致	（形）	tasteful, elegant, graceful
16. zhùhè	祝贺	（动）	congratulate
17. qiáoqiān	乔迁	（动）	move to a better place
18. gāi	该	（助动）	should
19. kòngr	空儿	（形）	free time, spare time
20. wánr	玩儿	（动）	have fun, get together
21. bānjiā	搬家		move house

22. xǐ	喜	（形．动）	happy, happiness
23. yídìng	一定	（副）	certainly, surely
24. bǐjiào	比较	（动．副）	compare, comparatively, relatively
25. héshì	合适	（形）	suitable, appropriate
26. dùn	顿	（量）	a measure word of meal
27. biànfàn	便饭		a simple meal, potluck
28. miǎnle	免了		excuse sb. from sth, exempt
29. shuōdìngle	说定了		settled, fixed, agreed on
30. xīnjū	新居		new house, new home
31. qiāomén	敲门		knock on the door
32. jìn	进	（动）	come in
33. dìtú	地图	（名）	map
34. tào	套	（量）	set, suit
35. cíqì	瓷器	（名）	porcelain, chinaware
36. shèjì	设计	（动）	design
37. nénggàn	能干	（形）	capable, able, competent
38. juéhuó	绝活	（名）	unique skill
39. děng	等	（动）	wait
40. cháng	尝	（动）	taste
41. wèidào	味道	（名）	taste, flavor
42. mǎshàng	马上	（副）	at once, immediately

Sì tìhuàn
四、替换 Substitutions

Xīngqītiān qǐng nín lái wǒ jiā zuòkè
1. 星期天 请 您 来我家 作客。

chīfàn	吃饭	have a meal
zuòzuo	坐坐	have a visit
liáoliao	聊聊	chat
wánr	玩儿	have a visit
xiàqí	下棋	play chess

Zhēn bù qiǎo xīngqītiān wǒ yǐjīng yǒu yuēhuì le

2. 真 不巧，星期天 我 已经 有 约会 了。

Duìbùqǐ	对不起	I'm sorry
Hěnbàoqiàn	很抱歉	I'm awfully sorry
Qǐngyuánliàng	请原谅	Please forgive me
Qǐngbiéjiànguài	请别见怪	Please don't be offended
Shízàiduìbuqǐ	实在对不起	I'm terribly sorry

Zhù hè nǐmen qiáoqiān

3. 祝贺 你们 乔迁。

nǐmen xīnhūn dà xǐ 你们 新婚 大喜	on your marriage
nín liùshí dà shòu 您 六十 大寿	on your 60th birthday
nín shìyè chénggōng 您事业 成 功	on your professional achievements
nǐ qǔ dé yōuliáng chénjì 你取得优良 成绩	on your remarkable achievement
nín róngshēng 您 荣 升	on your promotion
nǐ huò dé xuéwèi 你获 得 学位	on your getting the degree
nǐmen bǐsài shènglì 你们 比赛 胜利	on your having won the game

Wǔ wénhuà jiāojì zhīshi
五、文化交际知识 Knowledge of Cultural Communication

赞同语 （口语惯用语之四）

1、可不是、可不是嘛

接着别人的话说，表示完全赞同，相当于“对，就是那么回事。”“我也这样认为。”例如：

“天气越来越热了。”“可不是嘛,毛衣都穿不住了。”

2、没错儿

在谈话中表示完全赞同对方意见和说法的话语形式,语气比较干脆。例如:“你看看现在的糖果,包装越来越漂亮,里边的东西越来越少。”“没错儿,上礼拜我买了一盒人参糖,里边有三层包装!”

3、可也是、倒也是、那倒是

说话人并不是一开始就同意对方的意见,听了对方的话以后,经过思考,觉得对方说的话有道理而表示赞同。例如,小王一家打算星期天上街买东西、逛公园,小王的妻子小李想先去商场,小王说:“还是先去公园吧,如果先买了一大堆东西,怎么逛公园呢?”小李说:“可也是,那就先去公园吧。”

4、不简单、了不起、了不得

表达说话人对某人某事的赞扬,语气极为肯定。例如:“小张才学了半年汉语,HSK就拿了个中B,真不简单!”

APPROVAL WORDS
(COLLOQUIAL CUSTOMARY EXPRESSIONS IV)

1. Kě bú shì、Kě bú shì ma

Used to approve the other side in the conversation. It means“yes, it's true.” or“I think so.” For example, “Tiānqì yuèláiyuè rèle.” “Kěbúshìma, máoyī dōu chuān bú zhù le.” (It's getting warmer and warmer—You are right. It's too warm to wear a sweater.)

2. Méicuòr

Used to approve completely the opinion of the other side in the conversation with a straightforward flavor. For example: “Nǐ kànkan xiànzài de tángguǒ, bāozhuāng yuèláiyuè piàoliang, lǐbiānr de dōngxi yuèláiyuè shǎo.” “Méicuòr, shàng lǐbài wǒmǎile yìhé rénshēn táng, lǐbiānr yǒu sāncéng bāozhuāng ne!” (Look at the candies now. The packaging becomes prettier and prettier, but the contents becomes less and less.—Absolutely right. I bought a box of genseng candy last week. There were three layers of packaging inside the box!)

3. kěyěshì、Dàoyěshì、Nàdàoshì

The speaker may not agree with the other side's opinion at the very beginning, but he/she approves of the opinion after taking it into consideration. For example, Xiao Wang's family planned to go shopping and to go to the park on Sunday. Xiǎo Lǐ, Xiǎo Wáng's wife, wanted to go shopping first. Xiao Wang said, “How can we stroll in the park with a lot of shopping bags if we go shopping first?” Xiǎo Lǐ said“Kěyěshì, nà jiù xiān qù gōngyuán ba.” (You are right, then let's go to park first.)

4. Bùjiǎndān、Liǎobùqǐ、Liǎobùdé

Used to express one's praise of someone or something in a very strong tone. For example, “Xiǎo

Zhāng cái xuéle bànnián Hànyǔ, HSK jiùná le gè zhōng B, zhēn bùjiǎndān!" (Xiao Zhang has studied Chinese for only half a year, but he got a B on the mid-level of HSK Test. He is really terrific.)

Liù liànxí
六、练习 Exercises

(一) 组成句子 Make sentences with the given words

1. 已经 约会 有 周末 我 了
   yǐjīng yuēhuì yǒu zhōumò wǒ le

2. 作客 我 你 请来 明天 我家
   zuòkè wǒ nǐ qǐnglái míngtiān wǒjiā

3. 喜欢 我 运动 游泳 最 的 是
   xǐhuan wǒ yùndòng yóuyǒng zuì de shì

4. 李兰 吃 晚饭 星期五 花园酒店 六点半 晚上 去
   Lǐ Lán chī wǎnfàn xīngqīwǔ huāyuánjiǔdiàn liùdiǎnbàn wǎnshàng qù

(二) 读译句子 Read and translate the following sentences

1. Wǒ xiǎng qǐng nín xīngqītiān lái wǒ jiā zuòkè.

2. Zhèshì yìdiǎnr xiǎoyìsi qǐng nǐ shōuxià.

3. Zhùhè nǐmen bānrù xīnjū.

4. Shízài duìbuqǐ, míngtiān wǒ yǐjing yǒu yuēhuì le.

(三) 完成句子 Complete the following sentences

Míngwǎn yǒu kòng ma Wǒ xiǎng qǐng nǐ hé fūrén lái wǒjiā chī dùn biànfàn
明晚有空吗?我想请你和夫人来我家吃顿便饭。

1. Zhēn bù qiǎo, ______________________________。

2. Duìbuqǐ, ______________________________。

3. Hěn bàoqiàn ______________________________。

4. Qǐng yuánliàng ____

5. Qǐng bié jiàn guài ____。

Dì shí èr kè　xuéxí
第十二课　学习　Study

Yī　chángyòngyǔ
一、常用语　Basic Sentences

1 Wǒ zài Jìnán Dàxué HuáwénXuéyuàn xuéxí
我 在 暨南 大学 华文 学 院 学习。
I'm studying at the College of Chinese Language & Culture of Jinan University.

2 Nǐ de zhuānyè shì shénme
你 的 专业 是 什么?
What is your major?

3 Zhècì kǎoshì chéngjì zěnmeyàng
这次 考试 成绩 怎么样?
How did you get on in the exams?

4 Wǒ xǐhuan shàng Yú lǎoshī de huìhuàkè
我 喜欢 上 于老师 的 会话课。
I enjoy prof Yu's Chinese Conversation class.

5 Wǒ xué le bànnián Hànyǔ zhǐnéng shuō yìdiǎnr
我 学 了半年 汉语,只 能 说 一点儿。
I've been studying Chinese for half a year, but I can only say a few words.

6 Hànyǔ de shēngdiào hé Hànzì bǐjiào nán
汉语的 声调 和汉字 比较 难。
The tones and the Chinese characters are quite difficult.

7 Xuéxí yǔfǎ yòng shénme jiàocái hǎo
学习 语法 用 什么 教材 好?
What teaching meterial is good for learning grammar?

8 Huì shuō Hànyǔ róngyì zhǎo gōngzuò
会 说 汉语 容易 找 工作。
It'll be easy to find a job if you can speak Chinese.

9 Wǒ cānjiā Hànyǔ duǎnqībān xuéxí hěn yǒu shōuhuò
我 参加 汉语 短期班 学习,很 有 收获。
I have made much progress in this short-term Chinese course.

10 Wǒ juédé Zhōngguó wénhuà kè hěn yǒu yìsī
我 觉得 中 国 文化 课 很 有 意思。
I am very interested in the class on Chinese Culture.

Èr kèwén
二、课 文 Text

Dàwèi　Lǐ Lán nǐ yǐqián xuéguò Hànyǔ ma
大 卫：　李 兰，你 以前 学过 汉语 吗？

Lǐ Lán　Méiyǒu
李 兰：　没有。

Dàwèi　Nǐ de Hànyǔ shuōdé zhēn liúlì
大 卫：　你 的 汉语 说得 真 流利。

Lǐ Lán　Nǎlǐ nǎlǐ Wǒ bàba zài jiā yǒu shí shuō Hànyǔ suǒyǐ wǒ néng tīng dǒng
李 兰：　哪里哪里。我 爸爸 在 家 有 时 说 汉语，所以 我 能 听 懂，
Yě néng shuō yìdiǎnr Hànyǔ dànshì wǒ bú huì xiě Hànzì
也 能 说 一 点儿 汉 语，但是 我 不 会写 汉字。

Dàwèi　Nǐ zài dàxué xuéxí shénme zhuānyè
大 卫：　你 在 大学 学习 什么 专业？

Lǐ Lán　Wǒ xué kuàiji nǐ ne
李 兰：　我 学 会计，你 呢？

Dàwèi　Wǒ xué diànnǎo
大 卫：　我 学 电脑。

Lǐ Lán　Nǐ huì yòng Zhōngwén diànnǎo ma
李 兰：　你 会 用 中文 电脑 吗？

Dàwèi　Búhuì Wǒ hěn xiǎng xué
大 卫：　不会。我 很 想 学。

Lǐ Lán　Nǐ juéde Hànyǔ nán xué ma
李 兰：　你 觉得 汉语 难 学 吗？

Dàwèi　Wǒ juéde Hànyǔ de shēngdiào hé Hànzì bǐjiào nán
大 卫：　我 觉得 汉语 的 声调 和 汉字 比较 难。

Lǐ Lán　Duì yīnwèi tāmen hé Yīngyǔ wánquán bùyíyàng
李 兰：　对，因为 它们 和 英语 完全 不一样。

Dàwèi　Nǐ xǐhuan nǎmén kè
大 卫：　你 喜欢 哪门 课？

Lǐ Lán　Wǒ xǐhuan Hànzìkè hé Wénhuàkè nǐ ne
李 兰：　我 喜欢 汉字课 和 文化课，你 呢？

Dàwèi　Wǒ xǐhuan shàng Kǒuyǔkè wǒ juédé hěn yǒu yìsī
大 卫：　我 喜欢 上 口语课，我 觉得 很 有 意思。

Lǐ Lán　Shǐdìkè hé Shūhuàkè yě búcuò
李 兰：　史地课 和 书画课 也 不错。

Dàwèi Wǒ zhè cì cānjiā Zhōngguó xiàlìngyíng xué le hěnduō dōngxi duì Zhōngguó
大卫：我 这 次 参加 中国 夏令营，学 了 很多 东西，对 中国
de liǎojiě yě dàdà jiāshēn le
的 了解 也 大大 加深 了。

Lǐ Lǎn Nǐ xué Zhōngwén yǒu yòng ma
李兰：你 学 中文 有 用 吗？

Dàwèi Dāngrán yǒu yòng zài Měiguó dǒng zhōngwén de rén róngyì zhǎo dào Gōngzuò Dàxué bìyè yǐhòu wǒ hái xiǎng zàilái zhōngguó xuéxí Hànyǔ
大卫：当然 有 用，在 美国，懂 中文 的 人 容易 找 到 工作。大学 毕业 以后，我 还 想 再来 中国 学习 汉语。

Lǐ Lán Nà tàihǎole Wǒ yě xiǎng zàilái zhōngguó
李兰：那 太好了！我 也 想 再来 中国。

Sān shēngcí
三、生 词 New Words and Phrases

1. huáwén	华文	（名）	Chinese language (and culture)
2. xuéyuàn	学院	（名）	college, institute
3. zhuānyè	专业	（名）	special field of study, speciality, major
4. huìhuà	会话	（名）	conversation, speaking
5. kè	课	（名）	lesson, class, course
6. wénhuà	文化	（名）	culture
7. yǒuyìsi	有意思	（名）	interesting
8. cì	次	（量）	a measure word
9. kǎoshì	考试	（动）	examination, test
10. chéngjì	成绩	（名）	result, achievement
11. hànyǔ	汉语	（名）	Chinese language
12. shuō	说	（动）	speak, say
13. shēngdiào	声调	（名）	the tone of a Chinese character
14. hànzì	汉字	（名）	Chinese character
15. yǔfǎ	语法	（名）	grammar
16. jiàocái	教材	（名）	teaching material
17. cānjiā	参加	（动）	take part in, join
18. duǎnqī	短期		short term
19. bān	班	（名）	class
20. shōuhuò	收获	（名．动）	results, fruits, gains

21. huì	会	（动．名）	can, be able to; meeting
22. yǐqián	以前	（名）	before
23. méiyǒu	没有	（动）	have no, have not
24. liúlì	流利	（形）	fluent, smooth
25. nǎlǐ	哪里		You are flattering me, not so
26. yǒushí	有时	（副）	sometimes
27. suǒyǐ	所以	（连）	so, therefore
28. dǒng	懂	（动）	understand, know how to
29. diànnǎo	电脑	（名）	computer
30. yīngyǔ	英语	（名）	English language
31. wánquán	完全	（副）	completely
32. yíyàng	一样	（形）	same
33. mén	门	（名．量）	door, gate; a measure word
34. kǒuyǔ	口语	（名）	spokenl anguage
35. shǐdì	史地	（名）	history and geography
36. xiàlìngyíng	夏令营	（名）	summer camp
37. liǎojiě	了解	（动）	understand, comprehend
38. dàdà	大大	（副）	greatly
39. jiāshēn	加深	（动）	deepen
40. yǒuyòng	有用	（形）	useful
41. bìyè	毕业	（动．名）	graduate, graduation
42. zài	再	（副）	again

专有名词 Proper nouns

1. Jìnán Dàxué	暨南大学	Jinan University
2. Yú	于	a Chinese surname

Sì tìhuàn
四、替换 Substitutions

Wǒ zài JìnánDàxué xuéxí Hànyǔ
1. 我 在暨南大学 学习 汉语。

Běijīng Dàxué	北京大学	Beijing University
Běijīng Yǔyán Wénhuà Dàxué	北京语言文化大学	Beijing Language and Culture University
Běijīng Wàiguóyǔ Dàxué	北京外国语大学	Beijing Foreign Studies University
Fùdàn Dàxué	复旦大学	Fudan University
Nánkāi Dàxué	南开大学	Nankai University

Wǒ xǐhuān shàng Yú lǎoshī de Huìhuàkè
2. 我 喜 欢 上 于老师 的 会话课。

Wáng	王	Yǔfǎ	语法	Grammar
Zhōu	周	Hànzì	汉字	Chinese characters
Zhāng	张	Yuèdú	阅读	Reading
Chén	陈	Shǐdì	史地	History and Geography
Liú	刘	Wǔshù	武术	Martial Arts
Liáng	梁	Yīnyuè	音乐	Music

Xuéxí yǔfǎ yòng shénme jiàocái hǎo
3. 学习 语法 用 什 么 教材 好?

Hànzì	汉字	Chinese characters
Yuèdú	阅读	Reading
Zhōngwén	中文	Chinese
Zhōngguó Lìshǐ	中国历史	Chinese History
Zhōngguó huà	中国画	Chinese Painting
Shūfǎ	书法	Chinese Calligraphy

Wǔ wénhuà jiāojì zhīshi
五、文化 交际 知识 Knowledge of Cultural Communication

中国人的手势语

除了语言以外，人们还常用手势、身势和面部表情来交流感情，传达信息。这种非语言交际，也是一种强有力的交际手段。

中国汉族人的手势语，大部分与其他民族的手势语相同或相近，但也有一些相去甚远，非常独特。我们需要注意观察和学习。例如：

1、举起手来，手心向下，上下摆动意思是：①表示再见②叫人过来。
2、竖大拇指，动作是将大拇指伸出，其余指头握起来，意思是：①真棒，真漂亮，②第一。
3、伸小拇指，动作是将小拇指伸出，其余指头握起来，意思与伸大拇指相反：差劲，不好，最后一名。
4、用食指指自己的鼻子表示："是我"。
5、拍胸脯，用手掌拍击自己的胸部，表示：包在我身上；保证能做好某事，没问题。
6、双手接送东西表示对对方的尊重，尤用于晚辈对长辈，下级对上级时。
7、摆手，向前伸出右手（或左手），手心朝向对方，左右摇动，意思是：①不同意，反对，不要②引起对方注意。
8、表示1—10十个数字的方法。 （见图示）

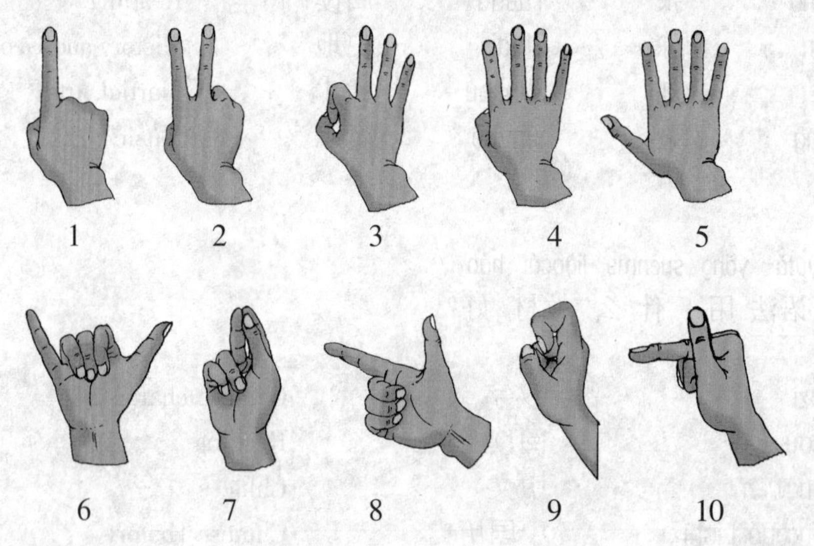

GESTURES OF CHINESE PEOPLE

In addition to words, people often use gestures and facial expressions to show their feelings and to exchange information. Body language is also a powerful means of communication.

Most of Chinese people's gestures are similar to those of other nations, but there are some peculiar ones. We should pay special attention to those. For example,

1. Beckon, wave: raising hand, palm facing down, swaying up and down. meaning: bye – bye, calling, or beckoning.
2. Thumbs-up: indicating excellence, number one.
3. Little finger-up: indicating no good, worst, disappointing, or the last.
4. Index finger pointing at one's nose: indicating oneself, or "It's me."
5. Striking one's chest: as a gesture of guarantee or reassurance.
6. Giving and receiving with both hands: indicating respect, especially adopted by the younger generation and junior members.
7. Hand swaying: palm facing outward, swinging left and right to indicate disagreement, no, or attracting someone's attention from afar.
8. Finger counting is widely used in China but usually as a confirmation of a spoken number.

Liù liànxí
六、练 习 Exercises

(一) 填空 Fill in the blanks

1. Wǒ zài ________________ xuéxí Hànyǔ。

2. Wǒ de zhuānyè shì ________________ 。

3. Wǒ xǐhuān shàng ________________ lǎoshī de ________________ kè。

4. Xuéxí ________________ yòng shénme jiàocái hǎo?

5. Xuéxí Hànyǔ, wǒ juédé ________________ bǐjiào nán。

6. Wǒ xué le ________________ yuè (nián) de Hànyǔ。

(二) 回答问题 Answer questions

1. Nǐ yǐqián xuéguò Hànyǔ ma?

2. Nǐde bàba māma huì shuō Hànyǔ ma?

3. Nǐ jué dé Hànyǔ nán ma?

4. Nǐ xǐhuān shàng shénme kè?

5. Nǐ dàxué bìyè le ma?

6. Nǐ huì xiě duōshǎo Hànzì?

(三) 读译短文 Read and translate the following paragraph:

Ānnà shì Měiguórén。Tā cóng Niǔyuē lái。Ānnà de māma shì Huáqiáo, tā zàijiā yǒushí shuō Hànyǔ, suǒyǐ Ānnà yě huì shuō yìdiǎnr Hànyù, kěshì Ānnà bú huì xiě Hànzì。Ānnà shì dàxuéshēng。Tā zài Niǔyuē Dàxué xuéxí Túshūguǎn Zhuānyè。Ānnà xǐhuān shàng Hànzìkè hé shǐdìkè。Tā duì Zhōngguó wénhuà hěn gǎn xìngqu。Tā shuō Zhōngwén hěn yǒuyòng。Zài Měiguó, dǒng Zhōngwén de rén róngyì zhǎodào gōngzuò。

Dì shí sān kè cānguānyóulǎn
第十三课 参观游览 Visiting and Sightseeing

Yī chángyòngyǔ
一、常用语 Basic Sentences

1 Jīntiān xiàwǔ qù nǎr cānguān
今天下午 去 哪儿 参观?
Where shall we go sightseeing this afternoon?

2 Jǐdiǎn chūfā
几点 出发?
What time shall we set out?

3 Nín néng jièshào yíxià zhè fāngmiàn de qíngkuàng ma
您 能 介绍 一下 这 方面 的 情况 吗?
Would you mind telling us this aspect in detail?

4 Wǒ xiǎng mǎi yìzhāng yóulǎn tú
我 想 买 一张 游览 图。
I want to buy a tourist map.

5 Tā xiǎng gēn dǎoyóu zhào yìzhāng xiàng
他 想 跟 导游 照 一 张 像。
He wants to take a picture with the guide.

6 Zhèzuò tǎ shì nǎgè cháodài xiūjiàn de
这 座 塔 是 哪个 朝代 修建 的?
In what period was this pagoda constructed?

7 Wǒ duì shǎoshùmínzú de fēngsú hěn gǎn xìngqù
我 对 少数民族 的 风俗 很 感 兴趣。
I am interested in the customs of the minority nationalities.

8 Běi jīng xī´ān de míngshèng gǔjì zuì duō
北京、西安 的 名胜 古迹 最 多。
Beijing and Xian have the most scenic spots and historical sites.

9 Hángzhōu hé Guìlín de fēngjǐng zuì xiùlì
杭州 和 桂林 的 风景 最 秀丽。
Hangzhou and Guilin have the most lovely scenery.

10 CHūnjié duānwǔjié hé zhōngqiūjié dōushì Zhōngguó de chuántǒng jiérì
春节、端午节 和 中秋节 都是 中国 的 传统 节日。
The Spring Festival, the Dragon-boat Festival and the Mid-autumn Festival are China's traditional holidays.

Èr kèwén
二、课 文 Text

Mǎlì　　Wáng lǎoshī jīntiān xiàwǔ yǒu shénme huódòng
玛丽：　王 老师，今天 下午 有 什么 活 动？
Wáng lǎoshī　　Wǒmen xiānqù gōngyìpǐnchǎng cānguān rán hòu yóulǎn shìróng hé yígè gōngyuán
王 老师：　我们 先 去 工艺品 厂 参观，然 后 游览 市容 和 一个 公 园。
Mǎlì　　Jǐdiǎn chūfā
玛 丽：　几点 出发？
Wáng lǎoshī　　Yīdiǎnbàn zài xiàoménkǒu jíhé shàngchē
王 老师：　一点半，在 校 门口 集合 上 车。
Mǎlì　　Nà ge gōngchǎng shēngchǎn shénme gōngyìpǐn
玛 丽：　那个 工 厂 生 产 什么 工艺品？
Wáng lǎoshī　　Chǎnpǐn zhǒnglèi hěnduō zhǔyào yǒu liǎng dà lèi yìshùtáocí hé yùdiāo
王 老师：　产 品 种类 很多，主要 有 两 大类：艺术陶瓷 和 玉雕。
Mǎlì　　Wǒmen kěyǐ cānguān zhìzuò guòchéng ma
玛 丽：　我们 可以 参观 制作 过程 吗？
Wáng lǎoshī　　Kěyǐ Búguò yǒu de chējiān bùnéng zhàoxiàng
王 老 师：　可以。不过 有 的 车间 不 能 照 相。
Mǎlì　　Tāmen de chǎnpǐn mài ma
玛 丽：　他们 的 产品 卖 吗？
Wáng lǎoshī　　Juédàbùfen dōu chūshòu jiàgé bǐ Yǒuyìshāngdiàn piányì dé duō
王 老 师：　绝大部分 都 出 售，价格 比 友谊 商 店 便宜 得 多。
Mǎ lì　　Nà tài hǎo le
玛 丽：　那 太 好 了！(在公园)
Mǎ lì　　Lǎoshī zhèzuò gǔtǎ shì nǎgè cháodài xiūjiàn de
玛 丽：　老师，这 座 古塔 是 哪个 朝代 修建 的？
Wáng lǎoshī　　Zhèshì Sòngdài de yǐjīng yǒu yìqiānnián le
王 老 师：　这是 宋 代 的，已经 有 一千 年 了。
Mǎ lì　　Zhōngguó de míngshèng gǔjì zhēn duō
玛 丽：　中 国 的 名 胜 古迹 真 多。
Wáng lǎoshī　　Nàshì yīnwèi Zhōngguó de lìshǐ yōujiǔ yòu méiyǒu zhōngduàn
王 老师：　那是 因为 中 国 的 历史 悠久，又 没有 中 断。
Mǎlì　　Tāmen zài biǎoyǎn shénme
玛 丽：　他们 在 表演 什么？

Wáng lǎoshī　　Dǎizú de Pōshuǐjié
王　老师：　　傣族 的 泼水节。
Mǎlì　　Wǒ duì shǎoshù mínzú de fēngsú hěn gǎnxìngqu
玛丽：　　我 对 少数 民族 的 风俗 很 感兴趣。
Wáng lǎoshī　　Nà nǐ yīngdāng qù Yúnnán kànyikàn
王　老师：　　那你 应当 去 云南 看一看。
Mǎlì　　Wǒ hé Dàwèi dǎsuàn shǔjià qù
玛丽：　　我 和 大卫 打算 暑假 去。

Sān shēngcí
三、生 词 New Words and Phrases

1. cānguān	参观	(动)	visit, look around
2. yóulǎn	游览	(动)	go sightseeing, tour
3. chūfā	出发	(动)	set out
4. fāngmiàn	方面	(名)	aspect, respect
5. qíngkuàng	情况	(名)	situation, circumstances, state of affairs
6. yóulǎntú	游览图	(名)	tourist map
7. dǎoyóu	导游	(名)	tour guide
8. zhào	照	(动)	take (pictures)
9. xiàng	相	(名)	picture, photograph
10. zuò	座	(量)	a measure word
11. tǎ	塔	(名)	pagoda
12. cháodài	朝代	(名)	dynasty, historical period
13. xiūjiàn	修建	(动)	construct, build
14. shǎoshù	少数	(形)	minority
15. mínzú	民族	(名)	nationality
16. fēngsú	风俗	(名)	customs
17. míngshèng	名胜	(名)	a place famous for it s scenery or historical relic, scenic spot
18. gǔjì	古迹	(名)	historical sites
19. chuántǒng	传统	(名)	traditional
20. jiérì	节日	(名)	holiday, festival
21. fēngjǐng	风景	(名)	scenery
22. xiùlì	秀丽	(形)	beautiful, pretty

23.gōngyìpǐn	工艺品	(名)	handicr aftarticle
24.chǎng	厂	(名)	factory
25.ránhòu	然后	(连)	then, afterwards
26.shìróng	市容	(名)	the appearance of acity
27.jíhé	集合	(动)	gather, assemble
28.gōngchǎng	工厂	(名)	factory
29.chǎnpǐn	产品	(名)	product
30.zhǒnglèi	种类	(名)	kind, type
31.yìshù	艺术	(名)	art
32.táocí	陶瓷	(名)	pottery and porcelain, ceramics
33.yùdiāo	玉雕	(名)	jade carving; jade sculpture
34.zhìzuò	制作	(动)	make, manufacture
35.guòchéng	过程	(名)	process, course
36.búguò	不过		but, nevertheless
37.chējiān	车间	(名)	workshop
38.juédàbùfèn	绝大部分		most, the over whelming majority
39.chūshòu	出售	(动)	forsale
40.jiàgé	价格	(名)	price
41.bǐ	比	(介)	than
42.shāngdiàn	商店	(名)	shop, store
43.gǔ	古	(形)	old, ancient
44.lìshǐ	历史	(名)	history
45.yōujiǔ	悠久	(形)	long, old-aged
46.zhōngduàn	中断	(动)	discontinue
47.biǎoyǎn	表演	(动)	performance
48.yīngdāng	应当	(动)	should
49.dǎsuàn	打算	(动)	plan, intend
50.shǔjià	暑假	(名)	summer holiday

专有名词 Proper nouns

1.Xī'ān	西安	Xian city
2.Chūnjié	春节	Spring Festival
3.Duānwǔjié	端午节	Dragon-boat Festival
4.Zhōngqiūjié	中秋节	Mid-autumn Festival

5. Hángzhōu	杭州	Hangzhou city
6. Guìlín	桂林	Guilin city
7. Sòngdài	宋代	Song Dynasty (960—1279)
8. Dǎizú	傣族	Dai minority nationality
9. Pōshuǐjié	泼水节	Watering Festival

Sì tìhuàn
四、替换 Substitutions

Jīntiān xiàwǔ qù gōngchǎng cānguān

1. 今天 下午 去 <u>工 厂</u> 参 观。

bówùguǎn	博物馆	museum
gōngyìpǐnchǎng	工艺品厂	handicraft factory
zhōngyīyuàn	中医院	hospital of traditional Chinese medicine
shàoniángōng	少年宫	children's palace
nóngcūn	农村	village, farm
yòuéryuán	幼儿园	kindergarten
zhǎnlǎnhuì	展览会	exhibition

Zhè zuò tǎ shì Sòngdài xiūjiàn de

2. 这 座 <u>塔</u> 是 <u>宋</u>代 修建 的。

sìmiào	寺庙	temple	Táng	唐	Tang Dynasty
qiáo	桥	bridge	Míng	明	Ming Dynasty
yuánlín	园林	garden	Qīng	清	Qing Dynasty
tíngzi	亭子	pavilion	Yuán	元	Yuan Dynasty
gǔmù	古墓	ancient tomb	Hàn	汉	Han Dynasty

Yíhéyuán shì Běijīng de míngshèng

3. <u>颐和园</u> 是 <u>北京</u> 的 名 胜。

Bīngmǎyǒng	兵马俑	the Terracotta Warriors and Horses Museum	Xī'ān	西安
Xīhú	西湖	West lake	Hángzhōu	杭州
Qīxīnghú	七星湖	Seven star lake	Guǎngdōng	广东
Liùróngsì	六榕寺	Six Banyan Temple	Guǎngzhōu	广州
Zhōngshānlíng	中山陵 (Sun Yat-sen's Mausoleum)		Nánjīng	南京
Huángshān	黄山	Yellow Mountain	Ānhuī	安徽
Chángchéng	长城	Great wall	Zhōngguó	中国

Wǔ wénhuà jiāojì zhīshi
五、文化 交际 知识 Knowledge of Cultural Communication

汉语中的固定格式

汉语中有不少固定格式,如“没…没…”、“左…右…”、“半…不…”、“东…西…”等等。它们在口语中使用频率很高,能使语言显得生动、地道。

第一,形式上多为四字格,前后两部分结构相同。如“没大没小”,“没完没了”,“左思右想”,“左顾右盼”等等。

第二,这类格式中有两个字是固定的,另外插入的两个字是可变的,但不是随意的。插入成分的语义必须与固定成分相关,并且有固定的顺序。比如“东奔西跑”,“东倒西歪”,“东躲西藏”,不能任意变换成“西跑东奔”,“西倒东歪”或“躲东藏西”之类。

第三,这些格式语义不限于字面意义,多数含有明显的语气和情态,以贬义、不满居多。例如,妻子给丈夫做了一盘菜,丈夫却对这盘菜不感兴趣,甚至连尝也没尝。妻子便说:“你爱吃不吃”,意思是,你吃也可以,不吃也可以,没关系。但这只是表面的意思,实际上已含有不满的情绪在内了。又如“半…不…”可构成“半新不旧”,“半生不熟”,“半死不活”等,“半”“不”用在意义相反的两个字前面,表示某种中间状态或性质,常含有厌恶的口气。

需要注意的是,同样的形式结构也可能会有不同的语法和语义内涵。如“不说不笑”、“不言不语”,表示“既不…也不…”;“不多不少”、“不胖不瘦”,表示“适中”、“正好”,以上两种均不含贬义;而同样结构的“不男不女”,“不中不西”,表示既不像这,又不像那,是一种令人不满意的中间状态,含有不满的口气;“不去不行"、"不见不散"是复句的紧缩形式,表示"如果不…就不…"这种假设关系。

SOME FIXED PATTERNS IN CHINESE

There are many fixed patterns in Chinese, like"méi...méi...","zuǒ...yòu...","bàn...bù...", "dōng...xī...", etc. They are used frequently in oral expressions, making the language more vivid and idiomatic.

The characteristics of these patterns are as follows:

First, most of them are made of four characters and the structures of the two parts are the same. For example,"méidàméixiǎo","méiwánméiliǎo","zuǒsīyòuxiǎng","zuǒgùyòupàn", and so on.

Second, two characters in this kind of structure are fixed and the other two inserted characters are changeable, but not willfully. The meaning of the inserted part must be related to the fixed part and follow the fixed sequence. For example,"dōngběnxīpǎo","dōngdǎoxīwāi","dōngduǒxīcáng", cannot be changed into"xīpǎodōngběn","xīdǎodōngwāi" or"duǒdōngcángxī".

Third, besides the literal meaning, most of these patterns have implications, tones and moods, or with a flavor of derogatory sense and dissatisfaction. For example, a wife cooked a dish specially for her busband, but the husband wasn' t very interested in that dish. He didn' t even bother to have a taste. Seeing this, the wife said"nǐàichībùchī". The literal meaming is"you may eat or not eat, it' s alright". But the discontented mood is obvious.

The pattern "bàn...bù..." can form "bànxīnbújiù", "bànshēngbùshú", "bànsǐbùhuó", and so on. The two characters after the"bàn" and"bù" are opposite in meaning. This pattern discribes a kind of intermediate state or quality with a tone of detestation.

What we should pay attention to is that the same patterns may have different implications or grammatical structures. For example."bùshuōbúxiào", "bùyánbùyǔ", indicates"neither this nor that"; "bùduōbùshǎo", "búpàngbúshòu", indicates "moderate", "just right". Neither have derogatory sense. But"bùnánbùnǚ","bùzhōngbùxī", indicatesan unsatisfactory intermediate situation. The pattern of "búqùbùxíng" or "bújiànbúsàn" is a reduced sentence of two clauses, which indicates"if not...then no...". It's an assumed relation.

Liù liànxí
六、练 习 Exercises

(一) 判断句子 Rating sentences

3 — good sentence

2 — not good; should be avoided

1 — bad sentence

1. He came to New York from China last year.

A. Tā láidào Niǔyuē cóng zhōngguó qùnián。 3.2.1

B. Tā qùnián cóng Zhōngguó láidào Niǔyuē。 3.2.1

C. Qùnián tā láidào Zhōngguó cóng Niǔyuē。 3.2.1

2. Hes peaks very good Chinese.
A. Tā shuō hěnhǎo de Hànyǔ。 3.2.1
B. Tā Hànyǔ shuō dé hěnhǎo。 3.2.1
C. Tā shuō Hànyǔ hěnhǎo。 3.2.1

3. This grammar book is most useful.
A. Zhèběn yǔfǎ shū zuì yǒuyòng。 3.2.1
B. Zuì yǒuyòng yǔfǎ shū zhèběn。 3.2.1
C. Yǔfǎ shū zhèběn zuì yǒuyòng。 3.2.1

4. I came to school by bus.
A. Wǒ lái xuéxiào zuò gōnggòng qìchē。 3.2.1
B. Zuò gōnggòng qìchē wǒ lái xuéxiào。 3.2.1
C. Wǒ zuò gōnggòng qìchē lái xuéxiào. 3.2.1

5. I told him the news over the phone.
A. Wǒ dǎ diànhuà gàosù tā zhègè xiāoxi le。 3.2.1
B. Wǒ gàosù tā zhègè xiāoxi dǎ diànhuà le。 3.2.1
C. Zhègè xiāoxi wǒ dǎ diànhuà gàosù tā le。 3.2.1
D. Diànhuà wǒ dǎ gàosù tā zhègè xiāoxi le。 3.2.1

6. I have already sent the letter to Xiao Wang.
A. Xiǎo Wáng wǒ yǐjīng jì le xìn le。 3.2.1
B. Wǒ yǐjīng jì xìn gěi Xiǎo Wáng le。 3.2.1
C. Xìn wǒ yǐjīng jì gěi Xiǎo Wáng le。 3.2.1
D. Jì xìn wǒ yǐjīng gěi Xiǎo Wáng le。 3.2.1

（二） 回答问题 Answer questions

1. Shuōchū bāchù Zhōngguó de míngshèng gǔjì。
(Name 8 famous scenic spots and historical sites in China.)

2. Shuōchū sì gè Zhōngguó de chuántǒng jiérì。
(Name 4 traditional Chinese Festivals)

3. Shuōchū nǐ suǒ zhīdào de Zhōngguó cháodài míng。

(Name the dynasties in Chinese history you know.)

4. Nǐ zuì xǐhuān de Zhōngguó lǚyóudiǎn shì nǎr? Wèishénme?

(Which tourist attraction in China do you love best? Why?)

Dì shí sì kè Kànbìng
第十四课 看病 Going to the Doctor

Yī chángyòngyǔ
一、常用语 Basic Sentences

1 Nǐ nǎr bù shūfu
你 哪儿 不 舒服?
What's wrong with you?

2 Tóuténg késou húnshēn méi jìnr
头疼、咳嗽、浑身 没 劲儿。
I've got a headache and a cough, and my whole body feels weak.

3 Zuótiān wǎnshang fā gāoshāo sānshíjiǔdùwǔ
昨天 晚上 发 高烧, 三十九度五。
I had a very high temperature of 39.5℃ last night.

4 Wǒ wèiténg ěxīn xiè dùzi
我 胃疼、恶心、泻 肚子。
I feel sick. I have a stomach ache and diarrhea.

5 Nǐ cóng shénme shíhou kāishǐ sǎngzi téng de
你 从 什么 时候 开始 嗓子 疼 的?
How long have you had this sore throat?

6 Wǒ bù xiǎng chī dōngxi shuìmián yě bù hǎo
我 不 想 吃 东西, 睡眠 也 不好。
I don't feel like eating and I haven't been sleeping well.

7 Dàifu wǒ dé de shì shénme bìng
大夫, 我 得 的 是 什么 病?
Doctor, what's wrong with me?

8 Nín kàn wǒ xūyào bù xūyào zhùyuàn
您 看 我 需要 不 需要 住 院?
Do you think if I should be hospitalized?

9 Méishénme yǒudiǎnr gǎnmào dǎ yìzhēn chī diǎnr yào jiùhuì hǎo de
没 什么, 有点儿 感冒, 打 一针 吃 点儿 药 就会 好 的。
You have caught a cold, but it's not serious. Have an injection, take some medicine and you'll be all right.

10 Zhèshì zhōngyào háishì xīyào
这 是 中药 还是 西药?
Is this traditional Chinese medicine or Western medicine?

Èr kèwén
二、课文 Text

Hùshi　　Nǐ guà shénme kē
护士：　你挂 什么科？

Dàwèi　　Wǒ kàn nèikē
大卫：　我 看 内科。

Hùshì　　Qǐng dào nàbiān èrhào zhěnshì wàibiān děnghòu
护士：　请 到 那边 二号 诊室 外边 等候。

Yīshēng　　Nǐ nǎr bù shūfu
医生：　你哪儿 不 舒服？

Dàwèi　　Wǒ tóuténg késou sǎngziténg húnshēn méijìnr
大卫：　我 头疼，咳嗽，嗓子疼， 浑 身 没劲儿。

Yīshēng　　Fā bù fāshāo
医生：　发 不 发烧？

Dàwèi　　Zuótiān wǎnshang shāo de hěn lìhài xiànzài hǎoxiàng tuìshāo le
大卫：　昨天 晚上 烧 得 很 厉害，现在 好 像 退烧 了。

Yīshēng　　Lái jiěkāi shàngyī wǒ tīngting
医生：　来，解开 上衣 我 听听。

Dàwèi　　Zhè liǎngtiān wǒ bù xiǎng chī dōngxi shuìmián yě bùhǎo
大卫：　这 两天 我 不 想 吃 东西，睡眠 也 不好。

Yīshēng　　Nǐ shénme shíhou kāishǐ sǎngziténg de
医生：　你 什么 时候 开始 嗓子疼 的？

Dàwèi　　Qiántiān xiàwǔ
大卫：　前天 下午。

Yīshēng　　Nǐ zài qù huàyànshì yàn ge xuè
医生：　你 再 去 化验室 验 个 血。

Dàwèi　　Dàifu gěi nín huàyàndān
大卫：　大夫，给 您 化验 单。

Yīshēng　　Méishénme nǐ gǎnmào le wǒ gěi nǐ kāi diǎnr yào
医生：　没 什 么，你 感 冒 了，我 给 你 开 点儿 药。

Dàwèi　　Zhōngyào háishì xīyào
大卫：　中药 还是 西药？

Yīshēng　　Xīyào Xiànzài tiānqì biànhuà dà nǐ yào zhùyì duō chuān yīfu Yào duō hē kāishuǐ zhùyì xiūxi
医生：　西药。现在 天气 变化 大，你 要 注意 多 穿 衣服。要 多 喝 开水，注意 休息。

Dàwèi　　Hǎo xièxie dàifu
大卫：　　好，谢谢 大夫。

Sān shēngcí
三、生　词　New Words and Phrases

1. kànbìng	看病		see a doctor
2. shūfu	舒服	（形）	comfortable
3. tóuténg	头疼		headache
4. késou	咳嗽	（动）	cough
5. húnshēn	浑身		whole body
6. jìnr	劲儿	（名）	energy, strength
7. zuótiān	昨天	（名）	yesterday
8. fāshāo	发烧		have a fever, have a temperature
9. dù	度	（量）	degree
10. ě'xīn	恶心	（名）	sick
11. wèiténg	胃疼		stomachache
12. xiè	泻	（动）	diarrhea
13. dùzi	肚子	（名）	stomach, belly, abdomen
14. kāishǐ	开始	（动）	begin, start
15. sǎngzi	嗓子	（名）	throat
16. téng	疼	（动）	ache, pain
17. shuìmián	睡眠	（动）	sleep
18. dàifu	大夫	（名）	doctor
19. bìng	病	（动．名）	illness, disease
20. xūyào	需要	（助动）	need, should
21. zhùyuàn	住院		go to the hospital, hospitalized
22. gǎnmào	感冒	（动．名）	cold
23. dǎzhēn	打针		have an injection
24. yào	药	（名）	medicine
25. zhōngyào	中药	（名）	traditional Chinese medicine
26. xīyào	西药	（名）	Western medicine
27. hùshi	护士	（名）	nurse
28. yīshēng	医生	（名）	doctor
29. guà	挂（号）	（动）	register at a hospital
30. kē	科	（名）	department

31. nèikē	内科	(名)	medicald epartment
32. biān	边	(名)	side
33. zhěnshì	诊室	(名)	consulting room
34. wàibiān	外边	(名)	outside
35. děnghòu	等候	(动)	wait
36. lìhai	厉害	(形)	serious
37. tuì	退	(动)	bring down(afever)
38. jiěkāi	解开	(动)	untie, undo, unbutton
39. shàngyī	上衣	(名)	jacket
40. qiántiān	前天	(名)	the day before yesterday
41. xiàwǔ	下午	(名)	afternoon
42. huàyànkē	化验科	(名)	laboratory
43. yànxuè	验血		have blood test
44. dān	单	(名)	form
45. kāi	开	(动)	writeout(aprescription)
46. biànhuà	变化	(动)	change
47. zhùyì	注意	(动)	pay attention to
48. chuān	穿	(动)	wear, puton
49. kāishuǐ	开水	(名)	boiled water
50. xiūxi	休息	(动)	rest

Sì tìhuàn
四、替 换 Substitutions

Wǒ tóu téng
1. 我 头 疼。

sǎngzi	嗓子	throat
wèi	胃	stomach
dùzi	肚子	stomach, abdomen
tuǐ	腿	leg
yá	牙	teeth
bèi	背	back
yāo	腰	loins, waist

Wǒ kàn guà nèikē
2. 我 看(挂) 内科。

wài	外	surgical
yǎn	眼	ophthalmology
yá	牙	dental
ěrbíhóu	耳鼻喉	ENT(ear-nose-throat)
pífu	皮肤	dermatology
gǔ	骨	orthopedics
mìniào	泌尿	urology
zhōngyī	中医	traditional Chinese medicine

Qǐngwèn huàyànshì zài nǎr
3. 请 问,化验室 在 哪儿?

guàhàochù	挂号处	registration office
zhùyuànbù	住院部	in-patient dept
zhěnshì	诊室	consulting room
jízhěnshì	急诊室	emergency room
shǒushùshì	手术室	surgery room
bìngfáng	病房	ward
fàngshèkē	放射科	x-ray dept

Wǔ wénhuà jiāojì zhīshi
五、文化 交际 知识 Knowledge of Cultural Communtcation

中国的方言

汉语属于汉藏语系。中国人使用的方言很多,主要的有七种:北方话、吴语、闽语、湘语、赣语、粤语以及客家话。北京官话被定为普通话,在中国使用普通话的人约占3/4,它的覆盖面积也差不多是全国的3/4。从东北边疆到西南边陲,人们都说普通话。方言区则集中在中国的东南部,这一带是中国人口最密集的地区。吴语区主要在江苏、浙江和上海一带;闽语区主要在福建、台湾和广东东部;湘、赣方言区分别在湖南和江西;客家话流行在广东北部和江西南部;粤语区主要在广东南部和广西。粤、闽、客家方言的使用者遍布海外华人聚居区。

住在不同方言区的人们往往听不懂彼此所说的话，但是他们所使用的文字是完全一样的。

方言是汉语的一个组成部分。不少方言词汇进入了全民族的语汇，例如，"巴士"、"打的"、"买单"、"生猛海鲜"等粤语词汇早已在北方流行开了。因此，方言也丰富了汉语。

外国人常能通过中国食品名称去感知中国方言的存在。比如"杂碎"(chopsuey)、"馄饨"(wonton)都来自广东话。中国的茶叶是分别从陆路和海路传到国外的。凡是从陆路传出去的，读音都近似北方方言[tsh]；凡是从海路传出去的，读音都近似闽方言的(t)：

从陆路传出去的：		从海路传出去的：
俄语	chai	英语 tea
阿拉伯语	shai	荷兰 thee
波斯语	chay	法语 the
罗马尼亚语	ceai	德语 tee
土耳其语	bay	

CHINESE DIALECTS

Chinese language is a member of the Sino-Tibetan or Indochinese language family. The spoken Chinese language is comprised of many dialects. Scholars usually classify these dialests into seven main divisions: Mandarin, Wu, Min, Xiang, Gan, Cantonese and Hakka. Mandarin, designated standard Chinese, models its pronunciation upon that used in Beijing. It is spoken by about three quarters of the population of China throughout three quarters of the land area of China, extending to the Russia-Manchuria in border in the northeast and to the large cities and trading posts in the southwest. The other six dialects are spoken in the broad eastern coastal belt. Because of the extreme population density in this part of China, the number of persons speaking these dialects is comparably larger than the size of the area would suggest. Wu is spoken in southern Jiangsu, Shanghai and most of Zhejiang; Min, or Fukienese, in Fujian, Taiwan and eastern Guangdong, Xiang and Gan in Hunan and Jiangxi respectively; Hakka in northern Guangdong and southern Jiangxi; and Cantonese in southern Guangdong and Guangxi. Cantonese, Min and Hakka are also spoken by overseas Chinese.

People living in the different areas of dialects sometimes are unable to communicate with each other, but the written form (Chinese characters) they are using is exactly the same.

Dialects are important parts of the Chinese language. Many words used in dialects have entered national vocabulary, For example, "Bāshì" (bus), "Dǎdī" (hire a taxi), "Mǎidān" (pay a restaurant bill), "Shēngměng hǎixiān" (live and fresh seafood) from Cantonese are very popular in the northern China now.

Foreigners may get to know Chinese dialects from the names of Chinese food, such as Zásuì (chopsuey), húntun (wonton) from Cantonese.

Chinese tea spread abroad by sea and land. Pronunciations similar to "chá" of northern dialect must have been transported by land, while those similar to "tì" of Fujian dialect must have been sea-shipped.

Land transport		Sea transport	
Russian	chai	English	tea
Arabic	shai	Dutch	thee
Persian	chay	French	the
Romanian	ceai	German	tee
Turkish	bay		

Liù liànxí
六、练习 Exercises

(一) 对划线部分提问 Ask questions about the underlined parts

1. wǒ húnshēn bù shūfu.

2. wǒ zuótiān wǎnshang fā gāoshāo, 39 dù.
   (a: zuótiān wǎnshang; b: 39)

   a: ______________

   b: ______________

3. Tā dé de shì gǎnmào.

4. Xiǎo Wáng xūyào zhùyuàn zhìliáo(treat).

5. Xiànzài tiānqì biànhuà dà, nǐ yào zhùyì duōchuān yīfu.
   (a: biànhuà dà; b: duōchuān yīfu)

   a: ______________

   b: ______________

(二) 怎么说 Say the min Chinese

1. headache

2. cough

3. have a fever

4. stomachache

5. diarrhea

6. sore throat

7. have no appetite

8. backache

9. toothache

10. traditional Chinese medicine

(三) 读译短文 Read and translate

Lǐ lǎoshī jīntiān méi qù shàngkè。 Zǎoshàng tā juédé hěn bù shūfu, shàngwǔ qù yīyuàn kàn bìng。Dàifu wèn tā nǎr bù shūfu, Lǐ lǎoshī shuō"tóuténg, fāshāo, húnshēn méi jìnr"。 Dàifu ràng tā xiān qù huàyànshì yàn xiě, ránhòu gěitā dǎle zhēn, kāile yào。

Dì shí wǔ kè dǎsuàn
第十五课 打算 Plans

Yī chángyòngyǔ
一、常用语 Basic Sentences

1 Jiàqī lǐ nǐ yǒu shénme jìhuà
假期里你有什么计划?
What plans have you got for the holiday?

2 Zhècì lǚxíng nǐ dǎsuàn qù nǎxiē dìfāng
这次旅行你打算去哪些地方?
Where do you intend to travel to this time?

3 Wǒ dǎsuàn qù Běijīng Xī'ān lǚyóu
我打算去北京、西安旅游。
I am planning to travel to Beijing and Xi'an.

4 Wǒmen lǚxíng de rìchéng ānpái hǎo le ma
我们旅行的日程安排好了吗
Have you worken out a daily program for our holiday?

5 Jīntiān xiàwǔ zìyóu huódòng
今天下午自由活动。
You are free to do as you please this afternoon.

6 Wǒ hái méiyǒu juédìng
我还没有决定。
I haven't decided yet.

7 Wǒ qù Xiānggǎng dāi yìliǎngtiān ránhòu huíguó
我去香港呆一两天,然后回国。
I'll spend a day or two in Hong Kong, then I'll go home.

8 Wǒ xiǎng zuò fēijī qù GuìLín
我想坐飞机去桂林。
I want to go to Guilin by air.

9 Nǐ xuǎnzé nǎge lǚxíngshè
你选择哪个旅行社?
Which travel agency have you chosen?

10 Hòuhuìyǒuqī wǒmen háihuì jiànmiàn de
后会有期,我们还会见面的。
We'll meet again someday.

Èr kèwén
二、课文 Text

Lín Fēng　Mǎli Hànyǔ duǎnqībān jiùyào jiéshù le nǐ yǒu shénme jìhuà
林风：玛丽，汉语 短期班 就要 结束了，你有 什么 计划？

Mǎlì　Wǒ hé Dàwèi xiǎng qù Shànghǎi Hángzhōu hé Huángshān
玛丽：我和大卫 想 去 上海、杭州 和 黄山。

Lǐn Fēng　Dǎsuàn yòng duōshǎo shíjiān
林风：打算 用 多少 时间？

Mǎlì　Yígè xīngqī zuǒyòu
玛丽：一个 星期 左右。

Lín Fēng　Zìjǐ qù háishì gēn lǚxíngshè qù
林风：自己去 还是 跟 旅行社 去？

Mǎlì　Wǒmen xiǎng cānjiā qīngnián lǚxíngshè de huádōng liùrì yóu
玛丽：我们 想 参加 青年 旅行社 的 华东 六日 游。

Lín Fēng　Shì fēijī wǎng fǎn ma
林风：是飞机 往返 吗？

Mǎlì　Duì Nǐ yǒu shénme dǎsuàn ne
玛丽：对。你有 什么 打算 呢？

Lín Fēng　Wǒ xiǎng qù Běijīng Xī'ān Kūnmíng Chéngdū Chóngqìng Sānxiá hé Guìlín
林风：我 想 去 北京、西安、昆明、成都、重庆、三峡 和 桂林。

Mǎlì　Zhēnshì wěidà de jìhuà nǐ cānjiā lǚxíngtuán ma
玛丽：真是 伟大 的 计划，你 参加 旅行团 吗？

Lín Fēng　Wǒ xiǎng yígè rén zǒu zhèyàng bǐjiào zìyóu
林风：我 想 一个 人 走，这样 比较 自由。

Mǎlì　Nǐ zhèyàng zǒu yìquān yàoyòng duōshǎo shíjiān
玛丽：你 这样 走 一圈 要用 多少 时间？

Lín Fēng　Dàgài yígèyuè zuǒyòu
林风：大概 一个月 左右。

Mǎlì　Zhème cháng a
玛丽：这么 长 啊？

Lín Fēng　Wǒ xiǎng zuò huǒchē bú zuò fēijī hǎo shěng diǎnr qián
林风：我 想 坐 火车，不坐 飞机，好 省 点儿 钱。

Mǎlì　Shíjiān guòde zhēnkuài wǒ zhēn bú yuànyi hé nǐmen fēnshǒu
玛丽：时间 过得 真快，我 真 不 愿意 和 你们 分手。

后会有期！

Lín Fēng　Hòuhuìyǒuqī　yǐhòu　wǒmen háihuì jiànmiàn de
林 风：　后会有期，以后 我们 还会 见面 的。
Mǎlì　Huíguó yǐhòu　wǒmen yào　bǎochí liánxì
玛 丽：　回国 以后 我们 要 保持 联系。
Lín Fēng　Nà dāngrán la　Yǒu jīhuì　de huà wǒ háixiǎng　qù Měiguó　kàn nǐmen
林 风：　那 当然 啦。有 机会 的 话，我 还想 去 美国 看 你们。
Mǎlì　Fēicháng　huānyíng
玛 丽：　非常 欢迎。

Sān shēngcí
三、生词 New Words and Phrases

1. jiàqī	假期	（名）	holiday, vacation
2. lǐ	里	（名）	within, in, inside
3. jìhuà	计划	（名、动）	Plan, program, project
4. rìchéng	日程	（名）	program, schedule
5. ānpái	安排	（动）	arrange, work out fix up
6. juédìng	决定	（动）	decide
7. dāi	呆	（动）	stay
8. guó	国	（名）	counry, state
9. fēijī	飞机	（名）	airplane, aircraft
10. xuǎnzé	选择	（动）	choose
11. lǚxíngshè	旅行社	（名）	travel agency
12. hòuhuìyǒuqī	后会有期	（成）	We'll neet again someday
13. jiànmiàn	见面	（动）	meet
14. jiéshù	结束	（动）	end, finish, conclude, close
15. zìjǐ	自己	（名）	self
16. gēn	跟	（动）	with follow
17. qīngnián	青年	（名）	younger
18. yóu	游	（动）	tour, travel
19. wǎngfǎn	往返	（动）	round trip, go there and back
20. wěidà	伟大	（形）	great
21. tuán	团	（名）	group, organization
22. zhèyàng	这样	（代）	so, such, like this
23. quān	圈	（名）	circle, round
24. cháng	长	（形）	long

25. huǒchē	火车	（名）	train
26. shěng	省	（动、名）	save; province
27. kuài	快	（形）	fast, quickly
28. yuànyì	愿意	（动）	be willing, wish, want
29. fēnshǒu	分手		say good – bye, part company
30. hé	和	（连）	with, and
31. bǎochí	保持	（动）	contact, touch
33. jīhuì	机会	（名）	chance, opportunity
34. …de huà …	的话		if so

专有名词 PROPER NOUNS

1. Xiānggǎng	香港	Hong Kong
2. Shànghǎi	上海	Shanghai
3. Huángshān	黄山	Huangshan mountains
4. Huádōng	华东	Eastern China
5. Kūnmíng	昆明	Kunming (capital of Yunnan Province)
6. Chéngdū	成都	Chengdu (capital of Sichuan Province)
7. Chóngqìng	重庆	Chongqing Municipality
8. Sānxiá	三峡	The Three Gorges of the Yangtse River

Sì tìhuàn
四、替换 Substitutions

Jiàqī lǐ nǐ yǒu shénme jìhuà dǎsuàn
1. 假期里你有什么计划（打算）？

Shǔjià	暑假	summer holidays
Hánjià	寒假	winter holidays
Fàngjià	放假	holiday
Zhōumò	周末	weekend
Xiàgèxīngqī	下个星期	next week
Xiàgèyuè	下个月	next month
Míngnián	明年	next year

Wǒ dǎsuàn qù Xī'ān lǚyóu
2. 我 打算 去 西安 旅游。

Běijīng	北京	Beijing
Shànghǎi	上海	Shanghai
Guǎngzhōu	广州	Guangzhou
Xiānggǎng	香港	Hong Kong
Xīzàng	西藏	Tibet
Chángjiāngsānxiá	长江三峡	The Three Gorges of the Yangtse River
Xīshuāngbǎnnà	西双版纳	Xishuangbanna
Hángzhōu	杭州	Hangzhou
Guìlín	桂林	Guiling

Tā dǎsuàn zuò chéng fēijī qù
3. 他 打算 坐（乘）飞机 去。

zuò huǒchē	坐火车	by train
zuò qìchē	坐汽车	by bus
zuò lúnchán	坐轮船	by boat
qí zìxíngchē	骑自行车	by bicycle
zǒu lù	走路	on foot

Wǔ wénhuà jiāojì zhīshi
五、文化 交际 知识 Knowledge of Cultural Communication

唐代的诗歌

唐代（618—906）是中国文学，也是世界文学的黄金时代。流传至今的唐诗有五万多首，出自两千多位诗人之手。其中最伟大的诗人有李白、杜甫和白居易，他们的名字在中国家喻户晓。

李白:《静夜思》

床前明月光，

疑是地上霜。
举头望明月，
低头思故乡。

杜甫:《望岳》

岱宗夫如何，齐鲁青未了。
造化钟神秀，阴阳割昏晓。
荡胸生层云，决眦入归鸟。
会当凌绝顶，一览众山小。

白居易:《赋得古原草送别》

离离原上草，一岁一枯荣。
野火烧不尽，春风吹又生。
远芳侵古道，晴翠接荒城。
又送王孙去，萋萋满别情。

TANG POETRY

The Tang Dynasty (618 – 906) was the Golden Age of Chinese literature and of the world literature as well. The poems handed down from Tang Dynasty are over 50, 000 in number, which came from over 2, 000 poets. Amony them Li Bai , Du Fu and Bai Juyi were the greatest ones and their names are known to every Chinese person.

Lǐ bái: Jìngyèsī

Chuángqián míngyuè guāng,
Yí shì dìshàng shuāng.
Jǔ tóu wàng míng yuè,
Dī tóu sī gùxiāng.

Li Bai : A TRANQUIL NIGHT

Before my bed a pool of light–
Can it be hoarfrost on the ground?
Looking up, I find the moon bright;
Bowing, in homesickness I'm drowned.

Dù Fǔ: Wàngyuè

Dàizōng fū rú hé? Qílǔ qīng wèi liǎo.
Zàohuà zhōng shénxiù, Yīnyáng gē hūn xiǎo.
Dàng xiōng shēng céngyún, Jué zī rù guī niǎo.
Huì dāng líng juédǐng , Yì lǎn zhòng shān xiǎo.

Du Fu: GAZING AT MOUNT TAI

O peak of peaks, how high it stands!
One boundless green o'er spreads two states.
A marvel done by Nature's hands,
O'er light and shade it dominates.
Clouds rise there from and lave my breast;
My eyes are straining to see birds fleet.
I must ascend the mountain's crest;
It dwarfs all peaks under my feet.

Bái Jūyì: Fùdé Gǔyuáncǎo Sòngbié

Lílí yuánshàng cǎo, yísuì yì kūróng.
Yěhuǒ shāo bú jìn, chūnfēng chuī yòu shēng.
Yuǎnfāng qīn gǔdào, qíngcuì jiē huāngchéng.
Yòusòng wángsūn qù, qīqī mǎn biéqíng.

Bo Ju-yi: GRASS ON THE ANCIENT PLAIN – FAREWELL TO A FRIEND

Wild grass spreads O'er ancient plain;
With spring and fall they come and go.
Wild fire can't burn them up; again
They rise when vernal breezes blow.
Their fragrance overruns the way;
Their green invades the ruined town,
To see my friend go far away,
My sorrow graws like grass o'ergrown.

(Translated by Xu Yuanzhong)

Liù liànxí
六、练习 Exercises

(一) 判断句子 Rating sintences:

3 —— good sentence

2 —— not good ,should be avoided

1 —— worst sentence

1. Everybody wants to go to Beijing.

A: Qù Běijīng rénrén dōu xiǎng. 3.2.1

B: Rénrén dōu xiǎng qù Běijīng. 3.2.1

C: Rénrén xiǎng dōu qù Běijīng. 3.2.1

D: Běijīng rénrén dōu xiǎng qù. 3.2.1

2. I have finished reading this book.

A: Wǒ kàn wán le zhè běn shū. 3.2.1

B: Wǒ wán le kàn zhè běn shū. 3.2.1

C: Zhè běn shū wǒ kàn wán le. 3.2.1

D: Kàn zhè běn shū wǒ wán le. 3.2.1

3. This letter has an incorrect address.

A: Zhè fēng xìn xiě le cuò de dìzhǐ. 3.2.1

B: Zhè fēng xìn de dìzhǐ xiě cuò le. 3.2.1

C: Zhè fēng xìn dì zhǐ xiě cuò le. 3.2.1

D: Zhè fēng xìn xiě cuò le dìzhǐ. 3.2.1

4. You are not wearing enough clothes.

A: Nǐ méiyǒu chuān zúgòu de yīfu. 3.2.1

B: Nǐ chuān shǎo le yīfu. 3.2.1

C: Nǐ de yīfu shuān shǎo le. 3.2.1

D: Nǐ yīfu chuān shǎo le. 3.2.1

短剧表演: 《可怕的医院》

A short play: A TERRIBLE HOSPITAL

第一幕 挂号处

(幕启,台左方有一桌,桌上有一牌,上面写着“挂号处”,桌后坐一女护士,正拿着小镜子专心至致地化妆。丈夫扶着快要生产的太太上)

Zhàngfu　Xiǎojiě xiǎojiě　Xiǎojiě
丈夫：　小姐，小姐！（女护士仍侧身画眉，涂口红，不理。）小姐！
Hùshi　Jiào shénme　Děngyíxià
护士：　叫 什么，　等一下！
Zhàngfu　Wǒ tàitai kuàiyào shēng háizi le wǒ yào guàhào
丈夫：　我 太太 快 要　生　孩子 了，我　要　挂号。
Hùshi　Guà fùchǎnkē　yìbǎikuài
护士：　挂 妇产科，一百块。
Tàitai　Qǐngwèn fùchǎnkē zài nǎr
太太：　请问　妇产科　在 哪儿？
Hùshi　Bālóu
护士：　八楼！
Zhàngfu　Qǐngwèn diàntī zài nǎr
丈夫：　请问　电梯　在 哪儿？
Hùshi　Jīntiān diàntī huài le nǐmen zoǔshàngqù ba　Xiàyígè　Guà shénme kē
护士：　今天　电梯　坏了，你们　走 上去　吧。下一个！挂　什么 科？
Bìngrěnjiǎ　Wǒ kàn nèikē
病人甲：我 看　内科。
Hùshi　Wǔkuài
护士：　五块。
Bìngrénjiǎ　Duìbuqǐ　duìbuqǐ
病人甲：（交钱时，不小心碰掉了挂号小姐的化妆盒）对不起，对不起！
Hùshi　Nǐ yǎnjīng zhǎng nǎr qù le Hèng
护士：　你 眼睛　长　哪儿 去 了？哼！

第二幕　内科诊室

（左侧一长椅，坐着几位候诊病人，护士为他们一一量体温。护士进诊室，出来时拿一叠病历，叫"林风，进来！"）

Yīshēng　Nǐ nǎr bù shūfu
医生：　（坐在右侧一桌后）你哪儿不舒服？
Lín Fēng　Tóuténg　sǎngzi téng　ké sòu
林风：　头 疼，　嗓子 疼，咳嗽。
Yīshēng　Zhāng kāi zuǐ　ā　jiěkāi　shàngyī　wǒ tīngting
医生：　张　开嘴，啊 —— 解开　上衣，我　听听。
Lín Fēng　Dàifu　yǒu　wèntí　ma
林风：　大夫，有　问题 吗？

Yīshēng　Lái kànbìng de dōuyǒu wèntí xiànzài yào chōuxiě huàyàn
医生：　来 看病 的 都有 问题，现在 要 抽血 化验。
（护士拿来针筒，抽血，林叫痛）
Yīshēng　Chōudiǎnr xiě jiù jiào tòng děnghuǐr háiyào dǎzhēn na
医生：　抽点儿 血 就 叫 痛， 等会儿 还要 打针 呐。
（护士抽完血拿去化验）
Yīshēng　Nǐ shénme shíhou kāishǐ bù shūfu de
医生：　你 什么 时候 开始 不 舒服 的？
Lín Fēng　Qiántiān wǎnshang fā gāoshāo
林风：　前天 晚上 发 高烧。
Yīshēng　Nǐ zuótiān wèishénme bùlǎi kànbìng
医生：　你 昨天 为什么 不来 看病？
Lín Fēng　Zuótiān xuéxiào kǎoshi méi shíjiān
林 风：　昨天 学校 考试， 没 时间。
（护士送来化验结果）
Lín fēng　Dàifu wǒ dé le shénme bìng
林 风：　大夫，我 得 了 什么 病？
Yīshēng　Nǐ dé le zhònggǎnmào Hùshi zhǔnbèi dǎ qīngméisù
医 生：　你 得了 重感冒。 护士， 准备 打 青霉素。
Lín fēng　Dàifu wǒ pàténg bù dǎzhēn xíngbùxíng
林 风：　大夫， 我 怕疼，不 打针 行不行？
Yī shēng　Bù dǎzhēn nǐ de bìng jiùhuì biànchéng àizībìng
医 生：　不 打针，你 的 病 就会 变成 艾滋病！
（护士拿了一只巨大的针管进来，要林风躺在床上，林风不愿意打，大家七手八脚把他按倒在床上，医生开始注射）
Yīshēng　Biédòng zāole zhēntou duàn zài lǐbiān le
医 生：　别动！ 糟了，针头 断 在 里边 了。
Lín Fēng　Ai yo āi yo
林风：　哎哟，哎哟！
Yī shēng　Méguānxi Hùshi nǐ sòng tā qù wàikē bǎ zhēntou chùlǐ yíxià
医生：　没关系。护士，你 送 他去 外科 把 针头 处理 一下。

第三幕　外科手术室
（张志远捂着肚子走进来，疼得直叫）
Zhāng　Dàifu téngsǐ wǒ le
张：　大夫，疼死 我了。
Dāi fu　Búyàojǐn wǒmen mǎshàng gěi nǐ zuò shǒushù zhǔnbèi qiēchú
大夫：　不要紧，我们 马上 给 你 作 手术。（对护士们说）准备 切除

lánwěi
阑尾。

Zhāng　Dàifu kāidāo téng ma
张：　大夫，开刀 疼 吗？

Dàifu　Méishì dǎ le máyào jiù bùténg le
大夫：　没事，打了 麻药 就 不疼 了。

Zhāng　Yǒu wēixiǎn ma
张：　有 危险 吗？

Dài fu　Gē mángcháng shì zuì pǔtōng de shǒushù méiyǒu wēixiǎnxìng
大夫：　割 盲肠 是 最 普通 的 手术，没有 危险性。

Zhāng　Nà wǒ jiù fàngxīn le
张：　那 我 就 放心 了。

（张躺在手术台上，大夫进行手术，做了一半，忽然身上 BP 机响了起来，大夫拿起一看）

Dāifu　Nǐmen děngyíxiàr wǒ xiānqù fùgèjī mǎshàng huílái
大夫：　你们 等一下儿，我 先去 复个机，马上 回来。

（过了一会儿，外科大夫回来）

Xíngle wǒ gěi nǐ féngxiàn Hǎole nǐ kěyǐ huíqù le
行了，我 给 你 缝线。好了，你 可以 回去了。

Zhāng　Xièxie dàifu Aiyo lǐbiān zěnme zhème téng a
张：　谢谢 大夫。哎哟，里边 怎么 这么 疼 啊？

Dāifu　Méishì xiūxi yíhuìr jiù hǎole Yí wǒ de zhǐxiěqián ne
大夫：　没事，休息 一会儿 就 好了。咦，我 的 止血钳 呢？

Zhāng　Dàifu nín mōmo zhè lǐbiān shénme dōngxi yìngbāngbāng de
张：　大夫，您 摸摸，这 里边 什么 东西 硬梆梆 的？

Dāifu　Wǒ kànkan zāole qiánzi wàngle ná chūlái le zài
大夫：　我 看看，（摸了一下张的腹部）糟了，钳子 忘了 拿 出来 了，再
kāi yìdāo ba Hùshì zhǔnbèi máyào
开 一刀吧。护士，准备 麻药！

Zhāng　Dàifu wǒ kàn nín háishì zài wǒ dùzi shàng zhuāngge lāliàn ba nàyàng
张：　大夫，我 看 您 还是 在 我 肚子 上 装个 拉链 吧，那样
nín zhǎo dōngxi jiù fāngbiàn duōle
您 找 东西 就 方便 多了。

（谢幕时，那对夫妇抱着双胞胎，林风拄着双拐，张志远被人搀扶着，他们向观众挥手微笑走下台去）

Liànxí cānkǎo dáàn

练习 参考 答案　Key to the Exercises

Lesson 1.

(二) 1. Excuse me, what's your surname, sir?

2. Miss Li, are you American?

3. Let me have an introduction. This is Mr. Liu, the manager; this is Professor Wang.

4. You are welcome to study in China.

Lesson 2.

(二) 1. I haven't seen you for a long time. How are you?

2. How are your parents?

3. Remember me to Doctor Lin.

4. It has been one year since I last saw you. You look even prettier than before.

5. Your journey must have been tiring.

6. Thank you so much for coming to meet us.

Lesson 3.

(三) 1. Nǐ bàba jīnnián duōdà suìshu?

2. Tā māma zài nǎr gōngzuò?

3. Nǐ gēge de zhuānyè shì shénme?

4. Shuíde jiějie shì gōngchéngshī?

5. Nǐ zài dàxué niàn jǐ niánjí?

6. Nǐ de shénme rén zhùzài Shànghǎi?

Lesson 4.

(三) 1. He has been watching TV for one hour.

2. He has been eating his meal for forty minutes.

3. I have been reading a Chinese book for half an hour.

4. I am going to study here for one year and a half.

5. If the weather is fine tomorrow, he and I are going to the park.

Lesson 5.

(一)

1. dà
2. cháng
3. shòu
4. xīn
5. piányi

(三)1. Xiāngjiāo duōshǎo qián yìjīn?
2. Zhè shuāng xié zěnmeyàng?
3. Mǎlì mǎi le jǐge bōluó?
4. Dàwèi qù nǎr mǎi yīfu?
5. Tā mǎi le shénme (cài)?

Lesson 6.

(一)1. Qǐngwèn, Dìèryīyuàn zài nǎr (shénme dìfang)?
2. Qǐngwèn, qù wàiwénshūdiàn zěnme zǒu?
3. Qù huǒchēzhàn zài nǎr huànchē? Huàn jǐlù chē?
4. Qǐngwèn, dìtiězhàn lí zhèr yǒu duōyuǎn?
5. Wáng lǎoshī zhù jǐcéng jǐhào

(二)1. I haven't been to professor Ma's house.
2. Excuse me, how do I get to Qingping Market?
3. You take bus number 27 and change to bus number 103 at Hepingqiao.
4. Excuse me, where is the bathroom, please?

Lesson 7.

(一)1. Excuse me, how much is it to mail a letter to Canada?
2. I'm sorry, this letter is over weight.
3. I want to change three hundred U.S. dollars to Renminbi.
4. I have traveller's cheques, but I don't have cash.

(三)1. yóujú
2. Zhōngguó Yínháng
3. hángkōngxìn

4. píngxìn
5. bāoguǒ
6. jìniàn yóupiào
7. guàhào xìn
8. míngxìnpiàn
9. tèkuàizhuāndì
10. lǚxíng zhīpiào
11. huóqī cúnkuǎn
12. dìngqī cúnkuǎn

Lesson 8.

(一) 1. Mary likes to eat Cantonese food.
2. David is vegetarian, he doesn't eat meat.
3. I want to have Chinese food, and I don't want to go to McDonald's.
4. I like seafood and my dad likes beef.

(二) 1. a) shuí
b) shénme
2. a) jǐ
3. a) jǐ
b) jǐ
c) nǎr

Lesson 9.

(一) 1. Hello, is this the foreign students' dormitory?
2. Operator? Put me through to extension 421, please.
3. This is Wang Hanping, could I speak to David.?
4. Excuse me, may I speak to Manager Li, please?
5. Please tell Li Lan, the flight to Shanghai takes off at 8:35 tomorrow morning.

(二) 1. diànhuà hàomǎ
2. fēnjī
3. guójìzhíbō
4. děngyíxià
5. zhànxiàn
6. jiētōng

7. méi rén jiē dànhuà
8. gōngyòng diànhuà
9. wèi
10. dǎ cuò le

Lesson 10.

(一) 1. àihào
2. diànyǐngmí
3. Kǎlāōukèi
4. gǔdiǎnyīnyuè
5. mínjiānyīnyuè
6. diàoyú
7. xiàqí
8. dúshū
9. yùndòng
10. tiàowǔ

(三) 1. A: Nǐ de àihào shì shénme?
2. A: Nǐ xǐhuān juéshìyuè ma?
3. A: Nǐ xǐhuān bù xǐhuān kǎlā'ōukèi?
4. A: Nǐ zuì xǐhuān de yùndòng shì shénme?
5. A: Nǐ xǐhuān (ài、huì) tiàowǔ ma?
6. A: Nǐ xǐhuān kàn nǎlèi diànyǐng?

Lesson 11.

(一) 1. Wǒ zhōumò yǐjing yǒu yuēhuì le.
2. Wǒ qǐngnǐ míngtiān lái wǒjiā zuòkè.
3. Wǒ zuì xǐhuān de yùndòng shì yóuyǒng.
4. Lǐ Lán xīngqīwǔ wǎnshang liùdiǎnbàn qù Huāyuán jiǔdiàn chī wǎnfàn.

(二) 1. I'd like to invite you to my house on Sunday.
2. This is just a small thing, please take it.
3. Congratulations on your moving to your new house.
4. What a shame, I have already got an appointment on Sunday.

Lesson 12.

(三)

Anna is an American. She comes from New York. Anna's mother is an overseas Chinese. Sometimes she speaks Chinese at home, therefore Anna can speak a little bit of Chinese, but Anna doesn't know how to write Chinese characters. Anna is a college student. She specializes in Library Science at New York University. Anna likes her course on Chinese characters and the course on Chinese History and Geography.

Lesson 13.

(一)

1.	A – 1	B – 3	C – 1	
2.	A – 2	B – 3	C – 2	
3.	A – 3	B – 2	C – 3	
4.	A – 1	B – 2	C – 3	
5.	A – 3	B – 1	C – 3	D – 1
6.	A – 2	B – 3	C – 3	D – 1

(二) 1. Chángchéng, Gùgōng, Yíhéyuán, Shísānlíng, Tiāntán (Běijīng)
Bīngmǎyǒng, Bēilín (xī'ān)
Xīhú, Língyǐn, Liùhétǎ (Hángzhōu)
Líjiāng shānshuǐ (Guìlín)
Bìshǔshānzhuāng, Wàibāmiào (Chéngdé)
Zhōngshānlíng (Nánjīng)
Sūzhōu yuánlín (Sūzhōu)
Chángjiāngsānxiá (Chóngqìng – yíchāng)
Huángshān (Anhuī)
Éméishān (Sìchuān)
Qīxīngyán, Dǐnghúshān (Guǎngdōng)
Liùróngsì, Chénjiācí (Guǎngzhōu)

2. Chūnjié
Yuánxiāojié
Qīngmíngjié
Duānwǔjié
Zhōngqiūjié
Chóngyángjié

3. Xià – Shāng – Zhōu(Chūnqiū, Zhànguó) – Qín – Hàn – Sānguó – jìn – Nánběicháo – Suí – Táng – Sòng – Yuán – Míng – Qīng

Lesson 14.

(一) 1. nǎr
2. a: shénme shíhou
b: duōshǎo
3. shénme bìng
4. xūyào bù xūyào
5. a: zěnmeyàng
b: shénme

(二) 1. tóuténg
2. késou
3. fāshāo
4. dùzi téng(wèiténg)
5. lādùzi fùxiè
6. sǎngzi téng
7. wèikǒu bùhǎo(méiyǒu shíyù)
8. yāo(bèi)téng
9. yáténg
10. zhōngyào

(三)

Mr. (Professor) Li didn't go to class today. He did not feel very well this morning, so he went to hospital to see a doctor. The doctor asked him where the trouble was. Mr. Li said, "I've got a headache and a fever, and my whole body feels weak." The doctor asked him to go to the lab to have a blood test first, then gave him an injection and some medicine.

Lesson 15.

(一)

1. A—3	B—3	C—1	D—3
2. A—3	B—1	C—3	D—1
3. A—2	B—3	C—3	D3
4. A—2	B—1	C—3	D—3

总 词 汇 表

[A]

ā	啊	（叹）	a modal particle, ah, oh	(2)
ài	爱	（动）	love, like	(8)
àihào	爱好	（动．名）	like, be keen on; hobby	(10)
ānpái	安排	（动）	arrange, work out, fix up	(15)
ào	噢	（叹）	O, Oh	(4)

[B]

bā	吧	（助）	used at the end of a sentence to indicate the speaker's suggestion or concent	(2)
bàba	爸爸	（名）	Dad, father	(2)
bǎihuògōngsī	百货公司	（名）	department store	(5)
báitiān	白天	（名）	daytime, day	(2)
bān	班	（名）	class	(12)
bānjiā	搬家		move house	(11)
bàn	半	（形）	half	(4)
bàngōngshì	办公室	（名）	office	(1)
bāoguǒ	包裹	（名）	parcel	(7)
bǎochí	保持	（动）	keep, maintain	(15)
bǐ	比	（介）	than	(13)
bǐjiào	比较	（动．副）	compare, comparatively, relatively	(11)
bìyè	毕业	（动．名）	graduate, graduation	(12)
biān	边	（名）	side	(14)
biànfàn	便饭		a simple meal, potluck	(11)
biànhuà	变化	（动）	change	(14)
biāozhì	标志	（名）	mark, sign, symbol	(6)
biǎoxiànyù	表现欲		showing off	(10)
biǎoyǎn	表演	（动）	performance	(13)
bìng	病	（动．名）	illness, disease	(14)
bōluó	菠萝	（名）	pineapple	(5)
bù	不	（副）	not, no	(1)
búcuò	不错	（形）	not bad, good	(5)
bù gǎn dāng	不敢当		I really don't deserve this.	(11)

búguò	不过		but, neertheless	(13)
bújiànbúsàn	不见不散		not leave the place until we meet	(9)
bùqiǎo	不巧		unfortunately	(11)
bùzhi	布置	(动)	arrange, decorate	(11)

C

cái	才	(副)	just, only	(2)
cài	菜	(名)	dish, course	(8)
càidān	菜单	(名)	menu	(8)
cānguān	参观	(动)	vist, look around	(13)
cān'guǎn	餐馆	(名)	restaurant	(3)
cānjiā	参加	(动)	take part in, join	(12)
cèsuǒ	厕所	(名)	toilet, lavatory, W.C	(6)
céng	层	(量)	floor	(6)
chá	茶	(名)	tea	(5)
chǎnpǐn	产品	(名)	product	(13)
cháng	尝	(动)	taste	(11)
cháng	长	(形)	long	(15)
chǎngtú	长途	(名)	long distance	(9)
chǎng	厂	(名)	factory	(13)
chāozhòng	超重		overweight	(7)
cháodài	朝代	(名)	dynasty, historical perriod	(13)
chǎo	炒	(动)	stirfry	(8)
chē	车	(名)	vehicle, bus, car	(6)
chējiān	车间	(名)	workshop	(13)
chēnghu	称呼	(动, 名)	call, address; form of address	(1)
chéngiì	成绩	(名)	result, achievement	(12)
chéngnán	城南		the southern part of the city	(6)
chī	吃	(动)	eat	(2)
chīfàn	吃饭		have meal	(8)
chūfā	出发	(动)	set out	(13)
chūmén	出门		go out	(2)
chūqù	出去		go out	(2)
chūshòu	出售	(动)	for sale	(13)
chuān	穿	(动)	wear, put on	(14)
chuántǒng	传统	(名)	traditional	(13)

cíqì	瓷器	(名)	porcelain, chinaware	(11)
cì	次	(量)	a measure word	(12)
cóng	从	(介)	from	(1)
cóngqián	从前	(名)	before	(10)
cún	存	(动)	deposit	(7)
cúnkuǎn	存款	(名)	deposit	(7)
cuò	错	(形)	wrong, mistake	(5)

[D]

dǎ	打	(动)	dial	(9)
dǎqiú	打球		play ball games	(10)
dǎsuàn	打算	(动)	plan, intend	(13)
dǎzhēn	打针		have an injection	(14)
dà	大	(形)	big, large	(5)
dàdà	大大	(副)	greatly	(12)
dàgài	大概	(副.形)	approximate, roughly	(6)
dàxué	大学	(名)	university	(3)
dàxuéshēng	大学生	(名)	college student	(3)
dāi	呆	(动)	stay	(15)
dài	带	(动)	bring	(7)
dàifu	大夫	(名)	doctor	(14)
dān	单	(名)	form	(14)
dànshì	但是	(连)	but	(7)
dāngrán	当然	(副)	of course	(8)
dǎoyǎn	导演	(名.动)	director; direct	(10)
dǎoyóu	导游	(名)	tour guide	(13)
dào	到	(动.助)	arrive, go to, a verb complement to show the result of an action	(2)
dē	的	(助)	a structural particle used after an attributive	(1)
de	得	(助)	used after a verb to indicate a complement of result or degree	(7)
…dehuà	…的话		if so	(15)
děng	等	(动)	wait	(11)
děnghòu	等候	(动)	wait	(14)
dì	第	(头)	used before a number to show the or-	

			der	(6)
dìdi	弟弟	（名）	younger brother	(3)
dìfāng	地方	（名）	place	(3)
dìtiě	地铁	（名）	subway	(6)
dìtú	地图	（名）	map	(11)
dìzhǐ	地址	（名）	address	(6)
diǎn	点	（名）	o'clock	(4)
diǎncài	点菜		order food	(8)
diànchē	电车	（名）	trolleybus, tramcar	(6)
diànhuà	电话	（名）	telephone, call	(9)
diànnǎo	电脑	（名）	computer	(12)
diànshì	电视	（名）	TV, TVprograme	(4)
diànyǐng	电影	（名）	film, movie	(10)
diàoyú	钓鱼	（动）	fishing	(10)
dōngxi	东西	（名）	things	(2)
dǒng	懂	（动）	understand, know how to	(12)
dōu	都	（副）	all, both	(2)
dù	度	（量）	degree	(14)
dùzi	肚子	（名）	stomach, belly, abdomen	(14)
duǎnqī	短期		short term	(12)
duì	对	（形）	correct	(4)
duìbùqǐ	对不起		sorry	(1)
duìmiàn	对面	（方名）	opposite, across the way	(6)
dùn	顿	（量）	a measure word of meal	(11)
duō	多	（副）	more	(1)
duōdà	多大		how old, how big	(3)
duōjiǔ	多久		how long time	(7)
duōshǎo	多少	（形）	how many; how much	(5)

[E]

ě'xin	恶心	（名）	sick	(14)

[F]

fāshāo	发烧		have a fever, have a temperature	(14)
fāxiè	发泄	（动）	give vent to, express, let off	(10)
fàn	饭	（名）	meal	(2)

fàndiàn	饭店	（名）	restaurant	(8)
fāngbiàn	方便	（形）	convenient	(7)
fāngmiàn	方面	（名）	aspect, respect	(13)
fángjiān	房间	（名）	room	(9)
fēicháng	非常	（副）	very, extremely	(1)
fēijī	飞机	（名）	airplane, aircraft	(15)
fēijīchǎng	飞机场	（名）	airport	(2)
fēnjī	分机	（名）	extension	(9)
fēnshǒu	分手	（动）	say good－bye, part company	(15)
fēnzhōng	分钟	（名）	minute	(6)
fèn	份	（量）	a measure word	(8)
fēng	封	（量）	measure word for letter	(7)
fēngjǐng	风景	（名）	scenery	(13)
fēngsú	风俗	（名）	customs	(13)
fūrén	夫人	（名）	wife; madam	(11)
fùjìn	附近	（名）	nearby, neighboring	(6)

［G］

gāi	该	（助动）	should	(11)
gǎnmào	感冒	（动．名）	cold	(14)
gǎnqíng	感情	（名）	feelings	(10)
gǎnxiè	感谢	（动）	thank	(1)
gǎnxìngqù	感兴趣		be interested in	(10)
gāng	刚	（副）	just, only a short while ago	(9)
gāngcái	刚才	（副）	just now	(4)
gānghǎo	刚好	（副）	happen to, just	(9)
gāo	高	（形）	high	(7)
gāoxìng	高兴	（形）	glad, happy	(1)
gēge	哥哥	（名）	elder brother	(3)
gè	个	（量）	a common measure word	(2)
gěi	给	（动．介）	give, to, for	(2)
gēn	跟	（动）	with, follow	(15)
gèng	更	（副）	more, still more	(2)
gōngchǎng	工厂	（名）	factory	(13)
gōngchéngshī	工程师	（名）	enjineer	(3)
gōnggòng	公共	（形）	public	(6)

gōngjīn	公斤	(名)	kilogram	(5)
gōngsī	公司	(名)	company, corporation	(1)
gōngyìpǐn	工艺品	(名)	handicraft article	(13)
gōngyuán	公园	(名)	park	(4)
gōngzuò	工作	(名,动)	work, job	(3)
gòu	够	(形)	enough	(8)
gǔ	古	(形)	old, ancient	(13)
gǔdiǎn	古典	(形)	classical	(10)
gǔjì	古迹	(名)	historical sites	(13)
guà	挂(号)	(动)	register at a hospital	(14)
guǎi	拐	(动)	turn	(6)
guàn	罐	(量)	a can of, tin	(8)
guāng	光	(形.动)	used up, nothing left; light	(7)
guǎngfàn	广泛	(形)	extensive	(10)
guàng	逛	(动)	stroll, loaf about	(10)
guānxi	关系	(名)	relation, matter	(4)
guānzhào	关照	(动)	care, look after	(1)
guì	贵	(形)	expensive; dear	(5)
guìxìng	贵姓		What is your surname?	(1)
guìzhòng	贵重	(形)	expensive, valuable, precious	(11)
guó	国	(名)	country, state	(15)
guójì	国际	(名)	international	(9)
guò	过	(助.动)	after a verb to show past experience	(6)
guòchéng	过程	(名)	process, course	(13)

[H]

hái	还	(副)	still	(4)
háishì	还是	(连)	or (in questions)	(7)
hǎixiān	海鲜	(名)	sea food	(8)
hànyǔ	汉语	(名)	Chinese language	(12)
hànzì	汉字	(名)	Chinese character	(12)
hángkōng	航空	(名)	by airmail	(7)
hǎo	好	(形)	good	(1)
hǎojiǔ	好久		very long time	
hǎoxiang	好像	(动)	seem, be like	(7)
hào	号	(名)	number, date	(4)

hē	喝	（动）	drink	(8)
hé	和	（连）	with, and	(15)
héshì	合适	（形）	suitable, appropriate	(11)
hěn	很	（副）	very	(1)
hòuhuìyǒuqī	后会有期	（成）	We'll meet again someday	(15)
huā	花	（动．名）	spend; flower	(7)
huāyuán	花园	（名）	garden	(6)
huáwén	华文	（名）	Chinese language (and culture)	(12)
huà	画	（名．动）	painting, drawing	(10)
huàyànkē	化验科	（名）	laboratory	(14)
huānyíng	欢迎	（动）	welcome show the result of anaction	(1)
huàn	换	（动）	change	(5)
huí	回	（动）	return	(9)
huílái	回来	（动）	return, come back	(9)
huì	会	（动．名）	can, be able to; meeting	(12)
huìhuà	会话	（名）	conversation, speaking	(12)
húnshēn	浑身		whole body	(14)
huódòng	活动	（名）	activity	(10)
huóqī	活期	（形）	current deposit	(7)
huǒchē	火车	（名）	train	(15)
huǒchēzhàn	火车站	（名）	train station	(6)
hùshi	护士	（名）	nurse	(14)
hùzhào	护照	（名）	passport	(7)

[J]

jīhui	机会	（名）	chance, opportunity	(15)
jí	极	（副）	extremely utmost	(4)
jíhé	集合	（动）	gather, assemble	(13)
jǐ	几	（数）	(in a question) how many; (in a statement) several	(3)
jì	寄	（动）	mail, post	(7)
jìhuà	计划	（名动）	plan, program, project	(15)
jìsuànjī	计算机	（名）	computer	(3)
jì…yòu…	既…又…		both …and…	(10)
jiā	家	（名）	home, family, house	(3)
jiā	加	（动）	add	(8)

jiārén	家人	（名）	family members	(10)
jiāshēn	加深	（动）	deepen	(12)
jiàgé	价格	（名）	price	(13)
jiàqī	假期	（名）	holiday, vacation	(15)
jiàn	件	（量）	measure word	(5)
jiàn	见	（动）	see	(2)
jiànmiàn	见面	（动）	meet	(15)
jiǎngjià	讲价	（动）	bargain	(5)
jiǎozi	饺子	（名）	dumpling (with meat and vegetable stuffing)	(8)
jiào	叫	（动）	call	(1)
jiào cái	教材	（名）	teaching material	(12)
jiē	接	（动）	meet	(1)
jiēfēng	接风		give a dinner for a visitor from af	(2)
jiēshàng	街上	（名）	street	(10)
jiérì	节日	（名）	holiday, festival	(13)
jiéshù	结束	（动）	end, finish, conclude, close	(15)
jiějie	姐姐	（名）	elder sister	(3)
jiěmèi	姐妹	（名）	sisters	(3)
jiěkāi	解开	（动）	untie, undo, unbutton	(14)
jièshào	介绍	（动）	introduce	(1)
jīn	斤	（量）	jin (= 1/2 kilogram)	(5)
jīnnián	今年		this year	(3)
jīntiān	今天	（名）	today	(4)
jǐn	紧	（形）	tight	(5)
jìn	进	（动）	come in	(11)
jìnchéng	进城		go downtown	(2)
jìnr	劲儿	（名）	energy, strength	(14)
jīngcháng	经常	（副）	often	(10)
jīnglǐ	经理	（名）	manager	(1)
jiǔdiàn	酒店	（名）	hotel	(6)
jùchǎng	剧场	（名）	theatre	(9)
juédàbùfēn	绝大部分		most, the overwhelming majority	(13)
juédé	觉得	（动）	feel, think	(10)
juédìng	决定	（动）	decide	(15)
juéhuó	绝活	（名）	unique skill	(11)

[K]

kāfēiguǎn	咖啡馆	（名）	cafe, coffee shop	(9)
kǎlā'ōukèi	卡拉 OK	（名）	karaoke	(10)
kāi	开	（动）	write out (a prescription)	(14)
kāishǐ	开始	（动）	begin, start	(14)
kāishuǐ	开水	（名）	boiled water	(14)
kāiyǎn	开演		start, begin, opening of a show	(9)
kàn	看	（动）	see, look	(2)
kànbìng	看病		see a doctor	(14)
kǎoshì	考试	（动）	examination, test	(12)
kē	科	（名）	department	(14)
késou	咳嗽	（动）	cough	(14)
kěnéng	可能	（助动）	may; maybe, possible	(7)
kěshì	可是	（连）	but	(4)
kěyǐ	可以	（动）	may, can	(4)
kè	课	（名）	lesson, class, course	(12)
kè	刻	（名）	quarter	(4)
kèqì	客气	（形）	polite, couteous	(11)
kěndìng	肯定	（形．动）	affirm, positive; definite; certainly	(6)
kòngr	空儿	（形）	free time, spare time	(11)
kǒu	口	（名．量）	mouth, a measure word for family members	(3)
kǒuyǔ	口语	（名）	spoken language	(12)
kuài	快	（形）	fast, quickly	(15)
kuài	块	（量）	measure word	(5)
kuàiji	会计	（名）	accounting, accountan	(3)

[L]

lā	啦	（助）		(4)
là	辣	（形）	hot, pungent, peppery	(8)
lái	来	（动）	come, used before a verb to indicate that one is about to do sth.	(1)
lánqiú	篮球	（名）	basketball	(10)
lǎo	老	（副）	always	(9)

lǎoshī	老师	（名）	teacher	(1)
lē	了	（助）	a modal particle	(2)
lèi	累	（形）	tired	(2)
lèi	类	（名．量）	kind, sort, type	(10)
lí	离	（动）	from	(6)
lǐ	里	（名）	within, in, inside	(15)
lǐwù	礼物	（名）	gift, present	(4)
lìhài	厉害	（形）	serious	(14)
lìlǜ	利率	（名）	intrest rate	(7)
lìshǐ	历史	（名）	history	(13)
liánxì	联系	（动）	contact, touch	(15)
liǎng	两	（数）	two	(5)
liǎojiě	了解	（动）	understand, comprehend	(12)
liúlì	流利	（形）	fluent, smooth	(12)
liúxuéshēng	留学生	（形）	foreign student	(9)
lóu	楼	（名）	building	(6)
lù	路	（名．量）	route, road, way	(6)
lǚxíng	旅行	（动）	travel	(7)
lǚxíngshè	旅行社	（名）	travel agency	(15)
lǚyóu	旅游	（名．动）	travel, tour, journey	(10)

[M]

mǎ	码	（名）	size	(5)
mā	吗	（助）	a modal partical indicate a question	(1)
mā ma	妈妈	（名）	Mom, mother	(2)
máfan	麻烦	（动．形）	trouble, bother; troublesome	(5)
mǎshàng	马上	（副）	at once, immediately	(11)
mǎi	买	（动）	buy	(2)
mài	卖	（动）	sell	(5)
mǎnzú	满足	（动）	satisfy, meet	(10)
máng	忙	（形）	busy	(2)
méi	没	（副）	not	(2)
méiyǒu	没有	（动）	have no, have not	(12)
měi	每	（头）	every	(8)
Měiyuán	美元	（名）	U.S. dollar	(7)
mèimei	妹妹	（名）	younger sister	(3)

mēn	们	（尾）	a suffix after a pronoun or a noun to show plural .	(1)
mén	门	（名，量）	door , gate ; a measure word	(12)
ménkǒu	门口	（名）	doorway , gate	(1)
mí	迷	（名．动）	fan	(10)
mǐfàn	米饭	（名）	cooked rice	(8)
miǎn le	免了		excuse sb . from sth , exempt	(11)
mínháng	民航	（名）	CAAC	(9)
mínzú	民族	（名）	nationality	(13)
míng	名	（名）	famous	(8)
míngshèng	名胜	（名）	a place famous for its scenery or histor - ical relice , scenic spot	(13)
míngtiān	明天	（名）	tomorrow	(4)

[N]

nǎlǐ	哪里		You are flattering me . not so	(12)
nǎr	哪儿	（代）	where	(2)
náshǒu	拿手	（形）	good at , expert	(8)
nàr	那儿	（代）	there	(4)
nán	难	（形）	difficult	(9)
nán	男	（形）	male	(2)
nē	呢	（助）	a modal particle used at the end of sen - tence to form a elliptical question	(2)
nèikē	内科	（名）	medical department	(14)
néng	能	（助动）	can , be able to	(6)
nénggàn	能干	（形）	capable , able , competent	(11)
nǐ	你	（代）	you	(1)
nián	年	（名）	year	(2)
niánjí	年级	（名）	grade	(3)
niánqīng	年轻	（形）	young	(2)
niàn	念	（动）	read , study	(3)
nín	您	（代）	You	(1)

[P]

pái	排	（名）	row	(9)

páijià	牌价	（名）	list price, cxchange rate	(7)
pǎobù	跑步	（动）	run, jogging	(10)
péngyǒu	朋友	（名）	friend	(2)
pèngtóu	碰头		meet	(9)
píjiǔ	啤酒	（名）	beer	(8)
píxié	皮鞋	（名）	leather shoes	(5)
piányi	便宜	（形）	cheap	(5)
piàn	片	（名．量）	film	(10)
piào	票	（名）	ticket	(9)
piàoliàng	漂亮	（形）	pretty	(2)
píng	瓶	（量）	a bottle of	(8)
píngguǒ	苹果	（名）	apple	(5)

[Q]

qí	棋	（名）	chess	(10)
qǐlái	起来	（动）	start to, get up, rise	(4)
qìchē	汽车	（名）	bus, automobile	(6)
qiān	千	（数）	thousand	(7)
qiānfēnzhīqī	千分之七		seven thousandth	(7)
qián	钱	（名）	money	(5)
qián	前	（名）	ahead, front	(6)
qiántiān	前天	（名）	the day before yesterday	(14)
qiāomén	敲门		knock the door	(11)
qiáoqiān	乔迁	（动）	move to a better place	(11)
qīnqì	亲戚	（名）	relatives	(3)
qín	琴	（名）	a general name for certain music in-strument	(10)
qīngcài	青菜	（名）	green vegetable	(8)
qīngchǔ	清楚	（形）	clear	(9)
qīngnián	青年	（名）	youth	(15)
qíngkuàng	情况	（名）	situation, circumstances, state of af-fairs	(13)
qǐng	请	（动）	please	(1)
qǔ	取	（动）	get, fetch	(7)
qù	去	（动）	go, go to	(2)
quān	圈	（名）	circle, round	(15)

[R]

ránhòu	然后	（连）	then, afterwards	(13)
ràng	让	（动）	let	(10)
rén	人	（名）	people, person	(1)
rénmínbì	人民币	（名）	RMB	(7)
rènshi	认识	（动）	know	(1)
rìchéng	日程	（名）	program, schedule	(15)
rìzi	日子	（名）	day, date, life	(4)
róngyì	容易	（形）	easy	(9)
ròu	肉	（名）	meat	(8)
rúguǒ	如果	（连）	if	(4)

[S]

sǎngzi	嗓子	（名）	throat	(14)
shāngdiàn	商店	（名）	shop, store	(3)
shàng	上	（动．名）	go, upper	(2)
shàngcì	上次		last time	(7)
shàngjiē	上街		go shopping, go into the stree	(7)
shàngyī	上衣	（名）	jacket	(14)
shāohòu	稍候		wait a moment	(9)
shǎoshù	少数	（形）	minority	(13)
shèjì	设计	（动）	design	(11)
shèyǐng	摄影	（动）	take a picture, photograph	(10)
shénme	什么	（代）	what	(2)
shēntǐ	身体	（名）	body, health	(2)
shēng	声	（名）	sound, voice	(9)
shēngdiào	声调	（名）	the tone of a Chinese character	(12)
shēngri	生日	（名）	birthday	(4)
shěng	省	（动．名）	save; province	(15)
shīmǔ	师母	（名）	the wife of one's teacher	(2)
shíhòu	时候	（名）	time	(4)
shíjiān	时间	（名）	time	(11)
shízìlùkǒu	十字路口		crossroads	(6)
shǐdì	史地	（名）	history and geography	(12)
shì	事	（名）	matter, business	(9)

shì	是	（动）	be, yes.	(1)
shì	试	（动）	try, try it on	(5)
shìchǎng	市场	（名）	market	(5)
shìróng	市容	（名）	the appearance of a city	(13)
shōu	收	（动）	charge, collect; receive	(7)
shōuxià	收下	（动）	accept, receive	(11)
shōuhuò	收获	（名．动）	results, fruits, gains	(12)
shǒuxùfèi	手续费	（名）	service charge	(7)
shòuhuòyuán	售货员	（名）	shop assistant	(5)
shòupiàochù	售票处	（名）	booking office	(9)
shū	书	（名）	calligraphy, handwriting	(10)
shūdiàn	书店	（名）	book store	(6)
shūfu	舒服	（形）	comfortable	(14)
shǔjià	暑假	（名）	summer holidays	(13)
shuài	帅	（形）	handsome	(2)
shuāng	双	（量）	pair	(5)
shuí	谁	（代）	who, whom	(9)
shuìmián	睡眠	（动）	sleep	(14)
shùnlù	顺路		on the way	(4)
shuō	说	（动）	speak, say	(12)
shuōdìngle	说定了		settled, fixed, agree on	(11)
sòng	送	（动）	give	(2)
sù	素	（名）	vegetarian	(8)
suì	岁	（名）	year of age	(3)
suìshu	岁数	（名）	age	(3)
suǒyǐ	所以	（连）	so, therefore	(12)

[T]

tā	他	（代）	he, him	(3)
tā	它	（代）	it	(10)
tǎ	塔	（名）	pagoda	(13)
tài	太	（副）	too, so	(2)
tàijíquán	太极拳	（名）	shadow boxing	(10)
tàitai	太太	（名）	Mrs.	(1)
tánbúshàng	谈不上		far from being	(10)
tāng	汤	（名）	soup	(8)

tāngyuán	汤圆	(名)	stuffed dumplings made of glutnous rice flour served in soup	(8)
táocí	陶瓷	(名)	pottery and porcelain, ceramics	(13)
tào	套	(量)	set, suit	(11)
tèbié	特别	(形)	special	(10)
tèjià	特价		special price	(8)
téng	疼	(动)	ache, pain	(14)
tíqǔ	提取	(动)	draw	(7)
tì	替	(介,动)	for, replace	(1)
tiānqì	天气	(名)	weather	(4)
tián	甜	(形)	sweet	(5)
tiàowǔ	跳舞	(动)	dance	(10)
tiē	贴	(动)	paste, stick	(7)
tīng	听	(动)	listen, hear	(9)
tōng	通	(动)	through	(9)
tōngcúntōngduì	通存通兑		allow to deposit or withdraw from any bank subbranches	(7)
tóngzhì	同志	(名)	comrade	(1)
tóuténg	头疼		headache	(14)
tuán	团	(名)	group, organization	(15)
tuì	退	(动)	bring down (a fever)	(14)

[W]

wàibiān	外边	(名)	outside	(14)
wàipó	外婆	(名)	mother's mother	(3)
wàiwén	外文	(名)	foreign language	(6)
wán	完	(形.动)	whole; finish, be over	(7)
wánquán	完全	(副)	completely	(12)
wánr	玩儿	(动)	have fun, get together	(11)
wǎnfàn	晚饭	(名)	dinner, supper	(4)
wǎnshàng	晚上	(名)	evening	(2)
wǎng	往	(介)	to	(6)
wǎngfǎn	往返	(动)	round trip, go there and back	(15)
wǎngqiú	网球	(名)	tennis	(10)
wàng	忘	(动)	forget	(4)
wěidà	伟大	(形)	great	(15)

wèi	位	（量）	a measure word used for people	(1)
wèi	喂	（叹）	Hello	(9)
wèidào	味道	（名）	taste, flavor	(11)
wèiténg	胃疼		stomache	(14)
wénhuà	文化	（名）	culture	(12)
wèn	问	（动）	ask	(1)
wènhǎo	问好		send one's regards to	(1)
wǒ	我	（代）	I, me	(1)

[X]

xīhóngshì	西红柿	（名）	tomato	(5)
xīyào	西药	（名）	Western medicine	(14)
xǐ	喜	（形．动）	happy, happiness	(11)
xǐhuān	喜欢	（动）	like	(8)
xià	下	（动．名）	get off	(6)
xiàwǔ	下午	（名）	afternoon	(14)
xiàyǔ	下雨		rain	(4)
xiàlìngyíng	夏令营	（名）	summer camp	(12)
xiān	先	（形）	first	(5)
xiānshēng	先生	（名）	Mister, Sir.	(1)
xiànjīn	现金	（名）	cash	(7)
xiànzài	现在	（名）	now	(4)
xiāng	香	（形）	sweet - smelling, fragrant	(5)
xiāngjiāo	香蕉	（名）	banana	(5)
xiǎng	想	（动）	think, remember	(4)
xiāng	相	（名）	picture, photograph	(13)
xiǎo	小	（形）	small, little, tight	(5)
xiǎojiě	小姐	（名）	Miss, lady appre	(11)
xiǎoqū	小区	（名）	residential district	(6)
xiǎoshí	小时	（名）	hour	(4)
xiǎoshuō	小说	（名）	novel	(10)
xiǎoxuéxiào	小学校	（名）	primary school	(6)
xiǎoyìsi	小意思		little gift as a token of one's regard	
xiào	校	（名）	school	(1)
xié	鞋	（名）	shoes	(5)
xiě	写	（动）	write	

xiè	泻	（动）	diarrhea	(14)
xièxie	谢谢	（动）	thank	(6)
xīnjū	新居		new house, new home	(11)
xīnkǔ	辛苦	（形，动）	hard, tiring, go to great trouble	(1)
xìn	信	（名）	letter	(7)
xīngqī	星期	（名）	week	(4)
xīngqītiān	星期天	（名）	Sunday	(11)
xíng	行	（形）	all right; O.K.	(5)
xìng	姓	（名，动）	Surname, one's surname is.	(1)
xiōngdì	兄弟	（名）	brothers	(3)
xiūjiàn	修建	（动）	construct, build	(13)
xiùlì	秀丽	（形）	beautiful, pretty	(13)
xiūxi	休息	（动）	rest	(14)
xūyào	需要	（助动）	need, should	(14)
xuánniàn	悬念	（名）	suspension, audience involvement	(10)
xuǎnzé	选择	（动）	choose	(15)
xué	学	（动）	study	(3)
xuéshēngzhèng	学生证	（名）	udent's identity cardst	(7)
xuéxí	学习	（动）	study	(1)
xuéxiào	学校	（名）	school	(1)
xuéyuàn	学院	（名）	college, institute	(12)

[Y]

yǎzhì	雅致	（形）	tasteful, elegant, graceful	(11)
yǎnchū	演出	（动．名）	show, performance	(9)
yànxiě	验血		have blood test	(14)
yàngshì	样式	（名）	style, pattern, type	(5)
yào	药	（名）	medicine	(14)
yào	要	（动）	want	(4)
yàoshì	要是	（连）	if	(4)
yě	也	（副）	also	(2)
yīfu	衣服	（名）	clothes	(5)
yīshēng	医生	（名）	doctor	(14)
yīyuàn	医院	（名）	hospital	(6)
yíxiàr	一下儿		one time, once (used after a verb to indicate a brief action)	(1)

yídìng	一定	（副）	certainly, surely	（11）
yìhuìr	一会儿		a while, a shorttime	（4）
yíkuàir	一块儿		together	（8）
yílùshàng	一路上		all the way, throughout the journe	（1）
yíyàng	一样	（形）	same	（12）
yìdiǎnr	一点儿		a little, a bit	（2）
(yì)diǎnr	(一)点儿		a little, a bit	（5）
yímā	姨妈	（名）	mother's sister	（3）
yǐqián	以前	（名）	before	（12）
yǐhòu	以后	（名）	after	（6）
yǐjīng	已经	（副）	already	（11）
yìshù	艺术	（名）	art	（13）
yīnwèi	因为	（连）	because	（10）
yīnyuè	音乐	（名）	music	（10）
yínháng	银行	（名）	bank	（7）
yǐnliào	饮料	（名）	drink	（8）
yīngdāng	应当	（动）	should	（13）
yīngyǔ	英语	（名）	English language	（12）
yòng	用	（动）	use	（7）
yōujiǔ	悠久	（形）	long, age-old	（13）
yóu	游	（动）	tour, travel	（15）
yóujú	邮局	（名）	post office	（7）
yóupiào	邮票	（名）	stamp	（7）
yóulǎn	游览	（动）	go sightseeing, tour	（13）
yóulǎntú	游览图	（名）	tourist map	（13）
yóuyǒng	游泳	（名．动）	swimming, swim	（10）
yǒu	有	（动）	have	（3）
yǒushí	有时	（副）	sometimes	（12）
yǒushì	有事		have something to do	（2）
yǒuyì	友谊	（名）	friendship	（9）
yǒuyìsī	有意思		interesting	（12）
yǒuyòng	有用	（形）	useful	（12）
yòu	又	（副）	again	（5）
yòu	右	（名．形）	right	（6）
yǔfǎ	语法	（名）	grammar	（12）
yúlè	娱乐	（形．动）	entertainment	（10）

yuǎn	远	（形）	far	(6)
yuànyì	愿意	（动）	be willing, wish, want	(15)
yùdiāo	玉雕	（名）	jade carving; jade sculpture	(13)
yuè	月	（名）	month	(4)
yuēhuì	约会	（名．动）	appointment, date	(11)
yùndòng	运动	（名．动）	sports, exercise	(10)

[Z]

zájì	杂技	（名）	acrobatics	(9)
zánmen	咱们	（名）	we, us (including both the speaker and the person or persons spoken to)	(4)
zài	在	（动，介）	to be in (at, etc)	(2)
zài	再	（副）	again	(12)
zàijiàn	再见		good-bye	(2)
zǎo	早	（形，名）	early, morning	(2)
zǎoshàng	早上	（名）	morning	(2)
zěnme	怎么	（代）	How	(1)
zěnmeyàng	怎么样	（副）	how	(5)
zhàn	站	（名．动）	station, stop	(6)
zhànxiàn	占线		the line is busy	(9)
zhāng	张	（量）	a measure word	(9)
zhǎo	找	（动）	look for; find	(6)
zhào	照	（动）	take (pictures)	(13)
zhè	这	（代）	this	(1)
zhème	这么	（代）	so	(11)
zhèyàng	这样	（代）	so, such, like this	(15)
zhēn	真	（副）	really	(9)
zhěnshì	诊室	（名）	consulting room	(14)
zhèngjiàn	证件	（名）	credentials; certificate; I.D.	(7)
zhīdào	知道	（动）	know	(7)
zhīpiào	支票	（名）	cheque	(7)
zhíbō	直拨		direct dialing	(9)
zhìliàng	质量	（名）	quality	(5)
zhìzuò	制作	（动）	make, manufacture	(13)
zhōngcān	中餐	（名）	Chinese food	(8)

zhōngduàn	中断	（动）	discontinue	(13)
zhōngxuéshēng	中学生	（名）	high school student	(3)
zhōngyào	中药	（名）	traditional Chinese medicine	(14)
zhǒng	种	（量）	type, kind	(5)
zhǒnglèi	种类	（名）	kind, type	(13)
zhōumò	周末	（名）	weekend	(4)
zhù	住	（动）	live, stay	(3)
zhùhè	祝贺	（动）	congratulate	(11)
zhùyì	注意	（动）	pay attention to	(14)
zhùyuàn	住院		go into hospital, hospitalized	(14)
zhuānyè	专业	（名）	special field of study, speciality, major	(3)
zhuàn	转	（动）	shift, connect	(9)
zhuǎngào	转告	（动）	pass on	(9)
zìjǐ	自己	（名）	self	(15)
zìyóu	自由	（形）	free	(5)
zǒngjī	总机	（名）	operator	(9)
zǒu	走	（动）	walk, leave	(4)
zúqiú	足球	（名）	football, soccer	(10)
zuótiān	昨天	（名）	Yesterday	(14)
zuǒ	左	（名）	left	(6)
zuǒyòu	左右	（名）	about, around	(7)
zuò	坐	（动）	sit	(6)
zuò	座	（量．名）	a measure word; seat	(13)
zuòkè	做客		being a guest	(11)

专有名词

Běijīng	北京	Peking	(4)
Chén	陈	Chinese surname	(8)
Chéngdū	成都	Chengdu (capital of Sichuan Province)	(15)
Chóngqìng	重庆	Chongqing Municipality	(15)
Chūnjié	春节	Spring Festival	(13)
Dàtóng xiǎoqū	大同小区	Datong Residential District	(6)
Dàwèi	大卫	David	(2)
Dàwèi · kēěr	大卫 · 科尔	David Cole	(9)
dǎizú	傣族	Dai minority nationality	(13)
Duānwǔjié	端午节	Dragon – boat Festival	(13)
Gōngbǎojīdīng	宫保鸡丁	Chicken with peanuts and chili peppe	(8)
Guàiwèijī	怪味鸡	Special flavour chicken	(8)
Guǎngdōng	广东	Guangdong province	(8)
Guǎngzhōu	广州	Canton	(3)
Guìlín	桂林	Guilin city	(13)
Guōbāxiārén	锅巴虾仁	Shrimp with crispy rice	(8)
Hángzhōu	杭州	Hangzhou city	(13)
Háoyóucǎogū	蚝油草菇	Straw mushrooms in oyster sauce	(8)
Hé Míng	何明	a Chinese name	(2)
Hépíngqiáo	和平桥	name of a place	(6)
Hēisēnlínkāfēiguǎn	黑森林咖啡馆	Bla ck Woods Cafe	(9)
Huāyuánjiǔdiàn	花园酒店	Garden Hotel	(6)
Huádōng	华东	Eastern China	(15)
Huángshān	黄山	Huangshan Mountain	(15)
Huíguōròu	回锅肉	Twice – cooked pork with chili	(8)
Jítiányīláng	吉田一郎	Yichiro Yoshida	(9)
Jìnán Dàxué	暨南大学	Jinan University	(12)
jiānádà	加拿大	Canada	(1)
Jiùjīnshān	旧金山	SanFrancisco	(3)
Kǎo rǔzhū	烤乳猪	Roast sucking pig	(8)
Kěkǒkělè	可口可乐	Coca – Cole	(8)
Kūnmíng	昆明	Kunming (capital of Yunnan Province)	(15)
Lǐ Lán	李兰	a Chinese name	(1)

Lín Fēng	林风	a Chinese name	(7)
Liú	刘	a Chinese surname	(1)
Lóngjǐng	龙井	Longjing Tea	(5)
Mǎ	马	a Chinese surname	(2)
Mǎlì	玛丽	Mary	(2)
Mápódòufu	麻婆豆腐	Spicy hot bean curd	(8)
Màidāngláo	麦当劳	McDonald's fast food restaurant	(8)
Měiguó	美国	USA	(1)
Bǐsā	比萨	pizza	(8)
pōshuǐjié	泼水节	Watering Festival	(13)
Qīngzhēngguìyú	清蒸鳜鱼	Steamed mandarin fish	(8)
Sānxiá	三峡	The Three Gorges of Yangtse River	(15)
Sānxiāntāng	三鲜汤	Combination seafood soup	(8)
Shànghǎi	上海	hanghai	(15)
ShìjièGōngyuán	世界公园	World Park	(4)
Sìchuān	四川	Sichuan province	(8)
Sòngdài	宋代	the Song Dynasty (960—1279)	(13)
Tiánzhōng	田中	Tanaka	(9)
Tiěbǎnniúròu	铁板牛肉	Beef pltter	(8)
Wáng	王	a Chinese surname	(1)
WángHànpíng	王汉平	a Chinese name	(1)
Wūlóngchá	乌龙茶	Woolong tea	(8)
Xī'an	西安	Xi'an city	13)
Xīhú	西湖	West Lake (in Hangzhou city)	(5)
Xīqūkēkè	希区柯克	Alfred Hitchcock	(10)
Xiānggǎng	香港	Hong Kong	(15)
Yǒuyìjùchǎng	友谊剧场	Friendship Theatre	(9)
Yú	于	a Chinese surname	(12)
Yúxiāgròusī	鱼香肉丝	Pork shreds and hot sauce	(8)
Zhāng	张	a Chinese surname	(1)
ZhāngZhìyuǎn	张志远	(Mr. Zhang Zhiyuan)	(4)
Zhōngguó	中国	China	(1)
Zhōngguózájìtuán	中国杂技团	Chinese Acrobatics Troupe	(9)
Zhōngqiūjié	中秋节	Mid – autumn Festival	(13)
Zhōngshān	中山	Zhongshan city (in Guangdong province)	(3)

汉语常用交际语

SAY IT IN CHINESE

张军 编写

一、jiātíng 家庭 Family

1 Where's your home?
你 家 在 哪儿?
Nǐ jiā zài nǎr

2 Is your home there?
你 家 就 在 那儿 吗?
Nǐ jiā jiù zài nàr ma

3 Is your home far from here?
你 家 离 这儿 远 吗 ?
Nǐ jiā lí zhèr yuǎn ma

4 My home is not in Guangzhou.
我 家 不 在 广州。
Wǒ jiā bú zài Guǎngzhōu

5 My home is in Hunan Province.
我 家 在 湖南省。
Wǒ jiā zài Húnán Shěng

6 My home is so far from here.
我 家 离 这儿 太 远 了。
Wǒ jiā lí zhèr tài yuǎn le

7 I come from France, I'm a French.
我 是 从 法国 来的， 我 是 法国 人 。
Wǒ shì cóng Fǎguó lái de wǒ shì Fǎguó rén

here	there	nearby
这儿 zhèr	那儿 nàr	附近 fù jìn
Beijing	Tianjin	Shanghai
北京 Běijīng	天津 Tiānjīn	上海 Shànghǎi

Xi'an 西安 Xī'ān	Kunming 昆明 Kūnmíng	Nanjing 南京 Nánjīng
Luoyang 洛阳 Luòyáng	Guangdong Province 广东省 GuǎngdōngShěng	Fujian Province 福建省 FújiànShěng
Hainan Province 海南省 HǎinánShěng	Chaozhou 潮州 Cháozhōu	Shantou 汕头 Shàntóu
Meizhou 梅州 Méizhōu	Taishan 台山 Táishān	Argentina 阿根廷 Āgēntíng
Australia 澳大利亚 Àodàlìyà	Brazil 巴西 Bāxī	the United kingdom 英国 Yīngguó
Canada 加拿大 Jiānádà	Egypt 埃及 Āijí	Greece 希腊 Xīlà
Netherlands 荷兰 Hélán	India 印度 Yìndù	Italy 意大利 Yìdàlì
Indonesia 印度尼西亚 Yìndùníxīyà	Japan 日本 Rìběn	Iran 伊朗 Yīlǎng
Kampuchea 柬埔寨 Jiǎnpǔzhài	Korea 朝鲜 Cháoxiǎn	Malaysia 马来西亚 Mǎláixīyà
Mexico 墨西哥 Mòxīgē	New Zealand 新西兰 Xīnxīlán	Pakistan 巴基斯坦 Bājīsītǎn
Peru 秘鲁 Bìlǔ	Philippines 菲律宾 Fēilǜbīn	Poland 波兰 Bōlán

Portugal	Russia	Singapore
葡萄牙 Pútáoyá	俄罗斯 Éluósī	新加坡 Xīnjiāpō
South Africa 南非 Nánfēi	Spain 西班牙 Xībānyá	Sweden 瑞典 Ruìdiǎn
Switzerland 瑞士 Ruìshì	Thailand 泰国 Tàiguó	U.S.A. 美国 Měiguó

8 How many people are there in your family?
你 家 有 几 口 人？
Nǐ jiā yǒu jǐ kǒu rén

9 There are five in my family.
我 家 有 五 口人。
Wǒ jiā yǒu wǔ kǒu rén

10 I have a big family.
我 家 人很 多。
Wǒ jiā rén hěn duō

11 Do you have any elder brother?
你 有 哥哥 吗？
Nǐ yǒu gēge ma

12 How many children are there in your family?
你们 家 有 几 个 小孩儿？
Nǐmen jiā yǒu jǐ gè xiǎoháir

13 Are you the eldest?
你 是 老大 吗？
Nǐ shì lǎodà ma

14 I have no younger sister.
我 没 有 妹妹。
Wǒ méi yǒu mèimei

15 I'm not the eldest.
我 不 是 老大。
Wǒ bú shì lǎodà

16 I'm the youngest.
我 是 老幺。
Wǒ shì lǎoyāo

17 I'm in the middle.
我 是 中间 的。
Wǒ shì zhōngjiān de

brothers and sisters 兄弟姐妹 xiōngdìjiěmèi	elder brother 哥哥 gēge	elder sister 姐姐 jiějie
younger brother 弟弟 dìdi	younger sister 妹妹 mèimei	die 死 sǐ
husband 丈夫 zhàngfū	wife 妻子 qīzǐ	wife 太太 tàitai
son 儿子 érzi	daughter 女儿 nǚér	child 孩子 háizi
grandson 孙子 sūnzi	age 年纪 niánjì	years(of age) 岁数 suìshu

18 How old is your grandfather?
你 爷爷 多 大 岁数 了?
Nǐ yéye duō dà suìshu le

19 How old is his son?
他 儿子 几 岁 了?
Tā érzi jǐ suì le

20 What job does your elder brother do?
你 哥哥 是 做 什么 工作 的?
Nǐ gēge shì zuò shénme gōngzuò de

21 What's your father's job?
你 父亲 是 干 什么 的?
Nǐ fùqin shì gàn shénme de

22 My younger sister is a accountant.
我 妹妹 是 会计。
Wǒ mèimei shì kuàijì

23 My mother works in a hospital.
我 妈妈 在 医院 上班。
Wǒ māma zài yīyuàn shàngbān

24 My mother is a doctor.
我 妈妈 是 大 夫。
Wǒ māma shì dài fu

25 My grandfather was a teacher.
我 爷爷 以前 是 教师。
Wǒ yéye yǐqián shì jiàoshī

26 His father is a boss of a company.
他 父亲 是 公司 的 老板。
Tā fùqin shì gōngsī de lǎobǎn

27 His younger sister is a movie star.
他 妹妹 是 电影 明星。
Tā mèimei shì diànyǐng míngxīng

28 My grandfather has retired.
我 爷爷 已经 退休 了。
Wǒ yéye yǐjīng tuìxiū le

businessman 商人 shāngrén	farmer 农民 nóngmín	lawyer 律师 lǜshī
reporter 记者 jìzhě	artist 艺术家 yìshùjiā	dirver 司机 sījī
waiter / waitress 服务员 fúwùyuán	cop 警察 jǐngchá	manager 经理 jīnglǐ

29 He got married last year.
他 去年 结婚 了。
Tā qùnián jiéhūn le

30 I have no girlfriend yet.
我 还 没 对象 呢。
Wǒ hái méi duìxiàng ne

31 His elder sister will get married next year.
他 姐姐 明年 结婚。
Tā jiějie míngnián jiéhūn

32 They divorced last year.
他们 去年 离婚 了。
Tāmen qùnián líhūn le

33 That man is his stepfather
那 人 是 他 继父。
Nà rén shì tā jìfù.

boyfriend or girlfriend	boyfriend	girlfriend
对象 duìxiàng	男朋友 nánpéngyou	女朋友 nǚpéngyou
be engaged	get married	divorce
订婚 dìnghūn	结婚 jiéhūn	离婚 líhūn

34 Do you have any relatives in Guangzhou?
你 在 广州 有 亲戚 吗?
Nǐ zài Guǎngzhōu yǒu qīnqi ma

35 I have no relative here.
我 在 这儿 没 有 亲戚。
Wǒ zài zhèr méi yǒu qīnqi

36 I have an uncle in Shantou.
我 在 汕头 有 一 个 舅舅。
Wǒ zài Shàntóu yǒu yí gè jiùjiu

37 My grandfather was born in Fujian Province.
我 爷爷 是 在 福建 出生 的。
Wǒ yéye shì zài Fújiàn chūshēng de

mother's father 外公／姥爷 wàigong/lǎoye	mother's mother 外婆／姥姥 wàipó /lǎolao
father's elder brother 伯父 bófù	wife of father's elder brother 伯母 bómǔ
father's younger brother 叔叔 shūshu	wife of father's younger brother 婶儿 shěnr

二、 gòuwù 购物 Shopping

1 Where is the Friendship Store?
友谊　商店　在　哪儿？
Yǒuyì Shāngdiàn zài nǎr

2 Where is the nearest store?
最近　的　百货　商店　在　哪儿？
Zuìjìn de bǎihuò shāngdiàn zài nǎr

3 How much is this?
这个　多少　钱？
Zhège duōshǎo qián

4 How much for one bottle?
多少钱一瓶？
Duōshǎo qián yī píng

5 Can you show me that one?
请　把　那个　拿　给　我　看看。
Qǐng bǎ nàge ná gěi wǒ kànkan

6 I want that blue one.
我　要　那个　蓝色　的。
Wǒ yào nàgè lánsè de

7 I'd like this one.
我　喜欢　这个。
Wǒ xǐhuān zhège

8 What is it made of?
这　是　用　什么　做　的？
Zhè shì yòng shénme zuò de

9 Can I try it on?
我　试　一下儿，行　吗？
Wǒ shì yíxiàr xíng ma

10 Do you have a larger size?
有 大 点儿 的 吗?
Yǒu dà diǎnr de ma

11 It's too expensive.
太 贵 了!
Tài guì le

12 Could you make it cheaper, please?
便宜 点儿, 行 吗?
Piányi diǎnr xíng ma

13 There's something wrong here, could you show me another one?
这儿 有 点儿 毛病, 请 您 换 一 个。
zhèr yǒu diǎnr máobìng qǐng nín huàn yí ge

14 Please give me a receipt.
请 给 我 开 一 张 发票。
qǐng gěi wǒ kāi yì zhāng fāpiào

big/large 大 dà	small 小 xiǎo	long 长 cháng
short 短 duǎn	light(weight) 轻 qīng	heavy 重 zhòng
number(of size) 号 hào	metre 米 mǐ	Chinese jin 斤 jīn
kilogram 公斤 gōngjīn	round 圆形 yuánxíng	rectangular 长方形 chángfāngxíng
square 方形 fāngxíng	box 盒 hé	bottle 瓶 píng

（一）yīfu 衣服 Clothing

我想买一件
衬衣。

1 I'd like a shirt.
我 想 买 一件 衬衣。
Wǒ xiǎng mǎi yí jiàn chènyī

2 I want a jacket for a boy.
我 想 买 一件 男孩 穿 的 夹克。
Wǒ xiǎng mǎi yí jiàn nánhái chuān de jiákè

3 Is it pure cotton?
这 是 纯棉 的 吗?
Zhè shì chúnmián de ma

4 What is the suit made of?
这 套 西服 是 用 什么 料子 做 的?
Zhè tào xīfú shì yòng shénme liàozi zuò de

我不喜
欢这种
颜色。

5 Is this sweater pure wool?
这 毛衣 是 纯毛 的 吗?
Zhè máoyī shì chúnmáo de ma

6 I don't like the color.
我 不 喜欢 这 种 颜色。
Wǒ bù xǐhuān zhè zhǒng yánsè

这种料子褪色吗?

7 Is it color fast?
这 种 料子 褪色 吗?
Zhè zhǒng liàozi tuìsè ma

8 Is this silk or rayon?
这 是 真丝 还是 人造丝?
Zhè shì zhēnsī háishì rénzàosī

9 Have you any other colors?
你们 有 别的 颜色 吗?
Nǐmen yǒu biéde yánsè ma

10 Have you any other patterns?
有 别的 样式 吗?
Yǒu biéde yàngshì ma

11 I want a darker shade.
我 想 要 颜色 深 点儿的。
Wǒ xiǎng yào yánsè shēn diǎnr de

12 Where's the changing room?
试衣室 在 哪儿?
Shìyīshì zài nǎr

13 Is there a mirror?
这儿 有 镜子 吗?
Zhèr yǒu jìngzi ma

14 It fits very well.
这 件 很 合身。
Zhè jiàn hěn héshēn

15 It doesn't fit.
这 件 不 合身。
Zhè jiàn bù héshēn

16 It's too tight.
太 紧 了。
Tài jǐn le

17 Do you have a larger one?
有 大 一点 的 吗?
Yǒu dà yìdiǎn de ma

18 Do you have a suit to fit me?
你们 有 没有 适合 我 穿 的 西服?
Nǐmen yǒu méiyǒu shìhé wǒ chuān de xīfú

19 There's something wrong with the zip.
拉链 有 点儿 毛病 。
Lāliàn yǒu diǎnr máobìng

white	red	orange
白色	红色	橘 红色
báisè	hóngsè	júhóngsè

green 绿色 lǜsè	blue 蓝色 lánsè	grey 灰色 huīsè
brown 棕色 zōngsè	yellow 黄色 huángsè	golden 金黄色 jīnhuángsè
black 黑色 hēisè	dark(color) 深色 shēnsè	light(color) 浅色 qiǎnsè
hat/cap 帽子 màozi	scarf 围巾 wéijīn	shirt/blouse 衬衣 chènyī
jacket 夹克 jiákè	coat 大衣 dàyī	raincoat 雨衣 yǔyī
tie 领带 lǐngdài	suit 西服 xīfú	gloves 手套 shǒutào
sweater 毛衣 máoyī	trousers 裤子 kùzi	shorts 短裤 duǎnkù
T- shirt T 恤衫 T xùshān	skirt 裙子 qúnzi	socks 袜子 wàzi
underwear 内衣 nèiyī	swimsuit 游泳衣 yóuyǒngyī	bra 胸罩 xiōngzhào
belt 腰带 yāodài	button 扣子 kòuzi	collar 衣领 yīlǐng

pocket 口袋儿 kǒudàir	sleeve 袖子 xiùzi	elastic 松紧带儿 sōngjǐndàir
zip 拉链 lāliàn	tight 紧/小 jǐn xiǎo	loose 松/肥 sōng féi

（二） xié 鞋 Shoes

1 I'd like a pair of black leather shoes.
我 要 买 一 双 黑 皮鞋。
Wǒ yào mǎi yì shuāng hēi píxié

2 These shoes are too big.
鞋子 太 大 了。
Xiézi tài dà le

3 Do you have a smaller size?
有 小 点儿 的 吗？
Yǒu xiǎo diǎnr de ma

4 Please show me a smaller size.
请 给 我 一 双 号码 小 点儿 的。
Qǐng gěi wǒ yì shuāng hàomǎ xiǎo diǎnr de

5 Do you have the same in black?
这 种 样式 有 黑色 的 吗？
Zhè zhǒng yàngshì yǒu hēsè de ma

6 Is it genuine leather?
是 真皮 的 吗？
Shì zhēnpí de ma

7 I'd like some shoe polish.
我 想 买 鞋油。
Wǒ xiǎng mǎi xiéyóu

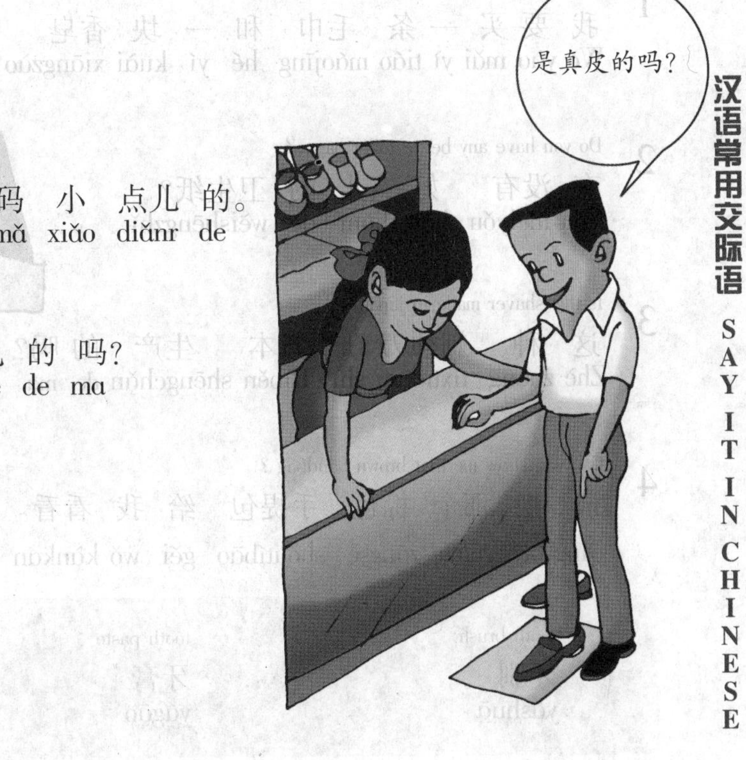

boots	slippers	cotton shoes
靴子 xuēzi	拖鞋 tuōxié	布鞋 bùxié
sandals	sneakers	sports shoes
凉鞋 liángxié	球鞋 qiúxié	运动鞋 yùndòngxié
shoelaces	heel	high-heeled shoes
鞋带儿 xiédàir	鞋跟儿 xiégēnr	高跟儿 鞋 gāogēnr xié
flat shoes	narrow	wide
平底儿 鞋 píngdǐr xié	紧/瘦 jǐn/shòu	松/肥 sōng/féi

(三) rìyòngpǐn 日用品 Daily Necessities

1 I want a towel and a toilet soap.
我 要 买 一 条 毛巾 和 一 块 香皂。
Wǒ yào mǎi yì tiáo máojīng hé yí kuài xiāngzào

2 Do you have any better toilet paper?
有 没有 好 点儿 的 卫生纸?
Yǒu méiyǒu hǎo diǎnr de wèishēngzhǐ

3 Is this shaver made in japan?
这 种 剃须刀 是 日本 生产 的 吗?
Zhè zhǒng tìxūdāo shì Rìběn shēngchǎn de ma

4 Can you show me that brown handbag ?
请 把 那个 棕色 手提包 给 我 看看。
Qǐng bǎ nàge zōngsè shǒutíbāo gěi wǒ kànkan

tooth brush	tooth paste	toilet soap
牙刷 yáshuā	牙膏 yágāo	香皂 xiāngzào

soap	washing powder	shampoo
肥皂 féizào	洗衣粉 xǐyīfěn	洗发精 xǐfàjīng
hairbrush 梳子 shūzi	mirror 镜子 jìngzi	cosmetitics 化妆品 huàzhuāngpǐn
razor 剃须刀 tìxūdāo	umbrella 雨伞 yǔsǎn	wallet 钱包 qiánbāo
glasse 眼镜 yǎnjìng	salarm clock 闹钟 nàozhōng	watch 手表 shǒubiǎo

（四）shípǐn 食品 Food

1 Please give me a milk.
请 给 我 拿 一 瓶 牛奶。
Qǐng gěi wǒ ná yì píng niúnǎi

2 Is this milk fersh
牛奶 新鲜 吗？
Niúnǎi xīnxiān ma

3 I'd like a loaf of bread, please.
请 给 我 拿 一 个 面包。
Qǐng gěi wǒ ná yí gè miànbāo

4 How much is it for a jar of jam?
果酱 多少 钱 一瓶？
Guǒjiàng duōshǎo qián yì píng

5 May I help myself ?
我 自己 拿，行吗？
Wǒ zìjǐ ná xíngma

6 I'd like a kilo of eggs.
我 要 买 两 斤 鸡蛋。
Wǒ yào mǎi liǎng jīn jīdàn

7 I like popsicles very much.
我 很 喜欢 吃 冰棍儿。
Wǒ hěn xǐhuān chī bīnggùnr

candy 糖果 tángguǒ	biscuit 饼干 bǐnggān	sandwich biscuit 夹心饼 jiāxīnbǐng
cracker 苏打饼 sūdábǐng	milk powder 奶粉 mǎifěn	sausages 香肠 xiāngcháng
chocolate 巧克力 qiǎokèlì	coffee 咖啡 kāfēi	tea 茶 chá
cube sugar 方糖 fāngtáng	cake 蛋糕 dàngāo	ice crean 冰淇淋 bīngqílín

(五) shū、bào 书、报 Books and Newspapers

1 Where's the Xinhua Bookshop?
新华 书店 在 哪儿?
Xīnhuá shūdiàn zài nǎr

2 I'd like a Chinese-English dictionary.
我 要 买 一 本 《汉英词典》。
Wǒ yào mǎi yì běn Hàn-Yīngcídiǎn

3 Is Foreign Language Bookshop on the second floor?
外文 书店 在 二 楼 吗?
Wàiwén shūdiàn zài èr lóu ma

4 Do You have any Chinese textbook?

你们 有 汉语 课本 吗?

Nǐmen yǒu Hànyǔ kèběn ma

5 Where can I buy an English-language newspaper?

哪儿 能 买到 英文 报纸?

Nǎr néng mǎidào yīngwén bàozhǐ

6 Where do you keep the English books?

英文 书 放 在 哪儿?

Yīngwén shū fàng zài nǎr

7 I'd like a map of china.

我 要 买 一 张 中国 地图。

Wǒ yào mǎi yì zhāng Zhōngguó dìtú

8 Where is the guidebook section?

哪儿 卖 旅游 指南?

Nǎr mài lǚyóu zhǐnán

9 Do you have second-hand books?

你们 这儿 卖 旧书 吗?

Nǐmen zhèr mài jiùshū ma

10 Has this book been translated into English?

这本 书 译成 英文 了 吗?

Zhèběn shū yìchéng yīngwén le ma

11 Who is the translator?

是 谁 翻译 的?

Shì shuí fānyì de

12 I want to buy the latest edition of that book.

我 要 买 那本 书 最 新 的 版本。

Wǒ yào mǎi nàběn shū zuì xīn de bǎnběn

13 Please give me today's paper.

请 给 我 一 份儿 今天 的 报纸。

Qǐng gěi wǒ yí fènr jīntiān de bàozhǐ

14 How much is this paper?

这种 报纸 多少 钱 一 份儿?

Zhèzhǒng bàozhǐ duōshǎo qián yí fènr

15 How often does this magazine come out?
这份 杂志 多长 时间 出一 期?
Zhèfèn zázhì duōcháng shíjiān chū yì qī

dictionary 字典/词典 zìdiǎn/cídiǎn	textbook 课本 kèběn	Chinese-English dictionary 汉英词典 hàn -yīngcídiǎn
pocket dictionary 袖珍词典 xiùzhēncídiǎn	newsstand 报刊亭 bàokāntíng	English-Chinese dictionary 英汉词典 Yīng - hàncídiǎn
calendar 日历 rìlì	map 地图 dìtú	map of China 中国地图 Zhōngguó dìtú
map of the world 世界地图 shìjièdìtú	daily 日报 rìbào	China Daily 中国日报 ZhōngguóRìbào
author 作者 zuòzhě	novel 小说 xiǎoshuō	editor 编辑 biānjí
publishing house 出版社 chūbǎnshè	reporter 记者 jìzhě	advertisement 广告 guǎnggào

(六) wénjù 文具 Stationery

1 How much is the notebook?
笔记 本 多少 钱 一 个?
Bǐjì běn duōshǎo qián yí gè

2 I'd like three exercise-book.
我 要 三 个 练习本。
Wǒ yào sān gè liànxíběn

3 Do you have any pencil sharpener?
你 有 铅笔刀 吗?
Nǐ yǒu qiānbǐdāo ma

4 I wand to buy some Chinese brushes for my friend.
我 想 给 我 朋友 买 几 支 毛笔。
Wǒ xiǎng gěi wǒ péngyou mǎi jǐ zhī máobǐ

fountain pen 钢笔 gāngbǐ	ball-point pen 圆珠笔 yuánzhūbǐ	Chinese brush 毛笔 máobǐ
ruler 尺子 chǐzi	eraser 橡皮擦 xiàngpícā	glue 胶水 jiāoshuǐ
ink 墨水 mòshuǐ	calculator 计算器 jìsuànqì	abacus 算盘 suànpán
envelopes 信封 xìnfēng	addressbook 通讯录 tōngxùnlù	inkstone 砚台 yàntái

（七）zhūbǎo gōngyì měishùpǐn
珠宝、工艺美术品
Jewellery, Arts & Crafts

1 Could I see that, please?
能 看 一下儿 那个 吗?
Néng kàn yíxiàr nàge ma

2 Do you have anything in gold?
你 这儿 有 金饰 吗?
Nǐ zhèr yǒu jīnshì ma

3 How many karats is this ring?
戒指 是 多少 开 金 的?
Jièzhi shì duōshǎo kāi jīn de

4 Is this real silver?
这 是 纯 银 的 吗?
Zhè shì chún yín de ma

5 Where can I get an embroidered tablecloth?
哪儿 能 买到 绣花 桌布?
Nǎr néng mǎidào xiùhuā zhuōbù

6 I'd like to see that jade carvings.
我 想 看看 那 几 件 玉雕。
Wǒ xiǎng kànkan nà jǐ jiàn yùdiāo

7 Is this an original painting?
这 幅 画儿 是 原作 吗?
Zhè fú huàr shì yuánzuò ma

8 Could you tell something about the painter, please?
能 不 能 给 我们 介绍 一下儿 画家 的 情况?
Néng bù néng gěi wǒmen jièshào yíxiàr huàjiā de qíngkuàng

9 How long has the painter been dead?
画家 逝世 多少 年 了?
Huàjiā shìshì duōshao nián le

10 I'm very in terested in Chinese stone rubbings.
我 对 中国 拓碑 很 感 兴趣。
Wǒ duì Zhōngguó tàbēi hěn gǎn xìngqu

gold	silver	crystal
金	银	水晶
jīn	yín	shuǐjīng

diamond	钻石	zuànshí
gold-plated	镀金	dùjīn
pearl	珍珠	zhēnzhū
chinaware	瓷器	cíqì
cloisonné enamel	景泰蓝	jǐngtàilán
jade	玉	yù
bambooware	竹器	zhúqì
embroidery	刺绣	cìxiù
wax printing	蜡染	làrǎn
carpet	地毯	dìtǎn
tapestry	挂毯	guàtǎn
paper-cut	剪纸	jiǎnzhǐ
fan	扇子	shànzi
ear ring	耳环	ěrhuán
necklace	项链	xiàngliàn
Chinese seal	印章	yìnzhāng
tea set	茶具	chájù
tea pot	茶壶	cháhú
lacquerware	漆器	qīqì
calligraphy	书法	shūfǎ
Chinese painting	国画	guóhuà
oil painting	油画	yóuhuà
poster	招贴画	zhāotiēhuà
woodcut	木刻	mùkè

（八）yīnxiàng qìcái 音像器材
Audio and Video Equipments

1 Do you have any records of Chinese classical music?
你 这儿 有 中国 古典 音乐 唱片 吗?
Nǐ zhèr yǒu Zhōngguó gǔdiǎn yīnyuè chàngpiàn ma

2 Can I listen to this record?
我 能 不 能 听听 这 张 唱片?
Wǒ néng bù néng tīngting zhè zhāng chàngpiàn

3 I'd like a cassette.
我 要 买 一 盒 磁带。
Wǒ yào mǎi yì hé cídài

4 I want to buy a good quality earphone.
我 要 买 一 付 好 耳机。
Wǒ yào mǎi yí fù hǎo ěrjī

5 There's something wrong with my walkman.
我 的 随身听 出了 点儿 毛病。
Wǒ de suíshēntīng chūle diǎnr máobìng

6 I want to have my VCR repaired.
我 要 修 一下儿 我 的 录像机。
Wǒ yào xiū yíxiàr wǒ de lùxiàngjī

recorder	tape	cassette
录音机	磁带	盒式磁带
lùyīnjī	cídài	héshìcídài
stereo	earphone	walkman
立体声	耳机	随身听
lìtǐshēng	ěrjī	suíshēntīng
music	classical music	pop music
音乐	古典音乐	流行
yīnyuè	gǔdiǎn yīnyuè	liúxíng yīnyuè

Hi-Fi stereo 音响 yīnxiǎng	songs 歌曲 gēqǔ	folk songs 民歌 míngē
symphony 交响乐 jiāoxiǎngyuè	violin 小提琴 xiǎotíqín	piano 钢琴 gāngqín
VCR 录像机 lùxiàngjī	remote controller 摇控器 yáokòngqì	records 唱片 chàngpiàn
CD 唱碟 chàngdié	LD 影碟 yǐngdié	VCD 小影碟 xiǎoyǐngdié

（九） huā 、niǎo 花、鸟 Flowers and Birds

1 What fresh flowers do you have?
你们 有 什么 鲜花?
Nǐmen yǒu shénme xiānhuā

2 Please give me a bunch of roses.
请 给 我 一 束 玫瑰。
Qǐng gěi wǒ yí shù méiguì

3 Do you perfer red or yellow rose?
你 喜欢 红 玫瑰 还是 黄 玫瑰?
Nǐ xǐhuān hóng méiguì háishì huáng méiguì

4 Can the parrot speak?
鹦鹉 会 说话 了 吗?
Yīngwǔ huì shuōhuà le ma

fresh flowers 鲜花 xiānhuā	rose 玫瑰 méiguì	Chinese rose 月季 yuèjì
chrysanthemum 菊花 júhuā	jasmine 茉莉 mòlì	cassia 桂花 guìhuā
lotus 荷花 héhuā	orchid 兰花 lánhuā	tulip 郁金香 yùjīnxiāng
cactus 仙人掌 xiānrénzhǎng	rockery 假山 jiǎshān	birdcage 鸟笼 niǎolóng
thrush 画眉 huàméi	myna 八哥 bāgē	lark 百灵 bǎilíng

（十） shuǐguǒ 水果 Fruits

1 Do you have any fruit?
你们 这儿 有 水果 吗?
Nǐmen zhèr yǒu shuǐguǒ ma

2 I'd like some apples.
我 想 买 一 些 苹果。
Wǒ xiǎng mǎi yì xiē píngguǒ

3 How much is it for half kilo apples?
苹果 多少 钱 一 斤?
Píngguǒ duōshǎo qián yì jīn

4 Can I buy half of the watermelon?
能 买 半 个 西瓜 吗?
néng mǎi bàn gè xīguā ma

5 Are the grapes sweet?
葡萄 甜 不 甜?
pútao tián bù tián

apple 苹果 píngguǒ	pear 梨 lí	banana 香蕉 xiāngjiāo
orange 橘子 júzi	plum 李子 lǐzi	lychee 荔枝 lìzhī
mango 芒果 mángguǒ	pineapple 菠萝 bōluó	lemon 柠檬 níngméng
grape 葡萄 pútao	watermelon 西瓜 xīguā	strawberry 草莓 cǎoméi
coconut 椰子 yēzi	longan 龙眼 lóngyǎn	shaddock 柚子 yòuzi
peach 桃子 táozi	cherry 樱桃 yīngtáo	chinese date 枣 zǎo

三、zài cāntīng 在餐厅 In a Restaurant

1 What kind of tea do you like?
请 问 你们 想 喝 什么 茶？
Qǐng wèn nǐmen xiǎng hē shénme chá

2 Black tea or green tea?
红茶 还是 绿茶？
Hóngchá háishì lǜchá

3 I'd like some jasmine tea.
我 想 喝 点儿 茉莉花 茶。
Wǒ xiǎng hē diǎnr mòlìhuā chá

4 What kind of soft drinks do you have?
你们 有 什么 饮料？
Nǐmen yǒu shénme yǐnliào

5 I'd like a cup of coffee.
请 给 我 来 一 杯 咖啡。
Qǐng gěi wǒ lái yì bēi kāfēi

6 Have you any fruit juice?
你们 有 果汁 吗？
Nǐmen yǒu guǒzhī ma

oolong tea 乌龙茶 wūlóngchá	chrysanthemum tea 菊花茶 júhuāchá	lemon juice 柠檬汁 níngméngzhī
orange juice 橘子汁 júzizhī	milk 牛奶 niúnǎi	yoghurt 酸奶 suānnǎi
coconut juice 椰子汁 yēzizhī	mineral water 矿泉水 kuàngquánshuǐ	soda water 汽水儿 qìshuǐr

Coca-Cola	Pepsi-Cola	Jianlibao
可口可乐	百事可乐	健力宝
Kěkǒukělè	Bǎishìkělè	Jiànlìbǎo

7 I'm hungry.
我饿了。
Wǒ è le

8 I'm thirsty.
我渴了。
Wǒ kě le

9 Could we have another chair, please?
请 给 我们 加 一 把 椅子。
Qǐng gěi wǒmen jiā yì bǎ yǐzi

10 Could you give us another table?
我们 想 换 一 张 桌子。
Wǒmen xiǎng huàn yì zhāng zhuōzi

11 What do you recommend?
你 有 什么 好 介绍 的?
Nǐ yǒu shénme hǎo jièshào de

12 I'd like to order these dishes.
我 要 点 这些 菜。
Wǒ yào diǎn zhèxiē cài

13 What's the name of this dish?
这个 菜 叫 什么 名字?
Zhège cài jiào shénme míngzi

meat	pork	beef
肉	猪肉	牛肉
ròu	zhūròu	niúròu
mutton	chicken	duck
羊肉	鸡	鸭
yángròu	jī	yā

goose	pigeon	turkey
鹅	鸽子	火鸡
é	gēzi	huǒjī

14 What kind of vegetables do you have?
你们 有 什么 蔬菜？
Nǐmen yǒu shénme shūcài

green vegetable	Chinese cabbage	radish
青菜	白菜	萝卜
qīngcài	báicài	luóbo
carrot	eggplant	spinach
胡萝卜	茄子	菠菜
húluóbo	qiézi	bōcài
tomato	pimiento	celery
西红柿	辣椒	芹菜
xīhóngshì	làjiāo	qíncài
mushroom	lotus root	pumpkin
蘑菇	藕	南瓜
mógu	ǒu	nánguā
cucumber	Chinese chives	green onion
黄瓜	韭菜	葱
huángguā	jiǔcài	cōng
garlic	corn	potato
蒜	玉米	土豆
suàn	yùmǐ	tǔdòu
bean curd	balsam pear	bean sprouts
豆腐	苦瓜	豆芽儿
dòufu	kǔguā	dòuyár

15
I like fishes very much.
我 很 爱 吃 鱼。
Wǒ hěn ài chī yú

carp	grass carp	chum salmon
鲤鱼	草鱼	大马哈鱼
lǐyú	cǎoyú	dàmǎhāyú
eel	finless eel	mandarin fish
鳗鱼	鳝鱼	鳜鱼
mányú	shànyú	guìyú
silver carp	crucian carp	bream
鲢鱼	鲫鱼	鳊鱼
liányú	jìyú	biānyú

16
What kind of seafood have you got?
你们 有 什么 海鲜?
Nǐmen yǒu shénme hǎixiān

grouper	perch	squid
石斑鱼	鲈鱼	鱿鱼
shíbānyú	lúyú	yóuyú
crab	shrimp	lobster
螃蟹	虾	龙虾
pángxiè	xiā	lóngxiā
prawn	oyster	scallop
大虾	蚝	扇贝
dàxiā	háo	shànbèi

17
I'd like a bottle of wine.
我 想 要 一瓶 酒。
Wǒ xiǎng yào yìpíng jiǔ

18 I'd like a glass of beer.

我 想 要 一杯 啤酒。

Wǒ xiǎng yào yìbēi píjiǔ

19 How much is a bottle of Maotai?

茅台酒 多少 钱 一 瓶?

Máotáijiǔ duōshǎo qián yì píng

20 Haven't you anything cheaper?

有 便宜 点儿 的 吗?

Yǒu piányi diǎnr de ma

21 Bring me another bottle of beer, please.

请 再 来 一 瓶 啤酒。

Qǐng zài lái yì píng píjiǔ

22 What's the name of this wine?

这 种 葡萄酒 叫 什么 名字?

Zhè zhǒng pútaojiǔ jiào shénme míngzi

23 Where does this wine come from?

这 种 葡萄酒 是 从 哪儿 来 的?

Zhè zhǒng pútaojiǔ shì cóng nǎr lái de

24 Bring us a dozen of steamed bun, please.

请 给 我们 来 一 打 馒头。

Qǐng gěi wǒmen lái yì dá mántou

25 I'd like to have some fried noddles.

我 想 吃 点儿 炒面。

Wǒ xiǎng chī diǎnr chǎomiàn

(steamed) rice	(fried) rice	bread
米饭	炒饭	面包
mǐfàn	chǎofàn	miànbāo
steamed stuffed bun	dumpling	spring roll
包子	饺子	春卷儿
bāozi	jiǎozi	chūnjuǎnr

That's not what I ordered.

26 这 不 是 我 点 的 菜。
Zhè bú shì wǒ diǎn de cài

I don't like this.

27 我 不爱 吃 这个。
Wǒ bú ài chī zhège

This is not fresh.

28 这 菜 不 新鲜。
Zhè cài bù xīnxian

This dish is cold.

29 这个 菜 是 凉 的。
Zhège cài shì liáng de

What's taking so long?

30 为什么 那么 慢?
Wèishénme nàme màn

I asked for a small plate.

31 我 要 的 是 小 盘 的。
Wǒ yào de shì xiǎo pán de

The meat is underd one.

32 这 肉 还 没 熟。
Zhè ròu hái méi shú

This is too bitter.

33 这 菜 太 苦 了。
Zhè cài tài kǔ le

This is too salty.

34 这 菜 太 咸 了。
Zhè cài tài xián le

This is too peppery.

35 这 菜 太 辣 了。
Zhè cài tài là le

36 Would you ask your manager to come over?
叫 你们 经理 来。
Jiào nǐmen jīnglǐ lái

37 Would you pass the salt?
请 把 盐 递 给 我。
Qǐng bǎ yán dì gěi wǒ

38 Cheers!
干杯!
Gānbēi

39 May I have the bill, please?
请 把 账单 拿 给 我。
Qǐng bǎ zhàngdān ná gěi wǒ

40 Where should we pay?
我们 在 哪儿 付 钱?
Wǒmen zài nǎr fù qián

41 That was a very good meal.
这 顿 饭 吃 得 很 好。
Zhè dùn fàn chī de hěn hǎo

42 We enjoyed it, thank you.
我们 吃 得 很 满意,谢谢!
Wǒmen chī de hěn mǎnyì xièxie

四、zài yóujú 在邮局 At the Post Office

1 What time does the post office open?
邮局 几 点 钟 开门？
Yóujú jǐ diǎn zhōng kāimén

2 What time does the post office open?
邮局 什么 时间 营业？
Yóujú shénme shíjiān yíngyè

3 I want to send a registered letter.
我 要 寄 一 封 挂号 信。
Wǒ yào jì yì fēng guàhào xìn

4 What is the postage for a postcard?
寄 明信片 要 多少 钱？
Jì míngxìnpiàn yào duōshao qián

5 Where do you want to send this to?
你 要 寄到 哪儿？
Nǐ yào jìdào nǎr

6 What is the postage for a letter by express to England?
一封 寄到 英国 的 特快 信 要 多少 钱？
Yìfēng jìdào Yīngguó de tèkuài xìn yào duōshao qián

7 Your letter is over weight
你 的 信 超 重 了。
Nǐ de xìn chāo zhòng le

8 How many stamps should I stick on?
我 应该 贴 多少 邮票？
Wǒ yīnggāi tiē duōshao yóupiào

9 How do you write the address in Chinese?
中文 地址 怎么 写？
Zhōngwén dìzhǐ zěnme xiě

10 Is it correct to write the address like this?
地址 这样 写 行吗?
Dìzhǐ zhèyàng xiě xíngma

11 Excuse me, what is the zip code of this area?
请问, 我们 这儿 的 邮政 编码 是 多少?
Qǐngwèn wǒmen zhèr de yóuzhèng biānmǎ shì duōshǎo

12 Could you help to find out the zip code of that area?
请 你 帮忙 查一查 那个 地方 的 邮政 编码。
Qǐng nǐ bāngmáng cháyìchá nàgè dìfāng de yóuzhèng biānmǎ

13 You can't send your letter in the printed matter.
信 不能 夹 在 印刷品 里面 寄。
Xìn bù néng jiā zài yìnshuāpǐn lǐmiàn jì

14 I want to send this parcel to Japan.
我 想 把 这个 包裹 寄 到 日本 去。
Wǒ xiǎng bǎ zhège bāoguǒ jì dào Rìběn qù

15 Do you have parcel box?
你们 有 纸箱 卖 吗?
Nǐmen yǒu zhǐxiāng mài ma

16 Is it OK to pack like this?
这样 包 可以 吗?
Zhèyàng bāo kěyǐ ma

17 These are dangerous goods, you can't mail them.
这些 东西 是 危险品, 不 能 邮寄。
Zhèxiē dōngxi shì wēixiǎnpǐn bù néng yóujì

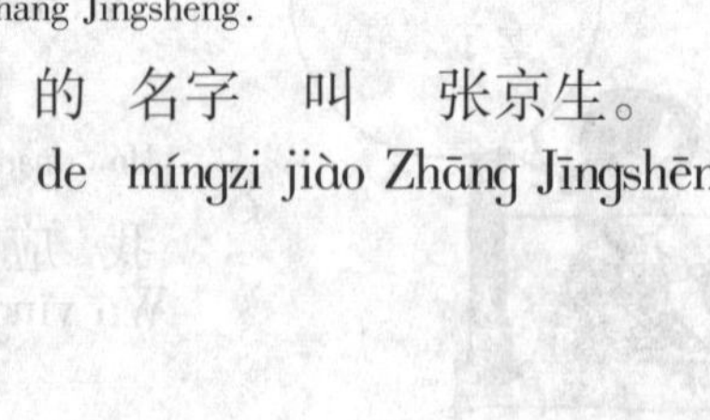

18 Excuse me, is there any parcel for me? My name is Zhang Jingsheng.
请问, 有没有 我 的 包裹, 我 的 名字 叫 张京生。
Qǐngwèn yǒu méiyǒu wǒ de bāoguǒ wǒ de míngzi jiào Zhāng Jīngshēng

19 Your parcel hasn't arrived.
你 的 包裹 还 没有 到。
Nǐ de bāoguǒ hái méiyǒu dào

20 When should it arrive?
应该 什么 时候 到?
Yīnggāi shénme shíhou dào

21 Here is my passport.

这是我的护照。

Zhè shì wǒde hùzhào

22 Please sign here.

请在这儿签名。

Qǐng zài zhèr qiān míng

23 At which window can I get commemorative stamps?

哪个窗口卖纪念邮票?

Nǎgè chuāngkǒu mài jìniàn yóupiào

24 I want three sets.

我要买三套。

Wǒ yào mǎi sān tào

25 Do you still have commemorative stamps about Huang Shan?

还有没有关于黄山的纪念邮票?

Hái yǒu méi yǒu guānyú huángshān de jìniàn yóupiào

26 Where is the postbox?

信箱在哪儿?

Xìnxiāng zài nǎr

27 When is the mail collected?

邮箱几点钟开?

Yóuxiāng jǐ diǎn zhōng kāi

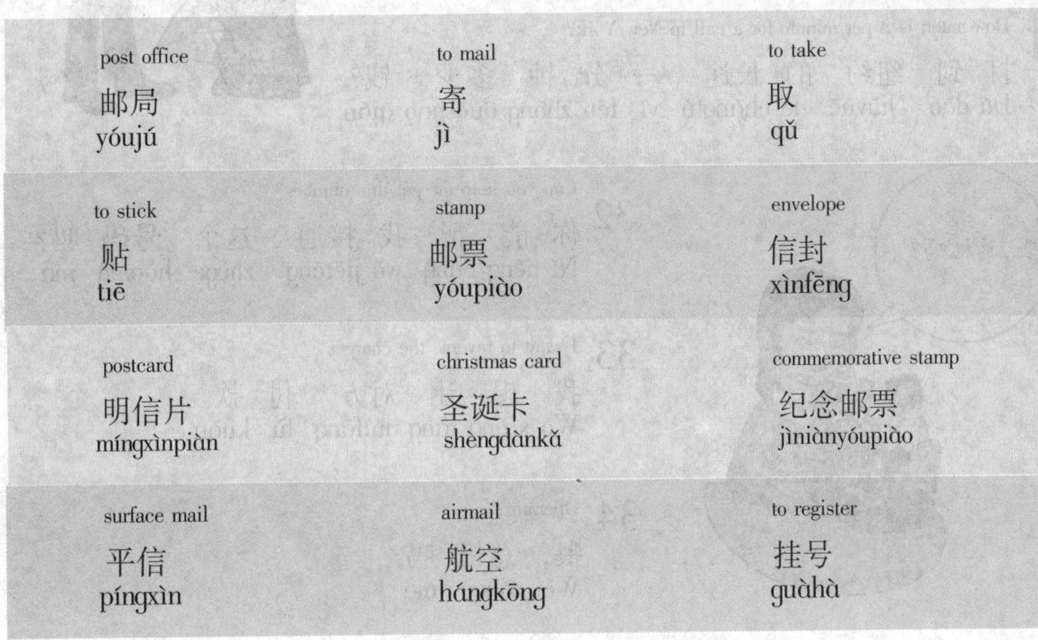

post office 邮局 yóujú	to mail 寄 jì	to take 取 qǔ
to stick 贴 tiē	stamp 邮票 yóupiào	envelope 信封 xìnfēng
postcard 明信片 míngxìnpiàn	christmas card 圣诞卡 shèngdànkǎ	commemorative stamp 纪念邮票 jìniànyóupiào
surface mail 平信 píngxìn	airmail 航空 hángkōng	to register 挂号 guàhà

express 特快 tè kuài	to weight 称 chēng	overweight 超重 chāozhòng
postbox 邮箱 yóuxiāng	postman 邮递员 yóudìyuán	address 地址 dìzhǐ
zip code 邮政编码 yóuzhèngbiānmǎ	dangerous goods 危险品 wēixiǎnpǐn	printed matter 印刷品 yìnshuāpǐn

28 Where is the phone?
电话　在　哪儿?
Diànhuà zài nǎr

29 Where can I make a long-distance call?
哪里　可以　打　长途　电话?
Nǎlǐ kěyǐ dǎ chángtú diànhuà

30 Can I make a long-distance call with this phone?
这　部　电话　可以　打　长途　吗?
Zhè bù diànhuà kěyǐ dǎ chángtú ma

31 How much is it per minute for a call to New York?
打　到　纽约　的　长途　一　分　钟　多少　钱?
Dǎ dào Niǔyuē de chángtú yì fēn zhōng duōshao qián

32 Can you help me get this number?
你　能　帮　我　接通　这个　号码　吗?
Nǐ néng bāng wǒ jiētōng zhège hàomǎ ma

33 I want to reverse the charges.
我　想　让　对方　付　款。
Wǒ xiǎng ràng duìfāng fù kuǎn

34 Operator?
喂,　总机　吗?
Wèi zǒngjī ma

35 Could you get me extension two-three-seven-one?

请 你 给 我 接 2371 分机。

Qǐng nǐ gěi wǒ jiē èr-sān-qī-yāo fēnjī

36 Could you get me room 305.

请 你 给 我 转 305 房间。

Qǐng nǐ gěi wǒ zhuǎi sān-líng-wǔ fángjiān

37 You gave me the wrong number.

你 给 我 接错 了。

Nǐ gěi wǒ jiēcuò le

38 Operator, we've been cut off.

总机，我们 的 线 断 了。

Zǒngjī wǒmen de xiàn duàn le

39 The line is engaged.

电话 占线。

Diànhuà zhànxiàn

40 There's no answer.

电话 没 人 接。

Diànhuà méi rén jiē

41 Hello! This is Li Ming.

喂，我 是 李 明。

Wèi wǒ shì Lǐ Míng

42 I want to speak to Li Fang.

我 想 找 李 芳 接 电话。

Wǒ xiǎng zhǎo Lǐ Fāng jiē diànhuà

43 I can't hear you very well.

我 听 不到 你 说 的。

Wǒ tīng búdào nǐ shuō de

44 She is not here.

她 不 在。

Tā bú zài

45 When will she be back?
她 什么 时候 回来?
Tā shénme shíhou huílái

46 Will you tell him I called?
麻烦 你 告诉 他 我 打过 电话。
Máfan nǐ gàosu tā wǒ dǎguo diànhuà

47 Would you ask him to call back?
麻烦 你 让 他 给 我 回个 电话。
Máfan nǐ ràng tā gěi wǒ huíge diànhuà

48 What is the cost of the call?
电话 费 是 多少?
Diànhuà fèi shì duōshao

49 I want to send a telegram.
我 想 拍 一 个 电报。
Wǒ xiǎng pāi yí gè diànbào

50 I want to send a fax.
我 要 发 一 个 传真。
Wǒ yào fà yí gè chuánzhēn

51 May I have a form, please?
请 给 我 一 张 电报 纸。
Qǐng gěi wǒ yì zhāng diànbào zhǐ

52 How much is it per word?
一 个 字 多少 钱?
Yí gè zì duōshao qián

long-distance	public phone	domestic call
长途电话	公用电话	国内长途
chángtúdiànhuà	gōngyòngdiànhuà	guónèichángtú
international call	**switchboard**	**extension**
国际长途	总机	分机
guójìchángtú	zǒngjī	fēnjī

五、kàn bìng 看病 Seeing a Doctor

1 What's wrong with you?
你 怎么 了？
Nǐ zěnme le

2 Where is the trouble?
你 哪儿 不 舒服？
Nǐ nǎr bù shūfu

3 I don't feel well.
我 不太 舒服。
Wǒ bú tài shūfu

4 I have a stomachache.
我 肚子 疼。
Wǒ dùzi téng

5 I'm afraid I have a cold.
我 恐怕 感冒 了。
Wǒ kǒngpà gǎnmào le

6 I began to feel ill yesterday afternoon.
我 昨天 下午 开始 感觉 到 不 舒服。
Wǒ zuótiān xiàwǔ kāishǐ gǎnjué dào bù shūfu

7 I have something in my eye.
我 眼睛 里 进去了 东西。
Wǒ yǎnjing lǐ jìnqule dōngxi

8 I've vomited two times this morning.
今天 早上 吐过 两次。
Jīntiān zǎoshang tùguo liǎngcì

9 I have a constipation.
我 便秘。
Wǒ biànmì

10 I have rubbed a blister on my heel.
我 脚上 打了 个 泡。
Wǒ jiǎoshang dǎle gè pào

11 There's been an accident.
出 事儿了。
Chū shìr le

12 Can you get mea doctor?
请 找 一位 大夫。
Qǐng zhǎo yī wèi dàifu

13 Is there a doctor here?
这儿有 大夫 吗?
Zhèr yǒu dàifu ma

14 Get a doctor, hurry!
快 请 大夫 来!
Kuài qǐng dàifu lái

15 I hurt my arm.
我 摔伤了 胳膊。
Wǒ shuāishāngle gēbo

16 She's injured.
她 受伤 了。
Tā shòushāng le

17 I want to see a physician.
我 要 看 内科。
Wǒ yào kàn nèikē

18 It's uncomfortable here.
我 这儿 不 舒服。
Wǒ zhèr bú shūfu

19 I feel feverish.
我 发烧。
Wǒ fàshāo

20 I have a chill.
我 浑身 发冷。
Wǒ húnshēn fālěng

21 I've sprained my ankle.
我 扭伤了 脚腕子。
Wǒ niǔshāngle jiǎowànzi

22 I'd like to have my blood pressure tested.
我 想 量 一下儿 血压。
Wǒ xiǎng liǎng yíxiàr xuèyā

doctor 大夫/医生 dàifu/yīshēng	nurse 护士 hùshi	to register 挂号 guàhào
registration office 挂号处 guàhàochù	internal department 内科 nèikē	surgical department 外科 wàikē
physician 内科医生 nèikēyīshēng	surgeon 外科医生 wàikēyīshēng	dentist 牙科医生 yákēyīshēng
eye doctor 眼科医生 yǎnkēyīshēng	doctor of traditional Chinese -medicine 中医 zhōngyī	western medicine 西医 xīyī
headache 头痛 tóutòng	stomachache 胃痛 wèitòng	itch 痒 yǎng
swollen 肿 zhǒng	inflammation 发炎 fàyán	to break 断 duàn
wound/cut 伤口 shāngkǒu	to bleed 流血 liúxuè	nauseous 恶心 ěxīn

diarrhoea 拉肚子 lādùzi	dislocated 脱臼 tuōjiù	sprained 扭伤 niǔshāng
scalded 烫伤 tàngshāng	burned 烧伤 shāoshāng	cut 割破 gēpò
grazed 擦破 cāpò	stung 蜇伤 zhēshāng	bitten 咬伤 yǎoshāng

23 Where does it hurt?
哪儿 疼?
Nǎr téng

24 What kind of pain is it?
怎么 疼?
Zěnme téng

25 It's serious.
伤 得 很 厉害。
Shāng de hěn lìhai

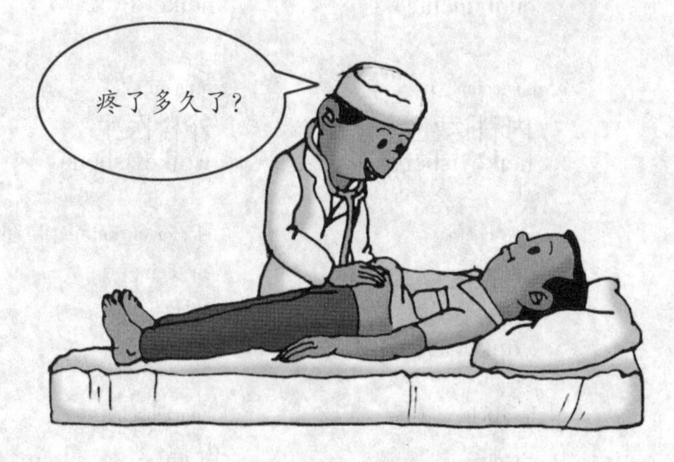

26 How long have you had this pain?
疼了 多久 了?
Téngle duōjiǔ le

27 How long have you been feeling like this?
你 这种 情况 有 多久 了?
Nǐ zhèzhǒng qíngkuàng yǒu duōjiǔ le

28 I have no appetite.
我 没 有 胃口。
Wǒ méi yǒu wèikǒu

29 Roll up your sleeve.
把 袖子 卷 起来。
Bǎ xiùzi juǎn qǐlai

30 Please undress down to the waist.
请 把 上衣 脱了。
Qǐng bǎ shàngyī tuōle

31 Please lie down over here.
请 在 这儿 躺下。
Qǐng zài zhèr tǎngxia

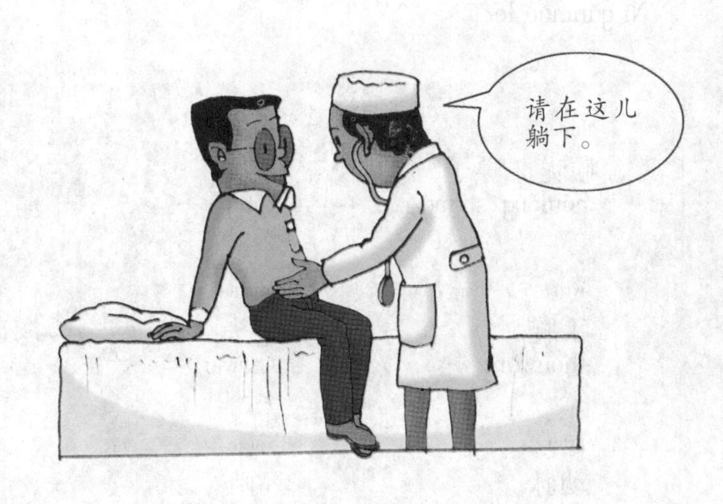

32 Open your mouth.
把 嘴 张开。
Bǎ zuǐ zhāngkāi

33 Breathe deeply
深 呼吸。
Shēn hūxī

34 Cough, please.
请 咳 一声。
Qǐng ké yìshēng

35 I'll take your temperature.
我 给 你 量量 体温。
Wǒ gěi nǐ liángliang tǐwēn

36 Do you smoke?
你 抽烟 吗?
Nǐ chōuyān ma

37 I'm going to take your blood pressure.
我 给 你 量量 血压。
Wǒ gěi nǐ liángliang xuèyā

38 I'll give you an injection.
我 给 你 打 一 针。
Wǒ gěi nǐ dǎ yì zhēn

39 Is this the first time you've had this?
你 第一次 这样 吗?
Nǐ dìyīcì zhèyàng ma

40 I want you to have an x-ray.
你要去照一张 X光 片子。
Nǐ yào qù zhào yì zhāng X-guāng piānzi

41 You have got influenza.
你感冒了。
Nǐ gǎnmào le

throat 喉咙/嗓子 hóulóng/sǎngzi	chest 胸 xiōng	breast 乳房 rǔfáng
wrist 手腕 shǒuwàn	tongue 舌头 shétou	muscle 肌肉 jīròu
artery 动脉 dòngmài	vein 静脉 jìngmài	tonsil 扁桃体 biǎntáotǐ
lung 肺 fèi	heart 心脏 xīnzàng	liver 肝脏 gānzàng
caecum 盲肠 mángcháng	appendix 阑尾 lánwěi	kidney 肾 shèn
flu 流感 liúgǎn	catch cold 伤风 shāngfēng	food poisoning 食物中毒 shíwùzhòngdú
allergy 过敏 guòmǐn	indigestion 消化不良 xiāohuàbùliáng	sunstroke 中暑 zhòngshǔ
cramp 抽筋 chōujīn	ulcer 溃疡 kuìyáng	gastritis 胃炎 wèiyán

hepatitis 肝炎 gānyán	nephritis 肾炎 shènyán	cancer 癌症 áizhèng
high blood pressure 高血压 gāoxuèyā	venereal disease 性病 xìngbìng	pneumonia 肺炎 fèiyán
appendicitis 阑尾炎 lánwěiyán	positive 阳性 yángxìng	negative 阴性 yīnxìng

42 It' s nothing to worry about.
不要 担心。
Bú yào dānxīn

43 You're drinking too much.
你 喝 酒 喝 得 太 多 了。
Nǐ hē jiǔ hē de tài duō le

44 You are over-tired. You need a rest.
你 疲劳 过度，需要 休息。
Nǐ píláo guòdù xūyào xiūxi

45 What kind of medicine is this?
这 是 什么 药?
Zhè shì shénme yào

46 How many times a day should I take it?
每天 吃 几次?
Měitiān chī jǐcì

47 How many a day?
每天 吃 多少?
Měitiān chī duōshao

48 I'll prescribe some pills.
我 给你开 一些 药丸。
Wǒ gěi nǐ kāi yìxiē yàowán

49 Take three pills every six hours.
每 六 小时 服 三粒。
Měi liù xiǎoshí fú sānlì

laboratory test 化验 huàyàn	operation 手术 shǒushù	ambulance 救护车 jiùhùchē
injection 打针 dǎzhēn	blood transfusion 输血 shūxiě	oxygen 氧气 yǎngqì
prescription 处方 chǔfāng	tablet 药片 yàopiàn	pill 药丸 yàowán
penicillin 青霉素 qīngméisù	aspirin 阿司匹林 āsīpīlín	sleeping pill 安眠药 ānmiányào

六、lǚyóu 旅游 Travelling

（一）jiāotōng 交通 Traffic

1 I would like to book two train tickets to Shanghai for the Ninth.
我 想 订 两 张 九 号 去 上海 的 火车 票。
Wǒ xiǎng dìng liǎng zhāng jiǔ hào qù shànghǎi de huǒchē piào

2 Do you want the direct or express train?
要 直快 还是 特快？
Yào zhíkuài háishì tèkuài

3 Do you want a hard sleeper or a soft sleeper?
要 硬卧 还是 软卧？
Yào yìngwò háishì ruǎnwò

4 I would like to reserve one plane ticket.
我 想 订 一 张 飞机 票。
Wǒ xiǎng dìng yì zhāng fēijī piào

5 Where are you going?
您 要 去 什么 地方？
Nín yào qù shénme dìfang

6 Which day's ticket do you want booked?
您 想 订 哪天 的 票？
Nín xiǎng dìng nǎtiān de piào

7 Which airline's ticket do you want to book?
您 想 订 哪个 航空 公司 的 票？
Nín xiǎng dìng nǎgè hángkōng gōngsī de piào

8 Do you want first class or economy class?
您 订 头等舱 还是 经济舱？
Nín dìng tóuděngcāng háishì jīngjìcāng

9 Please pick up your ticket in three days.
请 您 三 天 后 来 取票。
Qǐng nín sān tiān hòu lái qǔ piào

10 When does the train No. 30 depart?
30 次 什么 时候 开?
Sānshí cì shénme shíhòu kāi

11 What's the plane's departure time?
飞机 几 点 钟 起飞?
Fēijī jǐ diǎn zhōng qǐfēi

12 Is there a stop - over on route?
中途 停 不 停?
Zhōngtú tíng bù tíng

13 How long does the train stop here?
火车 在 这儿 停 多 久?
Huǒchē zài zhèr tíng duō jiǔ

14 Where's the dining car?
餐车 在 哪儿?
Cānchē zài nǎr

15 The train usually arrived on time.
火车 一般 都 能 正 点 到达。
Huǒchē yìbān dōu néng zhèng diǎn dàodá

16 The flight is delayed.
航班 晚 点 了。
Hángbān wǎn diǎn le

17 Can we fly today?
我们 今天 能 飞 吗?
Wǒmen jīntiān néng fēi ma

18 Will we arrive in Beijing on time?
我们 能 准时 到 北京 吗?
Wǒmen néng zhǔnshí dào Běijīng ma

19 That will depend on the weather.
那 要 看 天气 怎么样 了。
Nà yào kàn tiānqì zěnmeyàng le

20 How long will we be on the way?
路上 我们 要 花 多 长 时间?
Lùshàng wǒmen yào huā duō cháng shíjiān

21 When do we set out?
我们 几 点 钟 出发?
Wǒmen jǐ diǎn zhōng chūfā

22 Where is No.3 waiting room?
第三 候车室 在 哪儿?
Dìsān hòuchēsì zài nǎr

23 So many people are there in the waiting room!
候车室 的 人 真 多!
Hòuchēshì de rén zhēn duō

24 Where's the baggage check?
在 哪儿 托运 行李?
Zài nǎr tuōyùn xíngli

25 What platform does the train for Xi'an leave from?
去 西安 的 火车 在 第几 站台 上车?
Qù xī'ān de huǒchē zài dì jǐ zhàntái shàngchē

26 Is this seat taken?
这个 位子 有 人 吗?
Zhège wèizi yǒu rén ma

27 I think that's my seat.
这 是我 的 位子 吧。
Zhè shì wǒ de wèizi ba

28 Would you let us know when we got to Wuhan?
到 武汉 的 时候 告诉 我们 一下儿, 好 吗?
Dào Wǔhàn de shíhou gàosu wǒmen yíxiàr hǎo ma

29 Would you call us at 6 o'clock?
早上 六 点 叫 我们 一下儿, 行 吗?
Zǎoshang liù diǎn jiào wǒmen yíxiàr xíng ma

30 I'd like a lower berth.
我 想 要 下铺。
Wǒ xiǎng yào xiàpù

31 Can I have a lunch box?
请 给 我 一 盒 盒饭。
Qǐng gěi wǒ yì hé héfàn

32 I want a seat by the window.
我 要 一个 靠 窗 的 座位。
Wǒ yào yí gè kào chuāng de zuòwèi

33 Is there a bus to the airport?
有 去 飞机场 的 班车 吗?
Yǒu qù fēijīchǎng de bānchē ma

34 Where can I get a map of the city?
哪儿 能 买到 市区 图?
Nǎr néng mǎidào shìqū tú

35 Excuse me, what is the name of this street?
请问, 这 条 街 叫 什么 名字?
Qǐngwèn zhè tiáo jiē jiào shénme míngzi

36 Could you show me on this map where I am?
你 能 告诉 我 我 现在 在 地图 上 什么 地方 吗?
Nǐ néng gàosu wǒ wǒ xiànzài zài dìtú shàng shénme dìfang ma

37 Where can I find this address?
我 怎么样 才 能 找到 这个 地方?
Wǒ zěnmeyàng cái néng zhǎodào zhège dìfang

38 Which bus should I take?
我 该 坐 几 路 公共 汽车?
Wǒ gāi zuò jǐ lù gōnggòng qìchē

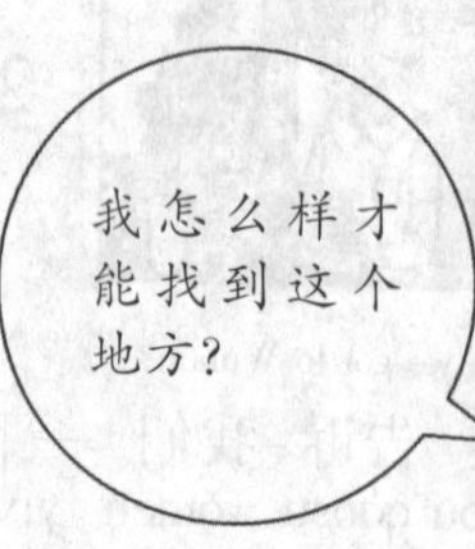

39 You are going the wrong way.
你 走错 了。
Nǐ zǒucuò le

40 Go straight ahead.
一直 往 前 走。
Yìzhí wǎng qián zǒu

41 Turn left at the first intersection.
在第一个 十字 路口 往 左 拐。
Zài dìyīgè shízì lùkǒu wàng zuǒ guǎi

42 Turn right at the next corner.
在 下 一个 路口 往 右 拐。
Zài xià yígè lùkǒu wàng yòu guǎi

43 Do I have to change buses?
我 得 换 车 吗?
Wǒ děi huàn chē ma

44 What bus do I take for the railway station?
去 火车站 坐 几 路 公共 汽车?
Qù huǒchēzhàn zuò jǐ lù gōnggòng qìchē

45 Where's the terminus of bus No. 123?
123 路 公共 汽车 的 终点 站 在 哪儿?
Yāo-èr-san lù gōnggòng qìchē de zhōngdiǎn zhàn zài nǎr

46 Can I hire a rowing boat?
我 要 租条 游船, 行 吗?
Wǒ yào zū tiáo yóuchuán xíng ma

47 What's the charge per hour?
一 小时 多少 钱?
Yì xiǎoshí duōshao qián

48 Where's the embarkation point?
在 哪儿 上 船?
Zài nǎr shàng chuán

49 Will the bus pick us up at the park?
汽车 来 公园 接 我们 吗?
Qìchē lái gōngyuán jiē wǒmen ma

train	plane	express train
火车 huǒchē	飞机 fēijī	特快 tèkuài
fast train	hard seats	soft seats
直快 zhíkuài	硬座 yìngzuò	软座 ruǎnzuò

hard sleeper
硬卧
yìngwò

soft sleeper
软卧
ruǎnwò

upper berth
上铺
shàngpù

middle berth
中铺
zhōngpù

lower berth
下铺
xiàpù

railway station
火车站
huǒchēzhàn

airport
飞机场
fēijīchǎng

flight
航班
hángbān

cancel
取消
qǔxiāo

confirm
确认
quèrèn

one-way ticket
单程票
dānchéngpiào

round-trip ticket
往返票
wǎngfǎnpiào

ticket office
售票处
shòupiàochù

information office
问讯处
wènxùnchù

platform
站台
zhàntái

first class
头等舱
tóuděngcāng

economy class
经济舱
jīngjìcāng

airlines
航空公司
hángkōnggōngsī

CAAC
中国民航
Zhōngguómínháng

Air China
中国国际航空公司
Zhōngguóguójìhángkōnggōngsī

bus
公共汽车
gōnggòngqìchē

underground
地铁
dìtiě

trolleybus
电车
diànchē

coach
长途汽车
chángtúqìchē

boat
船
chuán

ship
轮船
lúnchuán

bus stop
公共汽车站
gōnggòngqìchēzhàn

port
码头
mǎtóu

taxi
出租汽车
chūzūqìchē

(二) zhùsù 住宿 Hotels

1 Could you reserve a room for me?
能 给 我 订 一 个 房间 吗?
Néng gěi wǒ dìng yí gè fángjiān ma

2 Could you reserve a bed for me, please?
请 给 我 订 一 个 床位。
Qǐng gěi wǒ dìng yí gè chuángwèi

3 I don't have a reservation.
我 没 有 预订。
Wǒ méi yǒu yùdìng

4 Do you have any vacancies?
你们 有 空房 吗?
Nǐmen yǒu kòngfáng ma

5 I'd like a double room.
我 要 一 间 双人房。
Wǒ yào yì jiān shuāngrénfáng

6 Could you put an extra bed in my room?
请 在 我的 房间 里 加 一 张 床。
Qǐng zài wǒ de fángjiān lǐ jiā yì zhāng chuáng

7 What's the price per night?
一个 晚上 多少 钱?
Yígè wǎnshang duōshao qián

8 Do you have any cheaper room?
有 没 有 便宜 点儿 的 房间?
Yǒu méi yǒu piányi diǎnr de fángjiān

9 May I see the room?
能 看 一下儿 房间 吗?
Néng kàn yíxiàr fángjiān ma

10 I'll be staying a few days.
我 打算 住 几 天。
Wǒ dǎsuan zhù jǐ tiān

11 This room is too noisy.
这个 房间 太 吵 了。
Zhège fángjiān tài chǎo le

12 That's fine.
这 间 很 好。
Zhè jiān hěn hǎo

13 Please fill in this registration form.
请 填 一下儿 住宿 登记 表。
Qǐng tián yíxiàr zhùsù dēngjì biǎo

14 Sign here, please.
请 在 这儿 签 名。
Qǐng zài zhèr qiān míng

15 What does this mean?
这 是 什么 意思?
Zhè shì shénme yìsi

16 May I see your passport?
能 看看 您 的 护照 吗?
Néng kànkan nín de hùzhào ma?

17 What's my room number?
我 的 房间 是 多少 号?
Wǒ de fángjiān shì duōshao hào

18 I'd like to leave this in your safe.
我 想 把 这个 寄存 一下儿。
Wǒ xiǎng bǎ zhège jìcún yíxiàr

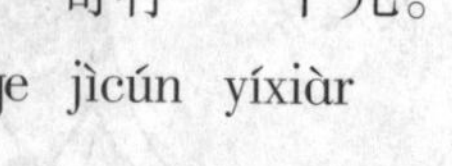

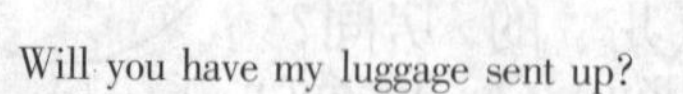

19 Will you have my luggage sent up?
请 把 行李 送到 我 的 房间 里。
Qǐng bǎ xíngli sòngdào wǒ de fángjiān lǐ

20 The key, please.
请 给 我 钥匙。
Qǐng gěi wǒ yàoshi

21 Will you wake me at six, please?

早上　六点　请　叫醒　我。

Zǎoshang liùdiǎn qǐng jiàoxǐng wǒ

22 Where shall I leave the key?

钥匙　放　在　哪儿?

Yàoshi fàng zài nǎr

23 Where's the lift?

电梯　在　哪儿?

Diàntī zài nǎr

24 Just turn left.

往　左　拐。

Wàng zuǒ guǎi

25 Where's she barber shop?

理发店　在　哪儿?

Lǐfàdiàn zài nǎr

26 Go straight ahead.

一直　往　前　走。

Yìzhí wàng qián zǒu

27 I want to make an outside call.

我　想　打　外线　电话。

Wǒ xiǎng dǎ wàixiàn diànhuà

28 What are the meal hours?

什么　时间　开饭?

Shénme shíjiān kāifàn

29 When is the shopping counter open?

小卖部　几　点　到　几　点　营业?

Xiǎomàibù jǐ diǎn dào jǐ diǎn yíngyè

30 Do not disturb.

请　勿　打扰。

Qǐng wù dǎrǎo

31 Is there any mail for me?

有　我　的　信　吗?

Yǒu wǒ de xìn ma

32 The air conditioner doesn't work.
空调 坏了。
Kōngtiáo huài le

33 The tap is dripping.
水龙头 关不紧。
Shuǐlóngtóu guān bù jǐn

34 There's no hot water in my room.
我 房间 没有 热 水。
Wǒ fángjiān méi yǒu rè shuǐ

35 The window is jammed.
窗户 卡住 了。
Chuānghu kǎzhù le

36 The bulb is burned out.
灯泡 烧 坏了。
Dēngpào shāo huàile

37 My room hasn't been prepared.
我 的 房间 还 没有 整理。
Wǒ de fángjiān hái méi yǒu zhěnglǐ

38 Is my laundry ready?
我 的 衣服 洗好了 吗?
Wǒ de yīfu xǐhǎole ma

39 May I have my bill, please?
我 想 要 结账。
Wǒ xiǎng yào jiézhàng

40 I'll be checking out around noon.
我 想 中午 退 房。
Wǒ xiǎng zhōngwǔ tuì fáng

41 I must leave at once.
我 得 马上 走。
Wǒ děi mǎshàng zǒu

42 Can I pay by credit card?
用　信用卡　行　吗？
Yòng xìnyòngkǎ xíng ma

hotel	宾馆	bīnguǎn
hotel	酒店	jiǔdiàn
a single room	单人　房间	dānrén fángjiān
a double room	双人　房间	shuāngrén fángjiān
luggage	行李	xíngli
air conditioner	空调	kōngtiáo
heating	暖气	nuǎnqì
hot water	热水	rèshuǐ
nationality	国籍	guójí
profession	职业	zhíyè
date of birth	出生　年月日	chūshēng nián-yuè-rì
place of birth	籍贯	jíguàn
signature	签名	qiānmíng
blanket	毯子	tǎnzi
pillow	枕头	zhěntou
mosquito net	蚊帐	wénzhàng
credit card	信用卡	xìnyòngkǎ
traveller's cheques	旅行　支票	lǚxíng zhīpiào

（三）shèyǐng 摄影 Photography

1 Would you take a photo for us, please?
能　帮　我俩　照　一　张　相　吗？
Néng bāng wǒliǎ zhào yì zhāng xiàng ma

2 I'd like to take a photo over there.
我　想　在　那边　照　张　相。
Wǒ xiǎng zài nàbiān zhào zhāng xiàng

3 May I take a photo with you, please?
能　和　您　照　张　相　吗?
Néng hén nín zhào zhāng xiàng ma

4 Is your camera manual or automatic?
你 的 相机 是 手动 的 还是 自动 的?
Nǐ de xiàngjī shì shǒudòng de háishì zìdòng de

5 I want a black and white film.
我 想 买 一个 黑白 胶卷儿。
Wǒ xiǎng mǎi yí gè hēibái jiāojuǎnr

6 How much do you charge for developing
冲洗　胶卷儿　多少　钱?
Chōngxǐ jiāojuǎnr duōshao qián

7 I'd like three prints of each negative.
每　张　底片 洗 三 张。
Měi zhāng dǐpiàn xǐ sān zhāng

8 Will you enlarge this, please?
请　把 这　张　放大。
Qǐng bǎ zhè zhāng fàngdà

9 When will the photos be ready?
什么　时候 能　取 照片?
Shénme shíhou néng qǔ zhàopiàn

10 Can you repair this camera?
这 台 相机 你 能 修 吗?
Zhè tái xiàngjī nǐ néng xiū ma

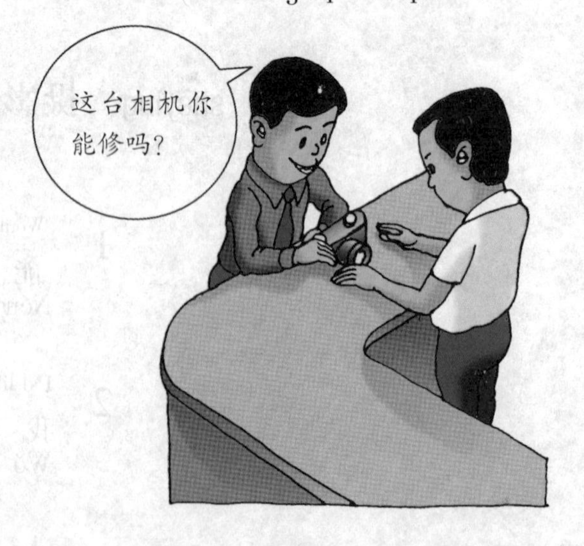

11 The film is jammed.
胶卷儿 卡住 了。
Jiāo juǎnr kǎzhù le

12 There's something wrong with the shutter.
快门　有 点儿 毛病。
Kuàimén yǒu diǎnr máobìng

film	camera	video camera
胶卷儿 jiāojuǎnr	相机 xiàngjī	摄像机 shèxiàngjī
photo 照片 zhàopiàn	colour 彩色 cǎisè	black and white 黑白 hēibái
negative 底片 dǐpiàn	glossy 光面 guāngmiàn	mat 纹面 wénmiàn
battery 电池 diànchí	flash lamp 闪光灯 shǎnguāng dēng	lens 镜头 jìngtóu
lens cap 镜头盖儿 jìngtóugàir	shutter 快门 kuàimén	tripod 三角架 sānjiǎojià

中国留学指南

CHINESE LANGUAGE PROGRAMS

FOR INTERNATIONAL STUDENTS

周健 编

1. *Beijing University*

北京大学　对外汉语教学中心

100871　北京市海淀区

电话: *010-62751916*　　传真: *010-62757249　62757121*

网址: http://www.pku.edu.cn/

专业及课程设置(*Programs & Curriculum*)

① 进修生(*Chinese Language Program*); ② 硕士研究生(*Master's Degree Program*) ③ 高级进修生(*Senior Advanced Program*); ④ 短期留学生(*Short-term Program*)

2. *Beijing Language and Culture University*

北京语言文化大学

汉语学院，汉语速成学院，文化学院，对外汉语教师培训中心

100083　北京市海淀区学院路 *15* 号

电话: *010-82303929　82303951*　　传真: *010-82303903　82303087*

网址: http://www.blcu.edu.cn/ E-mail:zhaosh1@blcu.edu.cn

专业及课程设置(*Programs & Curriculum*)

① 基础汉语(*Chinese Language Program, Regular*); ② 汉语本科班(*Under-graduate Program, 4 years*);③ 短期汉语班(*Short-term Chinese Language Program,4-20 weeks*); ④ 汉学(*Chinese Studies, Master's Degree, Doctor's Degree and Senior Research Programs*); ⑤ 教师培训班(*Teacher Training Program*); ⑥ 研究生(*M.A. & Ph. D Program*)

3. *Beijing Normal University*

北京师范大学　对外汉语教育学院

100875　北京市新街口外大街 19 号

电话: *010-62208101*　传真: *010-62207718*

网址: http://www.bnu.edu.cn/ E-mail:dwhyxy @ public.bta.net.cn

专业及课程设置(*Programs & Curriculum*)

① 汉语长期班(*Long-term Chinese Program*); ② 汉语短期班(*Short-term Chinese Program, 10 days to 3 months*);③ 本科班(*Undergraduate Program, 4 years*); ④ 硕士研究生(*Master's Degree Program*)

4. *Rmin University of China, Beijing*
中国人民大学　对外语言文化学院
100872　北京市海淀区海淀路*175*号
电话：*010-62511004*　传真：*010-62511382*
E-mail: dwyywhxy @ public.fhnet.cn.net
专业及课程设置(*Programs & Curriculum*)
① 汉语精读(*Chinese Intensive Reading*); ② 听说(*Listening and Speaking*); ③ 中国文化(*Chiese Culture*); ④ 外贸口语(*Spoken Chinese-business oriented*); ⑤ 汉语写作(*Chinese Writing*)

5. *Beijing Foreign Studies University*
北京外国语大学　国际交流学院
100081　北京市西三环北路*2*号
电话：*010-68916438*　传真：010-*68428140*　*68916430*

专业及课程设置(*Programs & Curriculum*)
① 短期汉语进修班(*Short-term Chinese Program*);② 长期汉语进修班(*Long-term Chinese Program,1-3 years*);③ 汉语本科班(*Undergraduate Program, 4 years*); ④ 对外汉语本科班(*Teaching Chinese as a Foreign Language, Undergraduate Program, 4 years*); ⑤ 对外汉语研究生班(*Teaching Chinese as a Foreign Language Graduate Program*)

6. *Beijing Second Foreign Language Institute*
北京第二外国语学院　国际文化交流学院
100024　北京市朝阳区定福庄南里*1*号
电话：*010-65778561*　传真：*010-65762520*

专业及课程设置(*Programs & Curriculum*)
① 汉语进修班(*Chinese Language Program*); ② 汉语本科班(*Undergraduate Program, 4 years*); ③ 寒暑假短期汉语班(*Short-term Chinese Language Program,4-8 weeks, in summer and winter*); ④ 中韩联合办学(*Sino-Korean Exchange Program*)

7. *Beijing Language and Culture Gentre for Diplomatic Missions*

北京外交人员语言文化中心
100027 北京市朝阳区三里屯北小街7号
电话：*010-65325647* 传真：*010-65325638*
E-mail: zhongxin @ public2. east.cn.net

专业及课程设置（*Programs & Curriculum*）

① 初、中、高级汉语（*Elementary, Intermediate and Advanced Chinese*）；② 各级各类汉语强化班（*Intensive Chinese Classes of different levels*）；③ 汉语旅游教学及汉语实践课（*Teaching Tours and Chinese Practices*）；④ 中国文化（*Chinese Culture*）

8. *Foreign Enterprise Service Corp., Beijing*

北京外企人员服务总公司 培训中心
100020 北京市朝阳区朝阳门南大街*14*号
电话：*010-65088287* 传真：*010-65946062*

专业及课程设置（*Programs & Curriculum*）

① 一对一教学（*Chinese Language Program, individual coaching, at student's or teacher's place*）；② 集体教学（*Chinese Language Program, group teaching*）；③ HSK 辅导(*HSK coaching*)

9. *University of International Business and Economics, Beijing*

对外经济贸易大学 留学生部
100029 北京市朝阳区惠新东街*12*号对外经济贸易大学*69*# 信箱
电话：*010-64928099*（教研室） *64492329*（办） 传真：*010-64928098*
E-mail:dfs@mail.uibe.edu.cn

专业及课程设置（*Programs & Curriculum*）

① 对外汉语培训（*Business Chinese Training*）；② 短期汉语强化班(*Short-term Chinese Language Pragram*)；③ 中国经济贸易进修课程（*China Business Studies, offered in F oreign Languages*）；④ 中国经济贸易实务研修班（*China Business Studies, offered in Chinese*）；⑤ 本科生（*Undergraduate Program*）；⑥ 硕士研究生（*Master's Degree Program*）；⑦ 博士研究生（*Ph.D. Program*）

10. *Tsinghua University, Beijing*
清华大学　对外汉语教学中心
100084　北京市海淀区
电话：*010-62782841*　传真：*010-62771506*
网址：http://www.tsinghua.edu.cn/ E-mail (主任丁)：siading@263.net

专业及课程设置 (*Programs & Curriculum*)
① 基础汉语 (*Chinese Language Program, 1 years, Regular*)；② 中高级汉语 (*Chinese Language Program, intermediate and high level*)；③ 短期汉语 (*Short-term Chinese Language Program, 4-8 weeks*)

11. *College of International Education, Capital Normal University, Beijing*
首都师范大学　国际文化学院 留学生*1*部
100037 北京市海淀区西三环北路*105*号
电话：*010-68902432* (教研)　*68902434* (办)
传真：*010-68416837*

专业及课程设置 (*Programs & Curriculum*)
① 本科生 (*Undergraduate Program*)；② 普通进修生 (*Non-degree Program*)；③ 短期生 (*Short-term Program*)

12. *College of international education, Capital Normal University , Beijing*
首都师范大学　国际文化学院　留学生2部
100037 北京市阜外白堆子甲23号
电话：*010-68452821*　传真：010-*68452821*
E-mail: cnucfl @ public.sti.ac.cn

专业及课程设置 (*Programs & Curriculum*)
① 汉语、文化类课程 (*courses in Chinese language and Culture*)；② 各类短期汉语培训班 (*Short-term Chinese Programs*)；③ 汉语初级班，中高级班 (*Chinese Program, basic,intermediate and high level*)

13. *The Central University for Nationalities, Beijing*

中央民族大学外事处　留学生办公室
100081　北京市海淀区白石桥路27号
电话：*010-68933263*　传真：*010-68933982*
E-mail: cunfso @ cpisn.cn.net

专业及课程设置（*Programs & Curriculum*）

① 本科生（*Undergraduate Program*）；② 普通进修生（*Further Studies*）；③ 高级进修生（*Independent Studies*）；④ 硕士生（*Master's Degree Program*）；⑤ 博士生(*Ph.D. Program*)

14. *Beijing Chinese Language and Culture College*

北京中国语言文化学校
100037　北京市西城区阜成门外大街北街39号
电话：*010-68338431*　*68326633-2219 (2207)*
传真：*010-68310837*

专业及课程设置（*Programs & Curriculum*）

① 汉语长期班（*Chinese Language, Regular, 3 levels, 1 year*）；② 汉语夏(冬)令营班（*Summer/ Winter Camp, Studying and Touring*）；③ 海外华文教师进修班（*Training Class for Overseas Chinese Teachers*）

15. *Beijing No. 55 Middle School*

北京市第五十五中学　国际部
100027　北京市东城区新中街12号
电话：*010-64169531*　传真：*010-64154664*

专业及课程设置（*Programs & Curriculum*）

① 初中高级汉语进修班，专为外国人子女进修汉语而设（*Chinese Language Courses, at different levels, for foreigners' children in Beijing*）；② 中国文化课程(*Chinese Culture*)；③ IB国际文凭组织（*IB*）；④ 港澳台学生班（*Chinese Language for Hongkong, Macau and Taiwan students*）

16. *College of Chinese language and Culture, Nankai University, Tianjin*

南开大学　汉语言文化学院

300071　天津南开区卫津路*94*号

电话：*022-23508706*（办）　传真：*022-23501687*

网址：http://www.nankai.edu.cn/

专业及课程设置（*Programs & Curriculum*）

①　现代汉语精读（*Contemporary Chinese Intensive Reading*)；②　视听说(*Watching, Listening and Speaking*)；③　古代汉语（*Ancient Chinese Language*)；④　中国书画（*Calligraphy and Painting*)；⑤　翻译（*Translation and Interpretation Courses*)

17. *Tianjin University*

天津大学　国际文化教育中心

300072　天津市南开区卫津路*92*号

电话：*022-27406147*　传真：*022-27406209*

网址：http://www.tju.edu.cnl E-mail: iso @ tju.edu.cn

专业及课程设置（*Programs & Curriculum*）

①　入门、初、中、高级汉语（*Basic Chinese Language Programs, at different levels*)；②　中国文化课程（*Chinese Culture*)；③　短期汉语班（*Short-term Chinese Language Program, 4-8 weeks*)

18. *Tianjin Foreign Language Institute*

天津外国语学院　对外汉语教学中心

300204　天津市河西区马场道

电话：*022-3280875*　传真：*022-3282410*

专业及课程设置（*Programs & Curriculum*）

①　初级汉语（*Chinese Language Program, Basic*)；②　中高级汉语班（*Chinese Language Program, intermediate and high level*)；③　寒暑假短期汉语班（*Short-term Chinese Language Program, 4-8 weeks, in summer and winter*)；④　汉语本科班（*Undergraduate Program, 4 years*)

19. *International of Cultural Exchange School, Fudan University, Shanghai*
复旦大学　国际文化交流学院
200433　上海市政通路 *280* 号
电话：*021-65642258*　传真：*021-65117298*
网址：http://www.fudan.edu.cn/ E-mail: gjwhjlxy @ fudan.edu.cn
专业及课程设置（*Programs & Curriculum*）
① 语言进修生（*Language Program*）；② 大学本科生（*Bachelor's Degree Program*）；③ 硕士研究生（*Master's Degree Program*）；④ 普通进修生（*General Advanced Program*）；⑤ 短期留学生（*Short-term Program*）；⑥ 高级访问学者（*Research Scholar*）；⑦ 博士生（*Ph.D. Program*）

20. *International College of Chinese Culture, East China Normal University,* Shanghai
华东师范大学　国际中国文化学院
200062　上海市中山北路 *3663* 号
电话：*021-62232217*　传真：*021-62864922*
网址：http://ccc.ecnu.edu.cn/ E-mail:iccc @ shter.net.cn(iccc @ ccc.ecnu.edu.cn)
专业及课程设置（*Programs & Curriculum*）
① 汉语（*Chinese Language, Regular*）；② 中国文化（*Chinese Culture*）；③ 进修生（*Long-term Program, 1-2 academic years*）；④ 短期生（*Short-term Program, 4 weeks-1 semester*）；⑤ 高级研修生（*Advanced Program*）

21. *Office of international student affairs, Shanghai International Studies University*
上海外国语大学　国际文化交流学院
200083　上海市赤峰路 *555* 号 *1005* 室或 *1006* 室　留学生部
电话：*021-65318882* 转 *1006*　传真：*021-65313756*
网址：http://www.sflu.edu.cn/
专业及课程设置（*Programs & Curriculum*）
① 汉英双语（*Chinese-English, Double language Programme*）；② 汉语(经贸类)（*Chinese Language, Business-oriented*）；③ 本科生（*4-year Undergraduate Program*）；④ 进修生（*Long-term Chinese Program, 1-2 academic years*）；⑤ 短期生（*Short-term Chinese Program, 4 weeks*）

22. *College of International Exchange, Shanghai University*

上海大学　国际交流学院

200072　上海市延长路*149*号

电话：*021-56331898　56333197*

传真：*021-56333187*

E-mail. cielx @ public1.sta.net.cn

专业及课程设置（*programs & Curriculum*）

① 汉语班（*Chinese Language, Regular*）；② 短期班（*Short-term Chinese Courses*）；③ 中国文化（*Chinese Culture*）

23. *School of International Exchange, Shanghai Jiaotong University*

上海交通大学　国际交流学院

200030　上海市华山路1954号

电话：*021-62933667*　传真：*021-62817613*

网址：http://www.sie.sjtu.edu.cn/ E-mail:rso @ mail.sjtu.edu.cn

专业及课程设置（*Programs & Curriculum*）

① 汉语班（*Chinese Language, Regular*）；② 短期班（*Short-term Chinese Courses*）；③ 中国文化（*Chinese Culture*）；④ 中高级汉语专修班（*Chinese Program, intermediate and high level*）；⑤ 中国经济（*Chinese Economics*）

24. *International School, Tongji University, Shanghai*

同济大学　国际文化交流学院

200092　上海市四平路*1239*号

电话：*021-65983611*　传真：*021-65987933*

网址：http://www.tongji.edu.cn/ E-mail:fsotju @ ihw.com.cn

专业及课程设置（*Programs & Curriculum*）

① 汉语班（*Chinese Language, Regular*）；② 短期班（*Short-term Chinese Courses*）；③ 中国文化（*Chinese Culture*）；④ 本科班（*4-year Undergraduate Program*）

25. *International Pragrams Office, Anhui University, Hefei*
安徽大学　外事办公室
230039　安徽省合肥市
电话：*0551-5107600*
网址：http://www.ahu.edu.cn/ E-mail: sunyong @ ahu.edu.cn

专业及课程设置（*Programs & Curriculum*）
① 汉语班（*Chinese Language, Regular*）；② 短期班（*Short-term Chinese Courses*）；③ 中国文化（*Chinese Culture*）

26. *Suzhou University*
苏州大学　国际合作交流学院
215006　江苏省苏州市十梓街 *1* 号
电话：*0512-5112799*　传真：0512-5221028
E-mail: wb104 @ suda.edu.cn

专业及课程设置（*Programs & Curriculum*）
① 汉语班（*Chinese Language, Regular*）；② 短期班（*Short-term Chinese Courses*）；③ 中国文化（*Chinese Culture*）；④ 吴方言（*Wuyu dialect*）；⑤ 日汉翻译（*Chinese-Japanese Translation*）

27. *Institute for International Student, Nanjing University*
南京大学　外国学者留学生研修部　海外教育学院
210093　江苏省南京市汉口路 *22* 号
电话：*025-3593587*　传真：*025-3316747*
网址：http://www.nju.edu.cn/ E-mail:issd @ nju.edu.cn
专业及课程设置（*Programs & Curriculum*）
① 汉语短期班（*Short-term Chinese Language and Culture*）；② 进修生（*Extension Course, 1 year to 2 years*）；③ 本科班（*Undergraduate Program, 4 years*）；④ 硕士生（*Master's Program, 3 yers*）；⑤ 博士生（*Ph. D. Program, 3 years*）

28. *International Students College, Nanjing Normal University*

南京师范大学　留学生部
210097　江苏省南京市宁海路*122*号
电话：025-3717160　传真：*025-3717160*

专业及课程设置（*Programs & Curriculum*）

① 汉语短期班（*Short-term Chinese Language and Culture*）；② 进修生（*Extension Course, 1 year*）；③ 本科班（*Undergraduate Program, 4 years*）；④ 研究生(*Graduate Program, 2-3 years*)

29. *International College, Zhejiang University, Hangzhou*

浙江大学　国际教育学院
310027 浙江省杭州市玉古路
电话：*0571-7951386*　*7951863*　传真：*0571-7951755*　*7951315*
网址：http://www.zju.edu.cn/ E-mail:gjxzju @ mail.hz.zj.cn

专业及课程设置（*Programs & Curriculum*）

① 汉语言专业（*Chinese Language, Undergraduate*）；② 基础汉语班（*Basic Chinese Curses*）；③ 短期语言文化班（*Short-term Language and Culture Programs*）；④ 硕士、博士、高级进修生（*Master's, Ph.D. and Advanced Students*）

30. *International Student Department, Nanchang University*

南昌大学　留学生部
330047 江西省南昌市南京东路*235*号
电话：*0791-8305499*　传真：0791-8305835
网址：http://www.ncu.edu.cn/ E-mail:isdnu @ ncu.edu.cn

专业及课程设置（*Programs & Curriculum*）

① 汉语班（*Chinese Language, Regular*）；② 短期班（*Short-term Chinese Courses*）；③ 中国文化（*Chinese Culture*）

31. *The Centre for Chnese as a second language, Zhengzhou University*
郑州大学 对外汉语教学中心
450052 河南省郑州市大学路*75*号 郑州大学外事办公室
电话: *0731-7763428 7763034*
传真: *0731-7970475*
E-mail: zufao @ yahoo.com

专业及课程设置 (*Programs & Curriculum*)
① 初、中、高级汉语培训班 (*Basic, intermediate and advanced Chinese*); ② 本科 (*Undergraduate Program*); ③ 硕士 (*Master's Program*); ④ 短期班 (*Short-term Chinese courses*)

32. *International Exchange Centre, Shanxi University, Taiyuan*
山西大学 国际交流中心
030006 山西省太原市山西大学
电话: *0351-7010333-5* 传真: *0351-7011644*
网址: http://www.sxu.edu.cn/ E-mail: vhj @ mail.sxu.edu.cn

专业及课程设置 (*Programs & Curriculum*)
① 汉语语言及中国文化艺术教育 (*Chinese Language and Culture Art*); ② 边学边旅游 (*Study Tour*)

33. *Foreign Students Office of International Cooperation & Exchanges Department, Xi'an Jiaotong University*
西安交通大学 国际合作与交流处留学生办公室
710049 陕西省西安市咸宁路*28*号西安交通大学外国留学生办公室
电话: *029-2668812 2668230* (留学生办公室) 传真: *029-3234716*
网址: http://www.xjtu.edu.cn/
专业及课程设置 (*Programs & Curriculum*)
① 初、中、高级汉语班 (*Basic, Intermediate, Advanced Chinese*); ② 本科生(*Undergraduate Program*); ③ 硕士生 (*Master's Program*); ④ 博士生 (*Ph.D. Program*); ⑤ 短期班 (旅游、考古) (*Short-term Chinese Program, tours and Archaeology*)

34. *College of International Cultural exchanges, Northwest University, Xi'an*
西北大学　国际文化交流学院
710069 陕西省西安市西北大学
电话：*029-7231074-2111*　传真：*029-8303903　7232733*

专业及课程设置（*Programs & Curriculum*）
① 初级汉语（*Chinese Language Program, Basic*）；② 中高级汉语班（*Chinese Language Program, intermediate and high level*）；③ 寒暑假短期汉语班（*Short-term Chinese Language Program, 4-8 weeks, in summer and winter*）；④ 汉语本科班（*Undergraduate Program, 4 years*）；⑤ 硕士生（*M.A. Program*）

35. *School of Chinese Studies, Xi'an Foreign Language University*
西安外国语大学　汉学院
710061 陕西省西安市长安南路
电话：*029-5309431*　传真：*029-5246154*
E-mail:xflu @ public.xa.sn.cn
专业及课程设置（*Programs & Curriculum*）
① 汉语言专业(本科)（*Chinese Language, Undergradute Program*）；② 长期汉语研修班(1年)（*Long-term Chinese Program, 1 year*）；③ 短期汉语培训班(半年)(*Short-term Chinese Program, half year*)；④ 文化研修班（*Chinese Culture*）

36. *Sichuan University, Chengdu*
四川大学　对外汉语教学中心
610064 四川省成都市九眼桥四川大学东区
电话：*028-54112813*
网址：http://www.scuu.edu.cn/

专业及课程设置（*Programs & Curriculum*）
① 汉语班（*Chinese Language, 3 levels*）；② 读写课（*Reading and Writing*）；③ 中国文化（*Chinese Culture*）；④ 古代汉语（*Classic Chinese*）；⑤ 汉字信息（*Chinese Information*）

37. *International Education and Exchange Centre, Southwest-China Normal University, Chongqing*

西南师范大学　国际教育交流中心
400715　重庆市北碚
电话: *023-68252225*　传真: *023-68863805*
网址: http://www.swnu.edu.cn/ E-mail:student @ swnu.edu.cn

专业及课程设置 (*Programs & Curriculum*)

① 汉语生 (*Chinese Language Learners, 3 months-2 years*);② 短期生 (*Short-term Learners, 4-20 weeks*); ③ 高级进修生 (*Advanced Students for Updateing Studies, within 1year*); ④ 普通进修生 (*General Students for Updating Studies*); ⑤ 本科生 (*Undergraduate Program*); ⑥ 研究生 (*Graduate Program*)

38. *Sichuan International Studies University, Chongqing*

四川外语学院　外国留学生培训部
400031　重庆市沙坪坝区烈士墓
电话: *023-65345274* : *023-65345277*

专业及课程设置 (*Programs & Curriculum*)

① 初、中、高级进修班 (*Elementary, Intermediate. Aduanced Chinese*); ② 长期班 (*Long-term Chinese Courses*); ③中期班 (*Medium-term Chinese Courses*); ④短期班 (*Short-term Chinese Courses*); ⑤讲座 (*Lectures*)

39. *Zhongshan University, Guangzhou*

中山大学　对外汉语教学中心
510275　广东省谅市新港西路 *135* 号
电话: *020-84186300-5190*　传真: *020-84196782*
网址: http://www.zsu.edu.cn/

专业及课程设置 (Programs & Curriculum)

① 汉语班 (*Chinese Language, Regular*); ② 短期班 (*Short-term Chinese Courses*);③ 中国文化 (*Chinese Culture*); ④ 粤语班 (*Cantonese, 2 levels*); ⑤ 高级进修生 (*Advanced Chinese Studies*)

40. *College of Chinese Language and Culture, Jinan University, Guangzhou*

暨南大学　华文学院

510610　广东省广州市沙河瘦狗岭路

电话：*020-87714202-3606*　传真：*020-87723598*

网址：http://www.jnu.edu.cn/ E-mail:ohwy @ jnu.edu.cn

专业及课程设置（*Programs & Curriculum*）

① 汉语言专业本科、专科（*Chinese Language Programs, Undergraduate, 4 years, 2 years*）；② 初级汉语班（*Basic Chinese Classes, 4 Levels*）；③ 汉语速成班（*Speedy Chinese Class, 5 months*）；④ 夏冬令营班（*Summer/Winter Camp*）；⑤ 粤语班（*Cantonese Class, 2 levels*）；⑥ 商贸汉语班（*Commercial Program*）；⑦ 硕士研究生（*Master's Program, 3 years*）

41. *Department of International Students, Guangdong University of Foreign Studies, Guangzhou*

广东外语外贸大学　外国留学生部

510420　广东省广州市黄石东路

电话：*020-86627309*　传真：*020-86627309*

网址：http://www.gdufs.edu.cn/ E-mail: gpdwhy @ gdufs.edu.cn

专业及课程设置（*Programs & Curriculum*）

① 汉语长期班（*Chinese Class, 1-2 years*）；② 短期班（*Short-term Chinese Courses, within 1 year*）；③ 经贸班（*Chinese Economics and Trade*）；④ 粤语班（*Cantonese Course*）；⑤ 汉语本科班（*Chinese language, Undergraduate Program*）

42. *South China Normal University, Guangzhou*

华南师范大学　外事处

510631 广东省广州市石牌

电话：*020-85210057*

网址：http://www.scnu.edu.cn/　E-mail:wsh3 @ scnu.edu.cn(wsh2 @ scnu.edu.cn)

专业及课程设置（*Programs & Curriculum*）

① 初级汉语（*Chinese Language Program, Basic*）；② 中高级汉语班（*Chinese Language Program, intermediate and high level*）；③ 粤语班（*Cantonese Course*）

43. *Institute of Chinese Language and Culture, Shantou University*
汕头大学　中国语言文化学院
515063　广东省汕头市汕头大学
电话：*0754-2902316*　传真：*0754-2510520*
网址：http://www.stu.edu.cn/ E-mail:icd @ mailserv.stu.edu.cn
专业及课程设置（*Programs & Curriculum*）
① 初级汉语（*Chinese Language Program, Basic*）；② 中高级汉语班（*Chinese Language Program, intermediate and high level*）；③ 寒暑假短期汉语班（*Short-term Chinese Language Program, 4-8 weeks, in summer and winter*）；④ 汉语本科班（*Undergraduate Program, 4 years*）；⑤ 各类专业本科班（*Other Bachelor degree programs*）

44. *The College of Arts, Shenzhen University*
深圳大学　文学院
518060　广东省深圳市深圳大学外事处
电话：*0755-6534940*　传真：*0755-6534940*
网址：http://www.szu.edu.cn/ E-mail:szufao@szu.edu.cn
专业及课程设置（*Programs & Curriculum*）
① 入门、初、中、高级汉语班（*Beginers, Basic, intermediate, Advanced Chinese language Program*）；② 寒暑假短期汉语班（*Short-term Chinese Language Program, 4-8 weeks, in summer and winter*）；③ 汉语本科班（*Undergraduate Program, 4 years*）；④ 各类专业本科班（*Other Undergraduate programs*）

45. *The Ocean Education College, Xiamen University*
厦门大学　海外教育学院
361005　厦门大学海外教育学院
电话：*0592-2186211*　*2086139*　传真：*0592-2093346*
网址：http://oec.xmu.edu.cn/ E-mail:xmuoec @ jingxian. xmu.edu.cn
专业及课程设置（*Programs & Curriculum*）
① 汉语（*Chinese as a Foreign Language*）；② 汉语言文化本科班（*Chinese Language and Culture, Undergraduate Program*）；③ 中国语言文学函授本科班专科（*Chinese Language and Literature, Undergraduate Program, College level*）；④ 中医（*Traditional Chinese Medicine*）；⑤ 针灸（*Acupuncture and Moxibustion, College level*）；⑥ 各类短期班（*short-term Programs*）

46. *JiMei Chinese Language College of Huaqiao University, Xiamen*
华侨大学　集美华文学院
361021　福建省厦门市集美嘉庚路8号
电话：*0592-6068011*　传真：*0592-6068002　6068011*
E-mail: jmhuawen @ public.ic.xm.fj.cn
专业及课程设置（*Programs & Curriculum*）
① 初级汉语（*Chinese Language Program, Basic*）；② 高级汉语班（*Chinese Language Program, high level*）；③ 寒暑假短期汉语班（*Short-term Chinese Language Program, 4-8 weeks, in summer and winter*）；④ 汉语本科班（*Undergraduate Program, 4 years*）；⑤ 专科班（*College Level, 2 years*）

47. *International Institute of Education and Culture, Heilongjiang University, Harbin*
黑龙江大学　国际文化教育学院
150080　黑龙江省哈尔滨市学府路*74*号
电话：*0451-6662786*　传真：*0451-6665470*
网址：http://www.hlju.edu.cn/ E-mail:hd8376 @ public.hr.hl.cn

专业及课程设置（*Programs & Curriculum*）
① 高级进修班（*Advanced Training Program*）；② 本科班（*Undergraduate Program*）；③ 短期班（*Short-term Training Program*）；④ 研究生（*Postgraduate Program*）；⑤ 普通进修生（*General Training Program*）

48. *College of International Exchange, Jilin University, Changchun*
吉林大学　国际交流学院
130023　吉林省长春市解放大路*117*号
电话：*0431-5623264*　传真：*0431-8960519*
网址：http://www.jlu.edu.cn/ E-mail:cie @ mail.jlu.edu.cn
专业及课程设置（*Programs & Curriculum*）
① 汉语言文化（*Chinese Language and Culture*）；② 国际企业管理（*International Enterprise Management*）；③ 国际贸易（*International Trade*）；④ 国际经济法（*International Economic Law*）；⑤ 国际金融（*International Finance*）

49. *Northeast Normal University, Changchun*

东北师范大学　留学生部
130024　吉林省长春市人民大街138号
电话：*0431-5685722*　传真：*0431-5683784*

专业及课程设置（*Programs & Curriculum*）

① 现代汉语（*Chinese Language and Literature*）；② 教育学（*Pedagogy*）；③ 历史（*History Education*）；④ 音乐美术（*Music and Fine Arts Education*）；⑤ 国际贸易（*Internationa Trade*）；⑥ 外语（*Foreign language*）；⑦ 本科（*Undergraduate Program*）；⑧ 硕士（*Master's Program*）；⑨ 博士（*Ph.D. Program*）

50. *Liaoning University, Shenyang*

辽宁大学　对外汉语教学中心
110036　辽宁省沈阳市皇姑区崇山中路*66*号
电话：*024-6843356*　传真：*024-6852421*

专业及课程设置（*Programs & Curriculum*）

① 汉语班（*Chinese Language, Regular*）；② 短期班（*Short-term Chinese Courses*）；③ 中国文化（*Chinese Culture*）

51. *International Institute of Chinese Language and Culture, DongBei University of Finance and Economics, Dalian*

东北财经大学　国际汉语文化学院
116025　辽宁省大连市黑石礁
电话：*0411-4695678*　传真：*0411-4695678*
网址：http://Chineselearning.com/ E-mail:iiclc885 @ pub.dl.lnpta.net.cn

专业及课程设置（*Programs & Curriculum*）

① 初级汉语（*Chinese Language Program, Basic*）；② 中高级汉语班（*Chinese Language Program, intermediate and high level*）；③ 短期汉语班（*Short-term Chinese Language Program, 4-8 weeks*）

52. *College of International Cultures, Liaoning Normal University, Dalian*
辽宁师范大学　国际文化交流学院
1169029　辽宁省大连市沙河口区黄河路850号
电话：*0411-4211181-8562*　传真：*0411-4200935*
E-mail:robert @ pub.dl.lnpta.net.cn
专业及课程设置（*Programs & Curriculum*）
① 初级汉语（*Chinese Language Program, Basic*）；② 中高级汉语班（*Chinese Language Program, intermediate and high level*）；③ 经贸汉语班（*Chinese Language Program, Business-oriented*）；④ 计算机（*Computer*）；⑤ 中国文化课程（*Chinese Culture*）；⑥ 汉语言本科硕士（*Chinese language, Undergraduate Program, Master's Program*）；⑦ 汉语言文学教育本科（*Chinese language and literature education, Undergraduate Program*）

53. *Yanbian University*
延边大学　师范学院汉语系
133002　吉林省延吉市公园路*105*号
电话：*0433-2732218*
专业及课程设置（*Programs & Curriculum*）
① 初级汉语（*Chinese Language Program, Basic*）；② 中高级汉语班（*Chinese Language Program, intermediate and high level*）；③ 汉语本科班（*Undergraduate Program, 4 years*）

54. *Institute of Chinese Studies, Dalian Foreign Language University*
大连外国语学院　汉学院
116002　辽宁省大连市中山区延安路*94*号
电话：*0411-2801297*　传真：*0411-2648152*
E-mail: dwhxy @ mbox.dl.cei.gov.cn
专业及课程设置（*Programs & Curriculum*）
① 初级汉语（*Chinese Language Program, Basic*）；② 中高级汉语班（*Chinese Language Program, intermediate and high level*）；③ 寒暑假短期汉语班（*Short-term Chinese Language Program, 4-8 weeks, in summer and winter*）；④ 汉语本科班（*Undergraduate Program, 4 years*）

55. *Chinese Language and Culture College, Ocean University of Qingdao*

青岛海洋大学　中国语言文化学院汉学系
266071　山东省青岛市香港东路*23*号
电话：*0532-5886440*　传真：*0532-5886440*
E-mail:001 @ post.com

专业及课程设置（*Programs & Curriculum*）

① 初、中、高级汉语班（*Chinese Language, Basic, Intermediate, High level*）；② 寒暑期汉语短期班（*Short-term Chinese Language Program*）；③ 汉语本科（*Chinese Language, Undergraduate Program*）

56. *Central China Normal University, Wuhan*

华中师范大学　汉语言国际学院
430079　湖北省武汉市珞瑜路*100*号
电话：*027-87673914*　传真：*027-87875696*
网址：http://www.ccnu.edu.cn/ E-mail:ccnuwb @ pubic.wh.hb.cn

专业及课程设置（*Programs & Curriculum*）

① 汉语（*Chinese Language*）；② 汉语听说（*Chinese Listening*）；③ 汉字书写(*Character Handwriting*)；④ 中国文学（*Chinese Literature*）；⑤ 中国文化(*Chinese Culture*)

57. *College of Foreign Student Education, Wuhan University*

武汉大学　留学生教育学院
430072 湖北省武汉市武昌区珞珈山
电话：*027-87682209*　传真：*027-87863154*
网址：http://www.whu.edu.cn/ E-mail:fses @ whu. edu.cn

专业及课程设置（*Programs & Curriculum*）

① 汉语班（*Chinese Language, Regular*）；② 短期班（*Short-term Chinese Courses*）；③ 中国文化（*Chinese Culture*）；④ 汉语本科（*Chinese language, Undergraduate Program*）

58. *Huazhong University of Natural Science*

华中理工大学 中文系 湖北省武汉市华中理工大学中文系(留学生科)

电话: *027-87543253*

专业及课程设置 (*Programs & Curriculum*)

① 初级汉语 (*Chinese Language Program, Basic*); ② 中高级汉语班 (*Chinese Language Program, intermediate and high level*); ③ 寒暑假短期汉语班 (*Short-term Chinese Language Program, 4-8 weeks, in summer and winter*); ④ 汉语本科班 (*Undergraduate Program, 4 years*)

59. *International Exchange Office, Hubei University*

湖北大学 对外汉语教学中心

430062 湖北省武汉市武昌区学院路*11*号

电话: *027-86743841* 传真: *027-86814263*

网址: *http://www.hubu.edu.cn/ E-mail:ieoffice @ hubu.edu.cn*

专业及课程设置 (*Programs & Curriculum*)

① 初级汉语 (*Chinese Language Program, Basic*); ② 中高级汉语班 (*Chinese Language Program, intermediate and high level*); ③ 汉语本科生 (*Undergraduate Program, 4 years*); ④ 硕士 (*Master's Degree Program*)

60. *International Chinese Language and Culture Centre, Guangxi University, Nanning*

广西大学 对外汉语文化中心

530004 广西省南宁秀灵路*13*号广西大学东校园国际交流处

电话: *0771-3238191* 传真: *0771-3237734*

网址: *http://www.gxu.edu.cn/ E-mail:gxugjc @ pubic. nn.gx.cn*

专业及课程设置 (*Programs & Curriculum*)

① 汉语课 (*Chinese Language, from beginning level to advanced level*); ② 中国历史 (*Chinese History*); ③ 中国文学 (*Chinese Literature*);④ 中国经济 (*Chinese Economics*);⑤ 中国烹调 (*Chinese Cookery*)

61. *Yunnan University, Kunming*

云南大学　国际学术教育交流中心
650091　云南省昆明市
电话：*0871-5162609*　传真：*0871-5148513*
网址：*http://www.ynu.edu.cn/*

专业及课程设置（*Programs & Curriculum*）

① 汉语班（*Chinese Language, Regular*）；② 短期班（*Short-term Chinese Courses*）；③ 中国文化（*Chinese Culture*）

62. *The Chinese Foreign Cultural Exchange Centre, Yunnan Normal University, Kunming*

云南师范大学　中国文化对外汉语培训中心
650092 云南省昆明市一二·一大街 *158* 号
电话：*0871-5516228*　传真：*0871-5323804*

专业及课程设置（*Programs & Curriculum*）

① 汉语教学（*Chinese Language, A, B, C, levels*）；② 中国文化（*Chinese Culture*）；③ 体能学习训练（*Excursions, Practical skill courses*）

（本指南经国家汉办秘书长张德鑫教授审定）